ESCLAVES MARRONS À BOURBON

COLLECTION
AUTREMENT MÊMES
conçue et dirigée par Roger Little
Professeur émérite de Trinity College Dublin,
Chevalier dans l'ordre national du mérite, Prix de l'Académie française,
Grand Prix de la Francophonie en Irlande etc.

Cette collection présente en réédition des textes introuvables en dehors des bibliothèques spécialisées, tombés dans le domaine public et qui traitent, dans des écrits de tous genres normalement rédigés par un écrivain blanc, des Noirs ou, plus généralement, de l'Autre. Exceptionnellement, avec le gracieux accord des ayants droit, elle accueille des textes protégés par copyright, voire inédits. Des textes étrangers traduits en français ne sont évidemment pas exclus. Il s'agit donc de mettre à la disposition du public un volet plutôt négligé du discours postcolonial (au sens large de ce terme : celui qui recouvre la période depuis l'installation des établissements d'outre-mer). Le choix des textes se fait d'abord selon les qualités intrinsèques et historiques de l'ouvrage, mais tient compte aussi de l'importance à lui accorder dans la perspective contemporaine. Chaque volume est présenté par un spécialiste qui, tout en privilégiant une optique libérale, met en valeur l'intérêt historique, sociologique, psychologique et littéraire du texte.

« Tout se passe dedans, les autres, c'est notre dedans extérieur, les autres, c'est la prolongation de notre intérieur. »
Sony Labou Tansi

« Mais il n'y guère de relation à soi qui ne passe par la relation à Autrui. Autrui, c'est à la fois la différence et le semblable réunis. »
Achille Mbembe

Titres parus et en préparation :
voir en fin de volume

ESCLAVES MARRONS À BOURBON
UNE ANTHOLOGIE LITTÉRAIRE
(1831-1848)

Présentation de Pratima Prasad
avec la collaboration de Roger Little

En couverture :

« Le marronnage »
Gravure de Félix parue dans l'édition originale
des *Marrons* de Louis-Timagène Houat,
Paris, Ébrard, 1844, entre p. 38 et p. 39,
aimablement partagée par Jean-François Samlong.

5-7, rue de l'École-Polytechnique, 75005 Paris

www.editions-harmattan.fr

ISBN : 978-2-343-19392-2
EAN : 9782343193922

INTRODUCTION

par Pratima Prasad

De la même auteure

Approaches to Teaching George Sand's Indiana, New York, PMLA, 2015 (éd. avec David Powell)

Colonialism, Race, and the French Romantic Imagination, New York, Routledge, 2009

Novel Stages : Drama and the Novel in Nineteenth-century France, Newark, University of Delaware Press, 2007 (éd. avec Susan McCready)

INTRODUCTION

Dès le seizième siècle, dans le vocabulaire esclavagiste, l'esclave fugitif est appelé du nom de *marron* (ou *nègre marron*, *negmarron*). Le mot est dérivé de l'espagnol *cimarrón*, lui-même emprunté au Taino *simaran* : fugitif, sauvage. L'esclave marron est celui qui fuit la plantation à la recherche de la liberté, se réfugiant dans des cachettes de fortune et parvenant parfois, au risque de lourdes peines, à un retrait permanent de la société coloniale. De fragiles communautés de marrons pouvaient alors naître dans les marges de la société de plantation, subsister grâce à la culture de plantes sauvages (bananes, patates douces) et aux razzias sur les fermes des colons, et développer au fil du temps une culture distincte en adaptation aux communautés déjà existantes et aux conditions géographiques locales. Le marronnage est avant tout un acte de rébellion et de résistance à l'ordre colonial qui pouvait se dérouler de plusieurs manières : on parle de « grand marronnage » lorsque les populations esclaves s'enfuyaient en nombre important et pour s'établir dans les régions sauvages (forêt, montagnes, etc.), et de « petit marronnage » pour les fuites occasionnelles et à petite échelle. Quand les esclaves s'enfuyaient de la plantation, les raisons de leur fuite pouvaient varier, qu'elles soient dues à un désir primordial de liberté ou aux souffrances éprouvées sous le joug du maître. Devenir marron c'était vivre hors la loi, le marronnage étant un crime punissable dans toutes les sociétés de plantation. Dans les colonies françaises d'outre-mer, les marrons capturés par les chasseurs étaient soumis aux injonctions disciplinaires du *Code noir*[1], soumis à diverses punitions corporelles (dont la mutilation) et à la peine de mort à la troisième récidive.

Bien que le phénomène du marronnage soit répandu dans toutes les colonies esclavagistes aux Amériques, aux Antilles et dans les

---

[1] Décret passé par Louis XIV en 1685, le *Code noir* a été modifié à plusieurs reprises jusqu'en 1724 pour s'appliquer aux spécificités locales de chaque colonie. Son but principal était de légiférer le statut et la vie des esclaves dans les colonies.

îles Mascareignes de l'océan Indien, le sujet tient une place spéciale dans la littérature de l'île de la Réunion. Il représente non seulement la préoccupation centrale des premiers romanciers de l'île Bourbon (ainsi que se nomme l'île de la Réunion dès sa colonisation par la France au dix-septième siècle et jusqu'à la Révolution française, puis à nouveau pendant la Restauration), mais aussi celle des observateurs venus de France métropole qui l'ont visitée. Par ailleurs, les écrivains contemporains réunionnais continuent à nourrir leur imagination des faits historiques du marronnage[1]. La topographie particulière de l'île contribue sans doute en partie à la persistance du marronnage comme sujet narratif. Le théoricien Rafael Lucas souligne que certains écosystèmes, comme les milieux montagneux, les forêts, et les brousses marécageuses, étaient plus favorables à la clandestinité et meilleurs gages de la survie d'un marron en fuite[2]. En l'occurrence, les particularités géographiques de la Réunion, avec son intérieur montagneux aride et volcanique, fournissaient par endroits l'isolement requis pour le développement viable de communautés marronnes (à la différence, par exemple, de l'île Maurice, la petite taille et l'absence relative de terrain inhospitalier rendait l'établissement de villages marrons précaire)[3]. À l'époque de l'esclavage, l'île était caractérisée par ce que l'historien Edward Alpers appelle une « dichotomie socio-spatiale » : d'une part, une étroite bande côtière formant sa circonférence, et d'autre part un intérieur montagneux et sauvage où le règne du colon n'avait pas pénétré, et où les marrons se réfugiaient[4]. Cette dichotomie se reflète au niveau de la toponymie : les noms des trois grands cirques volcaniques situés au centre de l'île

---

[1] Voir les romans de Vaxelaire, Manglou, et Samlong (2002) dans notre Bibliographie sélective. Sauf indication contraire, toutes les références se trouvent dans cette bibliographie. En cas de citations des œuvres qui ne sont pas incluses dans notre bibliographie sélective, nous fournissons les détails bibliographiques dans la note de bas de page.

[2] L'étude de Lucas (« Marronnage et marronnages », *Cahiers d'histoire. Revue d'histoire critique*, t. 89 (2002), p. 13-28) se porte sur les Antilles, mais elle est tout aussi pertinente pour l'océan Indien. Selon Lucas, les marrons avaient généralement trois modes de vie : ils survivaient comme ils pouvaient ; ils établissaient des espaces autonomes sans lutter contre l'ordre colonial ; ils s'opposaient ouvertement à l'ordre colonial.

[3] Voir l'ouvrage de Richard B. Allen (2005), p. 48.

[4] Voir Alpers (2005), p. 39.

– Mafate, Cilaos and Salazie – sont dérivés du malgache, alors que les villes côtières portent presque toutes les noms de saints catholiques. En outre, comme le fait remarquer Marie-Ange Payet, les montagnes réunionnaises fonctionnent comme de véritables lieux de mémoire du marronnage, portant les noms des marrons (le Piton Anchain, Mafate, etc.) et des chasseurs de noirs (le Piton Bronchard, la Caverne Mussard, etc.)[1].

Dès l'établissement de l'esclavage sur l'île Bourbon à la fin du dix-septième siècle, et jusqu'à son abolition définitive en 1848, le phénomène du marronnage est attesté à de nombreuses reprises et devient une préoccupation majeure de l'administration coloniale. Selon un recensement de 1735, il y aurait 208 marrons sur 6573 esclaves ; ce chiffre augmente à 500 en 1740, et dans la première moitié du dix-neuvième siècle on estimait ce nombre entre 1000 et 2000 – sans tenir compte des instances de « petit marronnage », peu documentées dans les archives[2]. Dès le début du dix-huitième siècle, l'administration coloniale avait établi un Bureau du Marronnage dont le mandat était d'enregistrer les déclarations de fuite, de recenser les esclaves fugitifs et d'exercer la répression judiciaire des marrons. En outre, afin de lutter contre les « descentes » de marrons sur les domaines de leurs anciens maîtres pour y piller de la nourriture, des outils, des petits animaux de ferme, et d'autres matières de ravitaillement, les planteurs avaient formé des milices de chasseurs de primes appelées « détachements », qui à leur tour se rendaient dans les montagnes pour capturer ou tuer les fugitifs. Comme l'explique Prosper Ève, il s'opérait un va-et-vient continuel entre les montagnes et la côte au dix-huitième siècle :

> Pour construire leur camp et pratiquer l'agriculture, [les marrons] ont besoin d'outils. Comme ils ne peuvent en fabriquer, ils vont en prendre […] sur les habitations des régions basses. Ils organisent des

[1] Voir l'ouvrage de Marie-Ange Payet, p. 29-33. Selon Payet, « la toponymie des cirques de l'île témoigne encore aujourd'hui de l'épopée marronne et de la présence de Marrons puissants et héroïques » (p. 30).

[2] Les travaux de Prosper Ève sont indispensables pour tout étudiant du marronnage à l'île Bourbon. Les chiffres que nous citons sont tirés des publications suivantes dans notre bibliographie : « Les Formes de résistance à Bourbon » (1995), p. 51, et *Les Esclaves de Bourbon* (2003), p.152-153.

> razzias. À l'occasion, ils enlèvent une ou deux négresses et ramènent aussi de la viande. Les chasseurs raflant les outils dans les camps lors de leur passage, les marrons survivants doivent, qu'ils veuillent ou non, revenir en chercher d'autres[1].

Ces profonds contrastes entre hauteurs et plaines, liberté et servitude, chasse et fuite, ont fourni aux écrivains réunionnais un riche matériel narratif qu'ils ont amplement exploité au cours des siècles.

Le présent recueil réunit cinq récits qui représentent les premiers développements du thème du marronnage à la Réunion. Dans ces contes, nouvelles, et romans, on découvre des tentatives désespérées d'évasion de la part des esclaves, des conflits armés entre fugitifs et chasseurs, et des scènes de capture et de torture. Ces cinq textes furent publiés entre 1831 et 1848 par cinq auteurs formant un groupe éclectique mais dont chacun entretien avec l'île une relation particulière, que ce soit pour y être né et y avoir vécu (Louis-Timagène Houat, Eugène Dayot, Leconte de Lisle ; Victor Charlier est né dans l'île voisine de Maurice) ou pour l'avoir visitée (Théodore Pavie). Pour Houat ainsi que pour Dayot, la Réunion est un véritable pays natal. Leurs écrits reflètent leur attachement inné à l'île. Leconte de Lisle et Charlier sont nés dans l'océan Indien, mais ils étaient domiciliés principalement en France métropolitaine. Leconte de Lisle, par exemple, est ramené en France à trois ans ; il revient à l'île Bourbon à dix ans, où il passe quelques années de son adolescence[2]. Quoique les différences entre eux soient considérables, ces cinq auteurs appartiennent à la même génération née au début du dix-neuvième siècle (en l'occurrence de 1803 pour Charlier à 1818 pour Leconte de Lisle) et devenant adulte dans le ferment révolutionnaire et philosophique qui mena la France de l'ultra-royalisme de Charles X à la monarchie constitutionnelle de Louis-Philippe puis à la révolution de 1848 et à la Deuxième République. Les années de publication de ces cinq textes couvrent aussi précisément la période menant de l'abolition de la traite négrière (1831) à l'abolition définitive de l'esclavage (1848). Celles-ci étaient de longue date. En effet, malgré la légitimation de l'escla-

---

[1] Prosper Ève (1995), p. 57.

[2] Edmond Estève, *Leconte de Lisle ; l'homme et l'œuvre*, Paris, Boivin, 1923, p. 5-25.

vage procédant du succès économique des colonies d'outre-mer, une opposition grandissante à la traite négrière et à l'esclavage se développe en métropole, et plus généralement dans l'Europe des Lumières, et culmine en France dans une première abolition de l'esclavage par la Convention en 1794. Celle-ci reste toute théorique dans l'île Bourbon, devenue alors île de la Réunion, puis île Bonaparte sous l'empire (1801-1815), et l'esclavage est promptement rétabli par Napoléon en 1802 pour apaiser les colons et éviter le passage de la colonie à l'Angleterre. Cependant, sous l'opposition grandissante du mouvement anti-esclavagiste (telle que la puissante *Society for the Extinction of the Slave Trade* au Royaume-Uni), la traite est finalement abolie par l'Angleterre en 1807, puis par la France en 1815 (quoique la pratique se poursuivît parfois ouvertement jusque dans les années 1830), puis, à la suite de la Révolution de Juillet, de façon permanente en 1831 par le gouvernement de Louis-Philippe. C'est enfin sous la Deuxième République, avec la loi Schoelcher, que l'esclavage est définitivement aboli dans les colonies françaises, le 27 avril 1848.

C'est à cette même période qu'un champ littéraire autonome émerge à l'île Bourbon. Une véritable culture journalistique autochtone, munie de ses propres agents de production, de distribution, et de conservation des œuvres littéraires se développa pendant cette époque. Ainsi, le premier journal périodique fut établi en 1794, la première librairie de l'île ouvrit ses portes en 1827, et des cabinets de lecture apparurent dès 1843[1]. Alors que l'île Bourbon avait auparavant donné naissance à des poètes lyriques tels qu'Evariste de Parny ou Antoine de Bertin, panégyristes de la beauté de l'île, elle n'avait guère produit de romanciers. Les deux premiers romans réunionnais rédigés par Houat et Dayot que nous présentons dans cette anthologie font du marronnage un véritable mythe fondateur, et furent publiés alors que l'activité de la presse était en plein essor dans la métropole comme aux colonies. Si les écrivains métropolitains du dix-neuvième siècle sont également fascinés par le phénomène du marronnage à l'île Bourbon, ils produisent des récits narratifs plus courts sur ce sujet, récits qui prennent quelquefois

[1] Sur ce sujet, consulter l'article de Christine Dupuit.

l'aspect d'articles d'intérêt général. Ainsi, les trois courtes nouvelles que nous rééditons ici (signées par Charlier, Pavie, et Leconte de Lisle) sont destinées à un lectorat avide d'anecdotes à caractère historique, géographique ou proto-anthropologique.

Il faut enfin souligner l'influence incontournable sur chacun de nos auteurs du roman de Bernardin de Saint-Pierre, *Paul et Virginie*, paru en 1788 et se déroulant sur l'île-sœur de Maurice. Par exemple, quoique « Sacatove », la nouvelle de Leconte de Lisle, soit thématiquement très éloignée de *Paul et Virginie*, l'auteur semble obligé de placer son texte dans une généalogie littéraire qui le relie à Bernardin de Saint-Pierre. Au début de son récit, Leconte de Lisle rend hommage au roman de son prédécesseur, l'appelant « le plus émouvant des poèmes » (127). De même, la vie simple et frugale menée par le couple central dans *Les Marrons* de Houat, loin des vices de la plantation esclavagiste, imite la société intime et idéalisée du récit pastoral de Bernardin. C'est bien dans le regret de ce rousseauisme édénique de Bernardin et de son évocation d'une société idéale, fraternelle et métissée où le paternalisme colonial n'aurait pas encore viré à la violence raciste que s'ancrent les remarques amères, les touches d'ironie, les pointes tragiques ou encore l'héroïsme fébrile de nos narrateurs[1].

« Le Noir marron » (1831)

Victor Charlier (1803-1874), l'auteur du court texte « Le Noir marron » est né dans l'océan Indien (à l'île Maurice), mais les circonstances de son enfance sont peu connues. Quoi qu'il en soit, il quitte bientôt l'île pour la métropole, où il fait carrière, d'abord comme maître de forges et plus tard comme conseiller général et

[1] Presque tous les romanciers de la période dite du romantisme qui situent leurs récits dans l'océan Indien font une allusion implicite ou explicite à *Paul et Virginie*. Par exemple, la conclusion utopique d'*Indiana* (1832) de George Sand se situe à l'île Bourbon. Comme les protagonistes du roman de Bernardin, Indiana et son compagnon Ralph vivent à l'écart de la société coloniale, et rachètent la liberté des esclaves âgés et infirmes. Au début de *Georges* (1843), unique roman d'Alexandre Dumas ayant lieu aux colonies, le narrateur invite son lecteur à faire un tour du paysage édénique de l'île Maurice, tout en passant par le quartier où Paul et Virginie furent élevés.

représentant au Corps législatif du Jura[1]. Il fut également écrivain et critique littéraire, collaborant au *Journal des débats* et écrivant des ouvrages d'érudition au sujet des îles de l'océan Indien, tels que l'article détaillé « Îles Madagascar, Bourbon et Maurice » pour le volume *Îles de l'Afrique* de l'encyclopédie *L'Univers pittoresque* (Paris, 1835-63 ; le texte de Charlier date de 1848). Il publia aussi avec l'écrivain Eugène Chapus un recueil de nouvelles coloniales intitulé *Titime ? Histoires de l'autre monde* (1833). « Le Noir marron », publié dans *La Revue de Paris* sous la rubrique « Mœurs coloniales » en 1831[2], est avant tout une disquisition contre la brutalité arriérée des colons à l'égard des esclaves. Le récit, qui est fort probablement inspiré d'événements réels, s'ouvre sur l'arrivée du navire négrier *L'Albatros* sur les côtes de l'île Bourbon. Le détail n'est pas sans importance. La traite négrière avait été déclarée illégale au début du dix-neuvième siècle, mais un commerce illicite continua jusque dans les années 1820, tant dans l'Atlantique que dans l'océan Indien[3]. Comme l'indique Charlier, *L'Albatros* avait réussi, grâce à certaines complicités locales, à déjouer l'interdiction de la traite et la surveillance active des quakers britanniques dans les eaux de l'Atlantique.

Le héros du récit, un Africain à l'allure princière nommé Tarquin, est d'origine sénégalaise[4]. Devenu l'esclave d'un colon, Tarquin s'éprend d'une esclave et en fait sa femme. Tragiquement, celle-ci finit par se pendre pour échapper aux brutalités sadiques et imméritées du maître. Par vengeance, Tarquin empoisonne son maître à l'arsenic et s'enfuit. Le narrateur européen le rencontre et partage un repas avec le marron qui l'appelle « bon blanc », le mettant ainsi moralement en opposition avec les créoles esclavagistes de l'île. Une fois capturé, Tarquin est promptement exécuté avec ses complices sur la place publique. Parmi tous les textes de ce recueil, « Le Noir marron » présente la particularité de

[1] À part un court article dans le *Dictionnaire de biographie française* (Paris, Librairie Letouzey et Ané, 1957), nous n'avons pas trouvé de biographie de Victor Charlier.

[2] Le texte n'a pas été republié depuis.

[3] Voir les articles de Richard B. Allen (2009) et d'Hubert Gerbeau.

[4] Il se distingue ainsi de la majorité des esclaves de l'océan Indien, venus de Madagascar ou du littoral est-africain.

transmettre à travers son ironie acerbe la violence dévastatrice et déshumanisante de l'esclavage. Par exemple, il se moque des colons bien-pensants de l'île qui, dans un esprit réformateur, remplacent la punition au fouet par celle au rotin : le rotin coupe bien la chair mais il a le mérite, à la différence du fouet, de la sillonner sans faire gicler le sang à la figure des spectateurs ! De même, lors de l'exécution de Tarquin par décapitation, le narrateur fuit le spectacle sanglant, mais il est encore assez près pour entendre le sabre s'y reprendre à deux fois. Il remarque amèrement qu'alors qu'en Europe on débat de l'abolition de la peine de mort, les colons de Bourbon n'en sont même pas encore à la guillotine.

Les Marrons (1844)

Les Marrons de Louis-Timagène Houat (1809-1890 ?) détient la distinction d'être le premier roman réunionnais[1]. Bien que les données historiques concernant la naissance et l'enfance de Houat soient maigres, il semble acquis qu'il ait été un homme de couleur natif de l'île Bourbon, et très probablement le neveu de la célèbre personnalité créole Jean-Baptiste Lislet Geoffroy (lui-même fils d'un colon français et d'une esclave africaine)[2]. Le père d'Houat serait un esclave africain affranchi, et son patronyme une contraction de Watra ou Ouattara, un nom bambara[3]. En 1835, il est arrêté, avec d'autres hommes de couleur, pour incitation à la révolte des esclaves. De sa cellule, il parvient à entrer en contact avec l'éditeur de la *Revue des colonies*, l'abolitionniste martiniquais Cyrille Bissette. Entre 1836 et 1837, la *Revue des colonies* fit souvent mention de l'affaire Houat, en prenant de façon véhémente la défense du jeune homme[4]. Houat fut condamné à la prison à vie, mais sa peine fut commuée en exil. C'est précisément pendant son

---

[1] Pour une histoire littéraire détaillée de l'océan Indien, on peut consulter avec profit l'ouvrage de Joubert.

[2] Voir l'article d'Edward Alpers (2005), p. 38.

[3] Prosper Ève (2003), 344n.

[4] Françoise Vergès offre une analyse détaillée du cas de Houat dans *Monsters and Revolutionaries* (2005), p. 30-37. On peut aussi consulter l'article de Pratima Prasad, « Colour and Conflict in Nineteenth-Century Île Bourbon: the case of the *Affaire Houat* », *Dix-Neuf : Journal of the Society of Dix-Neuviémistes*, 24:1 (2020), https://doi.org/10.1080/14787318.2019.1679516.

exil à Paris qu'il publie *Les Marrons*. Ainsi que l'écrit Jean-François Samlong, il est impossible d'évaluer l'impact de ce roman au dix-neuvième siècle, ni même l'ampleur de son public. On estime qu'il n'ait que rarement quitté les bibliothèques de l'île[1]. Il fut redécouvert et publié à nouveau à la Réunion plus d'un siècle plus tard, en 1988[2]. Grâce à la parution d'éditions modernes et à l'étude détaillée de Samlong, le roman a commencé ces dernières années à susciter un certain intérêt de la part de la critique.

Le roman de Houat débute en 1833 avec quatre esclaves qui préparent leur fuite. Ils décrivent leurs souffrances et l'inhumanité de leur condition, assurant ainsi l'adhésion du lecteur à leur cause. Tandis que trois d'entre eux décident de s'évader par la mer à Madagascar, le lecteur est invité à suivre le quatrième sur les hauteurs de l'île Bourbon, où il se retrouve face à face avec d'autres marrons tout en étant traqué par les chasseurs. *Les Marrons* est un roman fondamentalement utopique, le marronnage formant le noyau d'un mythe d'origine idéalisé de l'île Bourbon. Dans la forêt, le jeune fugitif retrouve Frême and Marie, un homme noir et une femme blanche que leur relation taboue a poussés à s'enfuir de la plantation. Dans une caverne isolée en pleine montagne, ils mènent une vie simple et paisible avec leur nouveau-né, se nourrissant de la flore et de la faune sauvage. La famille de Frême et de Marie symbolise la vision d'une société édénique dans laquelle tout *animus* entre les races est absent[3]. Frême et Marie réapparaissent plus tard dans un récit de rêve très développé : alors que le jeune marron est capturé et croupit dans sa cellule de prison, Frême et Marie lui apparaissent en rêve comme de grandes figures surhumaines sur les

[1] Voir Samlong (1990), p. 16. À Paris, Houat publie aussi un recueil de poèmes autobiographiques intitulé *Un proscrit de l'île Bourbon à Paris* (1838).

[2] Le chercheur Raoul Lucas a découvert un exemplaire de la première édition des *Marrons* à la Bibliothèque nationale de France. La réédition de 1988, pratiquement introuvable aujourd'hui, est réalisée par le Centre de Recherche indiano-céanique sous la direction de Lucas.

[3] L'épisode, et surtout le mode de vie de Frême et Marie, est à comparer avec *Paul et Virginie*. Cette scène rappelle aussi *La Chaumière indienne* (1791) de Bernardin de Saint-Pierre, un conte qui se passe en Inde et qui raconte l'amour impossible entre un intouchable et une jeune femme de caste supérieure. Les jeunes amants fuient la société inégalitaire sous-tendue par une rigide hiérarchie de castes, et vivent dans une cabane isolée avec leur enfant.

pics salaziens, donnant naissance à un nouveau pays riche et fertile où toute différence de couleur et toute inégalité sont supprimées.

L'importance donnée au personnage de Marie soulève la question de la place de la femme (esclave ou non) dans la littérature de cette époque. Dans toutes les histoires de ce volume, les marrons principaux sont toujours des hommes, alors que les marronnes ne sont pratiquement jamais mentionnées, même lorsqu'il s'agit de leurs épouses ou de leurs compagnes. Paradoxalement, la seule femme à être explicitement nommée marronne dans ces textes, est Marie, la femme blanche des *Marrons* de Houat. Charlier dépeint la souffrance de la femme esclave, mais son histoire ne traite pas de la femme marronne. Dans le récit de Leconte de Lisle, il y a des « négresses » dans la grotte des marrons, mais elles n'apparaissent dans le récit qu'en tant que groupe dont le seul rôle est d'obéir aux ordres de Sacatove. Comme le démontre l'historienne Marie-Ange Payet, le phénomène des femmes dans le marronnage n'était pas anodin, mais la documentation à leur sujet dans les archives historiques est très lacunaire. La culture orale de la Réunion, pourtant, conserve le souvenir des marronnes de l'île, telles que Héva, Simangalove et Marianne. Les noms de certaines de ces femmes font une brève apparition dans *Bourbon pittoresque* de Dayot, mais sont par ailleurs absents des premiers textes sur le marronnage.

« Une chasse aux nègres-marrons » (1845)

Comme nous l'avons vu, le narrateur du « Noir marron » est un « bon blanc », un visiteur venu de métropole qui rencontre le héros en fuite lorsqu'il se rend à l'intérieur de l'île. « Une chasse aux nègres marrons » reproduit également cette double typologie du blanc venu de la métropole et héritier de l'esprit des Lumières, et de l'habitant réunionnais arriéré et âpre de profit. Théodore Pavie (1811-1896), auteur de ce récit, était un voyageur et un fervent amateur de l'Orient. Son voyage en Inde en 1839 avait inspiré plusieurs textes orientalisants sur l'Inde. À son retour en Europe, il fit escale sur l'île Bourbon qui lui inspira cette nouvelle, qu'il publia dans la *Revue des deux mondes* en 1845[1].

---

[1] Plusieurs écrits de Pavie traitent des mythes et des pratiques des Hindous. Dans le domaine de la fiction, *Les Babouches du Brahmane* (1849) de Pavie a inspiré à

Construite comme un récit encadré, la nouvelle rapporte une histoire racontée à un groupe de visiteurs européens par un « petit blanc » nommé Maurice, leur guide local. Le récit est parsemé d'échanges entre l'un des Européens, un médecin éclairé, et Maurice, un homme sans éducation. L'un d'entre eux fait contraster la désapprobation du médecin à l'égard des punitions infligées aux esclaves et les opinions pro-esclavagistes de Maurice. L'essentiel du récit de Maurice raconte sa participation à un détachement envoyé en forêt pour traquer les esclaves fugitifs, et donne ainsi aux visiteurs européens un aperçu de la vie des marrons. Ils découvrent également un marron malgache nommé Quinola – un représentant fictif des marrons célèbres de la Réunion tels que Cimandef et Anchaing – qui, par refus de mourir dans le pays qui l'a asservi, expire en tentant de s'échapper sur une barque[1]. Le personnage de Maurice suggère aussi certaines nuances quant aux différences de classe entre les Créoles blancs, ce qu'on ne perçoit que très peu dans les autres textes de ce recueil. En règle générale, les histoires de marronnage parlent d'esclaves qui s'échappent du domaine des « grands blancs », c'est-à-dire des colons propriétaires terriens et maîtres d'esclaves. Maurice, en revanche, est un « petit blanc » aux moyens modestes, qui vit de la fabrication de pirogues. Lorsqu'il hérite d'une petite somme d'argent de son père, il achète un esclave. Voulant devenir un planteur un jour, il considère la propriété d'esclaves comme le premier pas vers la mobilité sociale et économique. Le personnage de Maurice permet donc à Pavie d'éclairer les divisions socio-économiques de la société de plantation et l'existence d'un prolétariat blanc établi sur les hauteurs de l'île, qui est par ailleurs tout à fait attesté dans les recensements locaux aux dix-huitième et dix-neuvième siècles[2].

Léo Delibes, Edmond Gondinet, et Philippe Gille l'opéra *Lakmé*, représenté pour la première fois en 1883.

[1] Ce détail montre la perspicacité proto-ethnographique de Pavie. Comme le confirme Meghan Vaughan, les marrons malgaches s'échappaient souvent par la mer car ils avaient peur de mourir hors de leur pays natal et d'être enterrés loin de leurs ancêtres (p. 227).

[2] Cette communauté s'est progressivement séparée des Blancs des Bas pour former une entité culturelle à part, avec ses propres particularités dialectales (cf. Robert Chaudenson, *Creolization of Language and Culture*, New York, Routledge

« Sacatove » (1846)

Né à Saint Paul, Leconte de Lisle (1818-1894) passa une partie importante de son adolescence sur l'île. Connu avant tout comme l'un des poètes principaux du mouvement parnassien, Leconte était un républicain engagé, auteur de nombreux articles politiques. Il publia aussi plusieurs nouvelles dans la presse des années 1840 et fut un ardent amateur de l'hindouisme[1]. Sa nouvelle « Sacatove » parut en 1846 dans le journal fouriériste *La Démocratie pacifique,* un périodique dédié aux théories sociales utopiques de Fourier, duquel Leconte de Lisle était proche à cette époque. Après sa première publication dans la presse, « Sacatove » parut à nouveau en 1910 dans un recueil de dix contes par l'écrivain, mais jamais depuis. Ces œuvres de jeunesse de Leconte de Lisle recouvrent une variété de sujets, mais celle qui se rapproche le plus de « Sacatove » est « Marcie » (1847), publiée dans la même revue et qui évoque les relations tendues entre maîtres et esclaves à Bourbon[2].

Leconte de Lisle avait treize ans lors de la publication du « Noir marron », et son « Sacatove » montre d'incontestables similitudes avec le texte de Charlier. L'intrigue de la nouvelle se déroule au cours des années 1820, et raconte l'histoire du héros éponyme qui passe quatre ans dans une plantation avant de s'enfuir, à l'improviste, dans les montagnes. Comme Charlier, Leconte ouvre son récit sur l'arrivée d'un bateau négrier en provenance de Madagascar, et il semble partager la même perspective amère et désabusée sur l'ordre colonial que son prédécesseur. Comme son héros, qui dupe ses maîtres en prenant l'apparence d'un esclave

---

2001, p. 114 et suiv.). Selon Alexandre Bourquin, « c'est bien l'un des particularismes de cette île Bourbon. Nulle part dans le monde il n'existe d'authentiques exemples de pauvres Blancs qui puissent être appréhendés dans la durée, de même qu'en une catégorie sociale » (*Histoire des Petits-Blancs de la Réunion*, Paris, Karthala, 2005, p. 38).

[1] Comme Pavie, Leconte de Lisle a publié des ouvrages sur l'Inde. L'œuvre indienne de Leconte de Lisle inclut *L'Inde française* (1858), qui rapporte l'histoire de la présence française en Inde, et des contes adaptés du sanscrit comme « La Princess Yaso'da » (1847) et « Phalya-Mani » (1876).

[2] On peut lire « Marcie » dans une anthologie publiée sous l'égide de la même collection dans laquelle nous publions ce présent recueil : *Nouvelles du héros noir. Anthologie 1769-1847* (éd. Roger Little), Paris, L'Harmattan (coll. Autrement Mêmes), 2009.

docile et dévoué, Leconte de Lisle déjoue continuellement les attentes du lecteur avec ses formulations à double sens et son ton moqueur. Sous la plume de l'auteur, c'est le colon qui fait l'objet des critiques les plus sévères : les planteurs créoles sont décrits comme des êtres paresseux, immoraux et indignes du paysage idyllique dans lequel ils vivent. « Sacatove » pousse assez loin les limites de la vraisemblance. Peu de temps après la disparition du protagoniste de la plantation, on le voit se cacher dans les montagnes au milieu d'un rassemblement impressionnant d'objets : des armes telles que fusils et couteaux, des vivres (riz, sucre, bacon), et des ustensiles de cuisine tels que des marmites. Même s'il s'agit là des dépouilles typiques d'un raid marron, leur énumération hyperbolique et leur entassement donnent à la scène une aura d'excès baroque. De plus, la grotte abrite un mobilier de confort (fauteuils, chaises, une somptueuse causeuse...) qu'il aurait été absolument impossible de faire parvenir en montagne, et encore moins dans le contexte précipité d'un raid. Mais le détail sans doute le plus choquant pour le lecteur de l'époque est la présence dans la grotte de Marie, la fille du maître, que Sacatove a kidnappée et tient captive. Dans les plaintes au sujet de raids de marrons enregistrées à l'époque de l'esclavage, les colons de l'île accusaient souvent les marrons d'enlèvement de femmes. Il est impossible de dire si ces femmes s'enfuyaient de la plantation de façon consensuelle ou par la force, mais le détail qui ne manque jamais d'être mentionné est qu'il s'agit de femmes esclaves et non des femmes de la famille du colon [1]. L'idée même de l'enlèvement d'une femme blanche par un esclave se heurtait non seulement au tabou du désir interracial, mais également à une peur profondément ancrée dans l'imaginaire des planteurs quant à la menace pesant sur leurs femmes. Alors que cette idée était suggérée dans « Le Noir Marron » (le héros Tarquin enlève une jeune mariée blanche dans un geste d'extrême vengeance contre l'ordre colonial), Leconte de Lisle en élabore les possibilités narratives [2]. Inspiré d'idéaux démocratiques, le récit de Leconte de

[1] Payet, p. 26-28.

[2] Il est intéressant de noter que « Marcie », le deuxième récit de Leconte de Lisle ayant lieu à l'île Bourbon, met aussi en scène un esclave noir amoureux de sa maîtresse.

Lisle revendique la liberté comme une nécessité inéluctable de l'être humain et finit sur une note tragique par un véritable suicide de son héros qui, malgré sa claire supériorité physique et spirituelle, s'offre au fusil du stupide frère de Marie.

Bourbon pittoresque (1848)

Le seul texte de cette anthologie qui ait été publié à l'île Bourbon même, le roman d'Eugène Dayot (1810-1852), est un produit exemplaire de la culture de la presse évoquée plus haut qui a créé des conditions idéales pour la production de la littérature à l'île Bourbon. Dayot était un administrateur colonial, journaliste, et écrivain, dont la vie fut abrégée à quarante-deux ans par la lèpre, qu'il avait contractée lors d'un séjour à Madagascar. Jeune homme, il avait fait l'acquisition d'un organe de presse intitulé *Le Glaneur*, qu'il renomma *Le Créole* (1839-1843) et dans lequel il publia son poème le plus célèbre, « Le Mutilé ». Se faisant le porte-parole de l'abolitionnisme, *Le Créole* fit faillite et fut absorbé par un concurrent conservateur, *Le Courrier de Saint-Paul*, qui représentait les intérêts du pouvoir colonial de l'île. C'est dans *Le Courrier* que parut en feuilleton *Bourbon pittoresque*, le seul texte romanesque de Dayot. Cinquante chapitres avaient été prévus, mais Dayot n'en acheva que douze avant de mourir. En 1878, le roman figure aux côtés d'autres œuvres de Dayot dans ses *Œuvres choisies* publiées par Challamel. En 1914, le journal *Le Peuple* le fait reparaître en feuilleton. Bien plus tard, en 1966, une nouvelle édition est préparée sous l'égide de l'hebdomadaire *Croix-Sud*. Enfin, les *Œuvres choisies* de Dayot sont reproduites dans une édition datée de 1977, mais cette édition ne donne malheureusement pas les titres des chapitres inachevés de *Bourbon pittoresque*, qui donnent un aperçu si crucial du déroulement du roman tel que le prévoyait son auteur[1].

Malgré ce que son titre laisse entrevoir au lecteur, *Bourbon pittoresque* fait le récit d'une confrontation épique entre deux groupes de personnages célèbres de l'histoire réunionnaise : les

---

[1] Les détails de l'histoire de publication de *Bourbon pittoresque* sont fournis dans *Le Roman du marronnage* de Jean-François Samlong, p. 17. En 2012, les Éditions Azalées ont fait paraître une version achevée du roman, préparé par l'écrivain réunionnais Jules Bénard.

redoutables chasseurs de l'île Bourbon et certains de ses marrons les plus connus. L'expédition est menée par François Mussard, l'un des chasseurs les plus légendaires de la Réunion. Le roman s'ouvre sur une description vivante du paysage de l'île de France et de la vie des planteurs, puis passe aux membres du détachement de Mussard et à certaines de leurs aventures alors qu'ils s'avancent dans la forêt à la recherche des marrons. Dans le dernier chapitre achevé du roman, on retrouve les chefs marrons de l'île (tels que Cimendef, Mafate, Diampare et Pyram) se préparant à la bataille contre les planteurs. Ce chapitre adopte le point de vue des marrons, et reflète les tensions entre les esclaves malgaches et les esclaves d'origine africaine avec une certaine fidélité historique. Toutefois, le récit de Dayot se prononce incontestablement en faveur des chasseurs et des propriétaires de plantations, qui sont représentés comme les victimes injustes des razzias perpétrées par les marrons. Les marrons du roman de Dayot, d'autre part, ne sont guère plus que des caricatures. Les titres des chapitres inachevés indiquent qu'en dépit de quelques pertes fatales, les chasseurs émergeraient vainqueurs de cette épopée tels les représentatifs du bien en lutte contre le mal. On est en droit de se demander si c'est par respect pour son lectorat globalement favorable à l'esclavage que Dayot, dont les idées abolitionnistes étaient connues, propose un portrait si favorable de l'acharnement des colons contre les populations serviles révoltées. Nous pouvons également proposer d'autres hypothèses : peut-être que Dayot a modelé son histoire pour s'adapter aux penchants conservateurs du *Courrier de Saint-Paul*, ou qu'il se protégeait de la hache du censeur, la liberté de la presse n'étant pas garantie à l'île Bourbon[1]. Ou, plus fondamentalement, on peut se demander si Dayot ne se sentait pas en devoir de forger une véritable épopée patriotique insulaire en réponse aux récits de voyageurs venus de métropole dont les préjugés contre les colons étaient profondément enracinés[2].

[1] Le Conseil colonial de l'île Bourbon avait confisqué des exemplaires de *La Revue des colonies* en 1835), jugeant qu'elle était dangereuse à l'ordre public. Voir Vergès (1999), p. 269n.

[2] C'est l'hypothèse de Michel Beniamino : « il s'agit pour [Dayot] de faire du marronnage une "guerre fratricide rassurante" qui ne soit pas un obstacle à l'identité insulaire », « L'hyperprovince française : le cas de l'île de la

Quoi qu'il en soit, les deux romans publiés par les Réunionnais « natifs » de l'île Bourbon (Houat et Dayot) ne peuvent être plus différents l'un de l'autre. Le roman de Houat fait du marron un héros mythique, et rêve d'un monde métissé, sans esclavage ; le texte de Dayot est construit comme un roman d'aventure ancré dans des faits historiques, et confère le statut de héros vertueux au chasseur[1].

Conclusion

Au début des *Marrons* de Houat, quatre hommes prennent le dangereux risque du marronnage, alors même que souffle le vent de l'abolition. Ils évoquent ces hommes de bien qui mènent en France le combat contre l'esclavage, et pourtant concluent avec fatalisme : « Attendons cette bonne chose-là qu'on appelle émancipation. Et d'ici qu'elle arrive [...] nous serons marrons » (25). Les cinq récits de ce recueil ont aussi été publiés à une époque où l'abolition de l'esclavage était imminente. En fait, quatre d'entre eux apparaissent dans les années 1840, la décennie même où le décret de l'abolition fut promulgué. Les hauts et les bas, ainsi que les événements majeurs du mouvement abolitionniste, sont gravés dans les annales de l'histoire. Dans le cas de la Réunion, par exemple, le texte du discours de Sarda Garriga (commissaire général de la République à la Réunion) en décembre 1848 annonçant la fin de l'esclavage dans l'île a été imprimé dans au moins deux journaux réunionnais (*Le Moniteur de l'île la Réunion* et *La Feuille hebdomadaire de l'île de la Réunion*). Aujourd'hui, ce même discours est facilement accessible sur internet. Contrairement à l'histoire de l'abolition, celle du marronnage fait partie d'une culture informelle et mythique, transmise par des récits oraux et écrits, et qui n'est pas bien consignée dans les histoires officielles[2]. Cependant, depuis quelque

---

Réunion », in *Province-Paris : topographies littéraires du XIX*e *siècle*, Université de Rouen, 2000, p. 285.

[1] Norbert Dodille, dans la « Préface » à l'étude de Samlong (1999), constate que les « deux premiers romans réunionnais » représentent « deux versions [...] presque opposées, tant par la longueur [...] que par l'accent » du thème de marronnage. *Les Marrons* mettrait l'accent « sur le symbolique », alors que *Bourbon pittoresque* privilégierait « l'aventure » (p. 10).

[2] Selon Françoise Vergès ((2005), p. 1145), les commémorations officielles de l'abolition de l'esclavage ont tendance à occulter les formes de résistance à l'esclavage qui l'ont précédé : « Dans le mythe national, la France choisira de

temps, et comme notre bibliographie sélective l'atteste, le fait du marronnage à la Réunion a commencé à attirer l'attention des historiens. Mais le *topos* du marronnage dans la littérature qui se situe dans l'île Bourbon coloniale, à l'époque où naît le roman réunionnais, reste peu connu. Ceci peut être attribué en partie au manque d'éditions modernes de ces textes. Certains récits que nous présentons dans ce recueil (comme « Sacatove » et « Le Noir marron ») n'ont pas été republiés depuis un siècle ou plus. D'autres – comme *Les Marrons* – ont langui dans l'oubli pour plus d'un siècle. Les récits de fiction sur le marronnage écrits durant la première moitié du dix-neuvième siècle s'inscrivent dans la mémoire collective des sociétés esclavagistes, même s'ils modifient le réel en le transformant en mythe. Ils servent également de riches répertoires de la pensée anticolonialiste et anti-esclavagiste de cette période. En publiant cette anthologie critique moderne des premiers textes de marronnage, nous espérons mettre en lumière, pour les érudits comme pour les lecteurs en général, l'engagement de la littérature avec cette tension distinctive de la résistance dans la lutte contre l'esclavage dans l'océan Indien.

---

mettre l'accent sur l'abolitionnisme […] en gommant à la fois ce qui l'avait précédé et ce qui le suivit […]. La République, en célébrant l'abolition, efface ce qui la précède, alors que le souvenir de cette longue histoire perdure dans les colonies post-esclavagistes, créant ainsi plusieurs mémoires mais un seul récit officiel ».

NOTE TECHNIQUE ET REMERCIEMENTS

Les textes donnés ici ont été établis à partir des sources indiquées dans notre bibliographie. Les notes en bas de page entre crochets sont de notre fait. Un glossaire de termes réunionnais utilisés dans les textes se trouve p. 279.

Nous remercions Barbara T. Cooper de nous avoir fait découvrir « Le Noir marron » de Victor Charlier, et Jean-François Samlong de nous avoir fourni les illustrations des *Marrons* de Houat de son exemplaire de l'édition de 1844. Nous voudrions aussi exprimer toute notre reconnaissance à Anthony Allen pour nous avoir indiqué d'importants textes critiques. Nous remercions finalement nos conjoints dont le soutien est indispensable à la réalisation de tous nos projets professionnels et personnels.

P.P. et R.L.

BIBLIOGRAPHIE SÉLECTIVE

Source des textes

Charlier, Victor, « Mœurs coloniales. Le noir marron », *Revue de Paris*, t. 31 (1831), p. 197-208 ; réimpr. Genève, Slatkine Reprints, 1972

Dayot, Eugène, *Bourbon pittoresque,* en feuilleton dans *Le Courrier de Saint-Paul*, 1848 ; rééd. prés. J. M. Raffray, *Œuvres choisies*, Paris, Libraire Challamel aîné, 1878, p. 77-293 ; rééd. prés. Jacques Lougnon, *Œuvres choisies*, Saint-Denis, Réunion, Nouvelle imprimerie dyonisienne, 1977, p. 11-145

Houat, Louis-Timagène, *Les Marrons*, Paris, Librairie Ébrard, 1844 ; rééd. Éric Dussert, Paris, Arbre Vengeur, 2011

Leconte de Lisle, Charles Marie René, « Sacatove », *La Démocratie pacifique* (6 sept. 1846) ; rééd. prés. Jean Dornis, *Contes en prose*, Paris, Société normande du livre illustré, 1910, p. 99-116

Pavie, Théodore, « Une Chasse aux nègres marrons », *Revue des deux mondes*, t. 10 (1845), p. 5-33 ; rééd. prés. Roger Little, *Nouvelles du héros noir, Anthologie, 1769-1847*, Paris, L'Harmattan, 2009, p. 227-259

Autres récits de l'époque coloniale portant sur l'océan Indien

Bernardin de Saint-Pierre, Jacques-Henri, *La Chaumière indienne* [1791], Paris, Hachette BNF, 2017

–, –, *Paul et Virginie* [1788], Paris, Gallimard, 2004

Dumas, Alexandre, père, *Georges* [1843], Paris, Gallimard, 1974

Leconte de Lisle, Charles Marie René, *Marcie* [1847], in *Contes en prose*, Paris, Société normande du livre illustré, 1910, p. 147-172

Méry, Joseph, *Héva* [1844], Paris, Michel Lévy Frères, 1875

Sand, George, *Indiana* [1832], Paris, Gallimard, 1984

Textes littéraires traitant du marronnage publiés après la période esclavagiste

Gamaleya, Boris, *Vali pour une reine morte* [1974], Réunion, Conseil régional de la Réunion, 1986

Manglou, Yves, *Noir mais marron : une histoire du marronnage à l'île de la Réunion*, Réunion, Éditions du Paille-en-Queue Noir, 2001

Samlong, Jean-François, *Le Nègre blanc de Bel Air,* Paris, Le Serpent à Plumes, 2002
Vaxelaire, Daniel, *En haut, la liberté* [1999], Paris, Flammarion, 2012
–, –, *Chasseurs de noirs* [1982], Paris, Flammarion, 2000
Vinson, Auguste, *Salazie ou le Piton Anchaine. Légende Créole.* Paris, Delagrave, 1888

Sources modernes

Études sur le marronnage dans l'océan Indien

Alpers, Edward, « The Idea of *Marronage:* Reflections on Literature and Politics in the Reunion », in *Slavery and Resistance in Africa and Asia*, Edward Alpers, Gwyn Campbell, and Michael Salman (dir.), New York, Routledge, 2005, p. 37-48
Ève, Prosper, « Les Formes de Résistance à Bourbon de 1750 à 1789 », in *Les Abolitions de l'Esclavage : de L. F. Sonthonax à V. Schoelcher*, Marcel Dorigny (dir.), Paris, Presses Universitaires de Vincennes, 1995, p. 49-71
–, –, *Les Esclaves de Bourbon. La mer et la montagne*, Paris, Karthala, 2003
Gamaléya, Clélie, *Filles d'Héva : trois siècles de la vie des femmes de la Réunion*, Saint-André, Océan Editions, 1991
Lilette, Valérie, *Le mythe du marronnage : symbole de « résistance » à l'Île de La Réunion*, thèse de maîtrise, Saint-Denis, Réunion, Université de la Réunion, 1999
Miloche-Baty, Danielle, *De la Liberté légale et illégale des esclaves à Bourbon au dix-neuvième siècle ou le problème des affranchissements et le phénomène du marronnage dans la société réunionnaise entre 1815 et 1848*, thèse de doctorat de 3e siècle, Aix-en-Provence, Université de Provence, 1984
Nagapen, Amédée, *Le Marronnage à l'Isle de France–Île Maurice : rêve ou riposte de l'esclave ?*, Port-Louis, Réunion, Centre culturel africain, 1999
Payet, Marie-Ange, *Les Femmes dans le marronnage à l'Île de la Réunion de 1662 à 1848*, Paris, L'Harmattan, 2013
Samlong, Jean-François, *Le Roman du marronnage à l'Île Bourbon*, Saint-Denis, Réunion, Editions UDIR, 1990

Études de l'époque coloniale et de l'esclavage dans l'océan Indien

Allen, Richard B., *Slaves, Freedmen and Indentured Laborers in Colonial Mauritius*, Cambridge, UK, Cambridge University Press, 1999

–, –, « Suppressing a Nefarious Traffic : Britain and the Abolition of Slave Trading in India and the Western Indian Ocean, 1770-1830 », *The William and Mary Quarterly*, t. 66, n° 4 (Oct. 2009), p. 873-894

–, –, *European Slave Trading in the Indian Ocean,* Athens, USA, The Ohio University Press, 2015

Alpers, Edward, « The French Slave Trade in East Africa (1721-1810) », *Cahiers d'études africaines,* t. 37 (1970), p. 80-124

–, –, *The Indian Ocean in World History*, New York & Oxford, Oxford University Press, 2014

Bose, Sugata, *A Hundred Horizons: The Indian Ocean in the Age of Global Empire,* Cambridge, USA, Harvard University Press, 2009

Campbell, Gwyn, *Structure of Slavery in Indian Ocean, Africa and Asia*, Londres, Frank Cass, 2004

Desport, Jean-Marie, *De la Servitude à la liberté : Bourbon des origines à 1848*, Région Réunion, Océan Éditions, 1989

Dupuit, Christine, « 1792 et 1848: quelques remarques sur l'émergence d'un champ littéraire réunionnais », in *L'Océan indien dans les littératures francophones*, Kumari R. Issur et Vinesh Hookoomsingh (dir.), Paris & Saint-Denis, Karthala, 2002, p. 123-151

Ève, Prosper, *Naître et mourir à l'île Bourbon à l'époque de l'esclavage*, Paris & Saint-Denis, L'Harmattan, 1999

Fuma, Sudel, *L'Esclavagisme à la Reunion, 1794-1848,* Paris, L'Harmattan, 1992

Gerbeau, Hubert, « L'Océan indien n'est pas l'Atlantique: la traite illégale à Bourbon », *Outre-mer: Revue de la société française d'histoire d'outre-mer* t. 336-337 (décembre 2002), p. 79-108

Hawkins, Peter, *The Other Hybrid Archipelago: Introduction to the Literatures and Cultures of the Francophone Indian Ocean*, Lanham, MD, Lexington Press, 2007

Issur, Kumari et Vinesh Hookoomsingh (dir.), *L'océan Indien dans les littératures francophones : pays réels, pays rêvés, pays révélés*, Paris, Karthala ; Réduit, Presses de l'université de Maurice, 2001

Joubert, Jean-Louis. *Littératures de l'Océan Indien*, Vanves, France, EDICEF/AUPELF, 1991

Julien, Benoit, *Ile de la Réunion : regards croisés sur l'esclavage, 1794-1848*, Saint-Denis, Réunion ; CNH, Paris, Somogy, 1998

Lionnet, Françoise, *Le su et l'incertain : cosmopolitiques créoles de l'océan indien* (*The Known and the Uncertain : Creole Cosmopolitics of the Indian Ocean*), Île Maurice, L'Atelier d'écriture, 2012

Maillard, Louis, *Notes sur l'île de la Réunion (Bourbon)*, Paris, Dentu, 1862

Payet, J.V., *Histoire de l'esclavage à l'île Bourbon,* Paris, L'Harmattan, 1990

Peabody, Sue, *Madeleine's Children : Family, Freedom, Secrets, and Lies in France's Indian Ocean Colonies*, Oxford, Oxford University Press, 2017

Rose-May, Nicole, *Noirs, cafres, et créoles : études de la représentation du non-blanc réunionnais : documents et littératures réunionnaises 1710-1980*, Paris, L'Harmattan, 1996

Selvon, Sydney, *L'Histoire de Maurice : des origines à nos jours,* Port-Louis, Île Maurice, MDS, 2001

Stanziani, Allessandro, *Sailors, Slaves and Immigrants : Bondage in the Indian Ocean World 1750-1914*, New York, Palgrave MacMillan Press, 2014

Vaughan, Megan, *Creating the Creole Island : Slavery in Eighteenth-Century Mauritius*, Durham, NC, Duke University, Press, 2005

Vaxelaire, Daniel. *Vingt-et-un jours d'histoire. Île de La Réunion*, Saint-Denis, Réunion, Azalées, 1992

Vergès, Françoise, *Monsters and Revolutionaries : Colonial Family Romance and Métissage*, Durham, NC, Duke University Press, 1999

–, –, « Les Troubles de la mémoire : traite négrière, esclavage, et écriture de l'histoire », *Cahiers d'études africaines,* t. 179-180, 3-4 (2005), p. 1143-1177

ESCLAVES MARRONS À BOURBON

VICTOR CHARLIER

MŒURS COLONIALES :

LE NOIR MARRON

(1831)

LE NOIR MARRON

Il y a quelques années arriva à l'île Bourbon un fin négrier, *l'Albatros*, expédié de Nantes pour faire la traite de la côte occidentale d'Afrique aux Antilles françaises. Il avait été détourné de sa destination par la crainte des nombreuses croisières anglaises qui venaient de couvrir l'Atlantique à propos de je ne sais quelles pétitions de quakers adressées au parlement de la Grande-Bretagne. À l'île Bourbon, tout le monde faisait alors la traite en pleine liberté, et l'approvisionnement d'esclaves y était au grand complet. Par ce motif, *l'Albatros* eut de la peine à placer sa cargaison. D'ailleurs on savait que ses noirs, pris aux environs de notre établissement du Sénégal, dans le pays de Bambara, étaient d'une race indomptable et remuante. Tous les jours le courtier chargé de la vente des nouveaux débarqués les laissait promener, conduits par un piqueur, dans toutes les rues de Saint-Denis, chef-lieu de l'île Bourbon et résidence de monsieur le gouverneur ; on les offrait de porte en porte, et parfois toute la bande s'arrêtait quand un chaland paraissait se présenter, qui marchandait quelque tête de nègre, mâle ou femelle, uniquement pour se tenir ou se mettre au fait du prix courant de la denrée. La bande reprenait alors sa marche, personne n'achetait. – Je me rappelle avoir vu quelque chose d'analogue en France dans les petites villes pacifiques de la province, quand un paysan, armé de deux longues branches d'arbre comme du sceptre et de la main de justice, pousse devant lui une troupe de gros oiseaux de basse-cour, et promet aux bonnes ménagères, outre l'avantage du bas prix, toute la commodité d'un marché ambulant qui vient lui-même les trouver.

Quand on eut bien traîné ces pauvres noirs dans la ville, on les achemina vers les plantations, et de quartier en quartier ils arrivèrent dans l'arrondissement de Sainte-Rose, voisin du volcan, l'un des moins riches de l'île, et manquant de bras faute d'argent. Là il fut possible de s'en défaire à vil prix, et, comme on dit, moyennant des facilités.

Un seul des noirs de Bambara avait trouvé maître dans la ville, un seul, le plus beau, le plus fier, et qui, à peine âgé de vingt ans, semblait avoir sur tous ses compagnons une autorité incontestable. On a su depuis qu'il était fils d'un des chefs de sa nation. Ce prince, quel que fût son nom de prince, dut apprendre à répondre au nom de Tarquin. Ainsi le voulut son maître, dont il faut bien dire deux mots, car il est le type d'une certaine classe de colons qui partent d'Europe non pour *changer d'air*, disent-ils, mais pour faire à tout prix leur fortune.

M. Cambusier est né à Saint-Malo, vers 1775, d'un père qui, après avoir longtemps fait la cuisine à bord des bâtiments de l'ancienne compagnie des Indes, s'était fixé dans ce port sans changer d'état, si ce n'est qu'il vivait grassement à recevoir des matelots dans sa taverne enfumée, au lieu d'attraper journellement des coups de corde pour avoir blessé le palais trop délicat des convives de la chambre. À cette école, M. Cambusier devint ivrogne, rapace, et aussi un peu versé dans toutes les branches du grand art de la bouche. Ce fut même dès lors qu'il reçut le sobriquet gastronomique et marin de Cambusier (voyez le *Dictionnaire* de Boiste[1]), sous lequel a disparu son nom primitif, que j'ai eu le malheur de toujours ignorer. Il quitta à quinze ans la maison paternelle, qui avait cessé d'être bonne, et navigua jusqu'en 1793, au même titre et avec les mêmes tribulations que son père. Mais à cette époque de désorganisation et de déplacement dans toutes les carrières, se trouvant à l'île Bourbon, engagé sur un vaisseau de la république, il déserta. Le citoyen Joseph de Villèle était alors tout- puissant dans le pays[2], qu'il empêcha de faire sa révolution, comme il voulut plus tard escamoter celle de la France. M. Cambusier se rangea comme lui du côté des bons et vieux principes en matière d'esclavage, et fut nommé garde-magasin de la marine. Dieu sait tout ce qu'il garda, les magasins étant alors très bien approvisionnés, en raison de la guerre. Il sortit bientôt de cette place et se mit à prêter au taux *légal*, non de la loi, mais de l'opinion, qui varie de 16 à 22 pour cent. L'opinion, sur bien des points, est indulgente aux colonies. Je ne sache pas qu'il ait fait depuis autre chose que cet honnête métier. Il était, à l'époque où je l'ai connu, un des riches particuliers de la colonie, et suffisamment considéré.

On croirait que ce dût être une bonne maison que la sienne pour le Bambara. Nullement ; et pour preuve, écoutez ceci. M. Cambusier devenait de jour en jour plus âpre au gain. Il avait une négresse de Madagascar, habile ouvrière, dont il utilisait les talents : voici comment. Il la laissait libre d'aller, de venir, de chercher au-dehors à s'occuper comme elle l'entendrait, à la condition de lui rapporter tous les soirs trois francs, argent de France. Trop souvent la pauvre fille, malgré sa

---

[1] [Pierre-Claude-Victor Boiste (1765-1824), lexicographe responsable du *Dictionnaire universel de la langue française*, Chez l'auteur, 1800.]

[2] [1773-1854 : homme politique français, président du Conseil des ministres entre 1821 et 1828.]

bonne volonté, ne réussissait point à remplir la valeur d'une journée fixée à un taux si onéreux. Naturellement, le lendemain, on l'appliquait à plat ventre sur une échelle, les mains et les pieds liés, et elle recevait à nu sur les reins vingt-cinq coups de rotin. Depuis quelque temps les colons bien appris, les colons du nouveau régime et de la bonne société, ont remplacé le fouet par le rotin pour ces petites exécutions. Le rotin est déjà une réforme ; cela coupe, cela sillonne les chairs, mais cela ne les enlève pas comme la mèche du fouet ; cela ne les fait pas sauter, avec le sang, au visage des assistants. Le fouet est mort : vive le rotin, cette autre légitimité coloniale, en attendant mieux !

Un jour la négresse prouva bien qu'on exigeait d'elle une trop forte rétribution : elle se pendit ; et telle était sa détermination de mourir, sa puissance de désespoir, qu'elle eut le courage, la chose se passant dans une case très basse, de tenir ses jambes pliées et ramassées sous elle, pour ne point toucher la terre, qui l'eût repoussée dans la vie. On la trouva raide morte dans cette position. Tarquin aimait cette négresse ; il vivait avec elle, et en était aimé. C'était entre eux une liaison aussi durable et aussi dévouée qu'elle peut l'être d'esclave à esclave. Jusqu'à ce moment il avait pris sa destinée en patience. Il avait bien aussi une journée exorbitante à fournir ; mais il s'en tirait par une maraude adroite, s'estimant de trop noble origine pour se soumettre au travail. Il était prédestiné à vivre marron dans les montagnes, et aurait déjà pris la fuite depuis longtemps s'il n'eût été retenu à la ville et dans la servitude par quelque chose qui ressemblait à de l'amour. Sa femme morte, il résolut de partir, mais de la venger d'abord, de se venger lui-même surtout ; et le soir de ce funeste événement il y eut une assez forte dose d'arsenic dans le thé de M. Cambusier. Un noir, pour faire le bon serviteur et obtenir son affranchissement, qu'il n'aura certainement jamais, prévint son maître, et dénonça Tarquin. Celui-ci nia tout (les esclaves n'ont pas d'autre moyen de défense), et fut condamné à mort, après une courte procédure.

Je ne sais quels moyens d'évasion il s'était ménagés ; mais il échappa, et l'on se souvient encore à Bourbon de la brillante vie de marronnage qu'il mena pendant deux années ; vie de périls et de délices sauvages, dont jusqu'à lui on n'avait pas eu l'idée. Retiré dans les hauteurs les plus inaccessibles du volcan, il s'élançait de là sur les habitations à trois lieues à la ronde ; et sans attaquer les propriétaires, évitant même leur rencontre pour n'être pas réduit à défendre sa liberté par des meurtres, il revenait chargé des seules dépouilles qu'il ambitionnât : sacs de riz, volailles glapissantes, marmites, batteries de cuisine, pots de confitures, bouteilles de vin et d'eau-de-vie. Il faisait une chère excellente, à l'abri derrière les précipices qu'avaient creusés autour de sa caverne les feux du volcan, éteint dans la partie qu'il avait adoptée.

J'allai un jour visiter le *pays brûlé*, et je pénétrai jusqu'au cratère du *Petit-Thouars*. Au moment où je partageais un maigre repas avec l'esclave qui me servait de guide, je vis venir à nous un noir que je jugeai marron, et je l'invitai, par pitié, à s'asseoir à table avec nous. Notre table était un quartier de lave grisâtre et polie comme une cuirasse de fer. Il accepta ; puis, jetant un regard sur nos provisions, il me dit d'un air moitié dédaigneux, moitié bienveillant : « Vous êtes un bon blanc, pas créole ; mais vous n'avez pas de quoi dîner. » En disant cela, il partit, léger comme le chamois, traversa d'un bond des précipices que j'aurais crus infranchissables, et disparut un moment à mes yeux. Quand il se montra de nouveau, il était chargé de vivres frais et choisis, qu'il m'offrit à son tour de partager avec lui, toujours répétant que j'étais un bon blanc, pas créole, et aussi me demandant si j'avais en France connu Bonaparte. La renommée de cet homme était arrivée jusqu'à lui dans l'intérieur de l'Afrique ; et, comme la plupart des guerriers nègres, il conservait avec une sorte de superstition une pièce de monnaie d'argent frappée à cette grande image. Quand il nous eut quittés, j'appris de mon guide que j'avais eu l'honneur de manger familièrement avec le terrible Bambara, dont on m'avait effrayé à mon départ pour le *pays brûlé*. Il me resta de lui l'idée d'un homme bon et fier, qui avait voulu vivre indépendant, comme la nature l'avait créé, et aussi heureux que le sort le lui permettrait.

À quelque temps de là, une grande insurrection éclata dans l'arrondissement de Sainte-Rose : les Bambaras dont j'ai parlé en formaient le centre et la force ; à eux s'étaient ralliés, en petit nombre, des Malgaches et des Mozambiques. Tarquin, qu'ils avaient essayé de gagner à leur cause, était demeuré à l'écart, satisfait d'être libre pour son compte, et n'estimant pas que ses compagnons fussent dignes d'une semblable liberté. À sa jactance, à son langage plus triomphant que d'ordinaire, à sa figure plutôt rayonnante que hautaine, ses amis devinèrent que l'insurrection le surprenait dans un de ces courts instants de bonheur auxquels un nègre a coutume de tout sacrifier ; et en effet, une joie imprévue était venue le visiter dans sa solitude ; une joie telle que jamais esclave n'eût osé la rêver. Cependant ses compatriotes, alarmés des préparatifs qu'on faisait contre eux sur tous les points de l'île, revinrent à la charge auprès de lui. L'appareil dans lequel ils le trouvèrent confirma leur soupçon. Il était assis à quelques pas en avant d'un long et large précipice, sur un des plateaux de la partie éteinte du volcan, la tête parée d'un beau madras, et tout occupé de l'inventaire d'un carton de femme, où il rejeta pêle-mêle, dès qu'il se vit découvert, les mouchoirs brodés, les gants parfumés et un cachemire indien, qui ne put y être refoulé tout entier.

« Diable ! mon fils Tarquin, lui cria un vieux Malgache qui avait mission de porter la parole et dont je traduis le patois créole en vrai français, diable ! vous voilà bien coquet. Est-ce que vous vous mariez demain ? Ou bien, vous avez été parrain avec madame la femme du gouverneur ?

– Non pas, dit un autre ; vous voyez bien, grand-père, qu'il aura pillé un pauvre colporteur qui venait vendre toutes sortes de belles choses aux demoiselles de Sainte-Rose. Il n'y a pas pillard, il n'y a pas marron comme lui dans les bois, allez !

– Vous parlez sans savoir, reprit un troisième. Moi, je suis sûr qu'il a enlevé la nouvelle mariée qui a disparu depuis un mois et qui demeurait là-bas, avec sa mère, près la *Rivière glissante*… » Et en disant cela, sa bouche se fendit jusqu'aux oreilles par un immense éclat de rire : c'était sa manière de protester le premier contre une supposition dont il reconnaissait lui-même l'absurdité ; car les noirs, dans leurs plus grands emportements, respectent les femmes de la couleur blanche, et font ainsi acte d'infériorité volontaire à l'égard de la race privilégiée.

À toutes ces questions Tarquin répondait par un sourire indécis, qui trahissait à la fois et de la vanité, pour avoir été soupçonné d'une telle bonne fortune, et l'inquiétude ombrageuse qui ne manque pas de troubler l'âme d'un pauvre esclave, s'il lui arrive parfois quelque chose d'heureux, accident si rare dans sa vie de misère. Il y avait dans son embarras du faux et de l'exagéré, comme s'il eût désiré qu'on devinât ce que la prudence ou tout autre motif lui interdisait d'avouer. De la fatuité chez un Bambara ! pourquoi non, dès qu'un Bambara est un homme ? En somme, il restait inexplicable pour la plupart de ses amis, peu façonnés à débrouiller les énigmes de l'âme.

Le vieux Malgache, qui avait parlé le premier, réfléchissait à part, déjà persuadé qu'il y avait là quelque histoire singulière. Depuis son arrivée, il suivait de l'œil son chien, qui, dans une course haletante, le nez rasant la terre, paraissait avoir découvert les traces d'un être qu'il ne pouvait atteindre. Il le vit plusieurs fois se diriger sans hésitation jusqu'au précipice qui bornait un des côtés du plateau, s'arrêter là, puis revenir lentement, comme honteux d'avoir perdu ce qu'il cherchait : il jugea que l'animal, accoutumé à vivre avec des noirs, n'éprouverait pas tant d'inquiétude, s'il n'eût aspiré les émanations d'un blanc ou de quelque bête fauve. L'un ou l'autre pouvait être un péril dans la circonstance. Il s'approcha du carton, appela son chien, lui fit flairer le cachemire qui pendait au dehors, et l'interrogea d'un signe et d'un regard. Alors ce furent des aboiements, des courses vers le précipice et du précipice au carton, qui donnèrent à penser à toute la troupe. Elle délibérait, se tenant un peu éloignée de Tarquin ; pourtant celui-ci avait pu entendre quelques mots : « Si c'était un blanc ! – Nous commencerions par lui. – Mais c'est une femme, sans doute. – Eh bien ! la belle raison ! Une femme, c'est toujours un blanc pour nous, c'est encore pis… » Ces derniers mots furent prononcés par une négresse, dont le sein et la figure étaient sillonnés de coups de rotin, marques de la vengeance capricieuse d'une femme, la règle étant qu'on frappe les esclaves par derrière.

Tarquin était au supplice ; il donna un coup de pied au chien, qui venait encore aboyer autour du carton.

« Pourquoi battez-vous mon chien ? lui dit le vieux Malgache en le tirant à l'écart ; est-ce lui qui est cause que vous avez une femme blanche pour camarade ? »

Camarade, dans le langage des noirs, est l'équivalent de notre si doux mot *maîtresse*. L'un vaut bien l'autre, et l'équivalent est peut-être plus juste ; cela du moins n'est pas trop servile pour des esclaves.

« Voici mon camarade, je n'en ai pas d'autre, répliqua vivement le Bambara d'un ton menaçant, quoiqu'à voix basse, en frappant sur les capucines retentissantes de son fusil.

– Oh ! vous ne me faites pas peur, mon fils Tarquin. Lorsqu'un vieux grand-père comme moi, qui n'a plus que bien peu de jours à souffrir, veut se donner la peine de se révolter contre les blancs, c'est qu'il ne craint pas de mourir, entendez-vous, mon fils Tarquin ? Vous ne m'empêcherez pas de dire que le soleil est rond dans ce pays-ci comme il l'était dans votre grande terre, là-bas bien loin derrière l'eau bleue qui ne coule pas.

– C'est vrai ! le soleil est rond ; mais ne dites pas que j'ai une camarade de la couleur blanche.

– Vraiment ! Tarquin, connaissez-vous M. Cambusier ?

– Puisque je suis son noir marron.

– Vous savez que vous avez été trop maladroit pour l'empoisonner ? Il a voulu prendre quelqu'un pour veiller à son thé, pour empêcher qu'on ne lui fasse la soupe avec de la mort-aux-rats. Il était riche, il n'avait jamais eu de camarade blanche à lui tout-à-fait, il a épousé la fille à Mme Robert, celle qui demeure ici près à la *Rivière glissante.*

– Eh bien ! eh bien ! vieille barbe grise, n'as-tu pas autre chose sous ta langue ? Tu peux détaler avec toute ta bande de marrons manqués. »

Le rusé vieillard commençait à voir ses soupçons se changer en certitude ; il acheva sans retard de s'éclairer.

« La mariée, huit jours après la cérémonie faite en ville, a voulu reconduire sa mère à l'habitation. Mais il y avait quelqu'un qui prétendait se venger du mari ; elle a été enlevée par un marron bien connu qui, à cette heure, voudrait faire croire à un vieux singe comme moi qu'il ne sait pas ce que parler veut dire… Allons, allons, un Bambara ne peut pas mentir à un Malgache. Les blancs vont faire partout des battues pour retrouver votre camarade ; ces noirs qui sont avec moi vous dénonceront, vous serez pris, vous serez pendu comme nous, mais pas avec nous.

– Non pas avec toi ; ce n'est pas toi non plus qui me dénonceras… »
Le Bambara allait faire usage de son fusil ; mais le vieillard l'arrêta par le calme de sa figure et de ces dernières paroles :

« Je n'ai pas peur de mourir, mon fils Tarquin… Je ne vous veux pas de mal ; écoutez. Moi aussi, il y a longtemps, à Madagascar… je n'avais pas de maître alors… après le naufrage d'un navire anglais sur la côte de Foullepointe, j'ai gagné une camarade de la couleur blanche… Je connais, je connais cela qui est bon… Ces coquins de blancs, ah ! oui, ils sont bienheureux tous. Mais venez avec nous, compère ; il faut être d'abord les maîtres, et nous verrons. Sans cela vous avez beau vous cacher, ce n'est pas moi qui trahirai le grand marron du volcan, mais il sera pendu tout de même. »

La Malgache se tut. Le Bambara demeurait plongé dans ses réflexions, fortement ébranlé, mais encore irrésolu. Le motif déterminant, décisif, allait lui venir d'autre part.

Pendant ce colloque, le chien, toujours rôdant autour du carton, en avait tiré le cachemire et avec lui un éventail chinois chargé de paillettes, de bizarres dessins et de dorures de mauvais goût ; un noir l'avait reconnu aisément pour un des présents de noces faits à sa maîtresse, qui était bien la demoiselle de la *Rivière glissante.* – De là sérieuse délibération de toute la troupe, qui tomba d'accord que, si tout simplement on tuait cette femme, il n'y aurait plus de barrière entre Tarquin et l'insurrection. Un des noirs, le plus forcené, saisit son fusil et court vers le précipice pour le franchir et se mettre en chasse. Au bruit de ses pas Tarquin lève la tête, lui crie de s'arrêter, le menace, le couche en joue.

« Ah ! vous ne tirerez pas sur un ami, lui dit l'autre en riant.

– Tu crois ? Il n'y a plus d'ami pour moi derrière le précipice ; arrête ! »

L'autre ne tint compte ni de l'avis ni de la menace ; était au bord de la limite qu'on lui interdisait, il prend son élan, un coup de fusil l'atteint dans l'air, et il roule dans l'abîme. Ses compagnons courent au lieu où il a disparu, et le cherchent en vain de leurs yeux perçants à une profondeur immense. Ils s'indignent, murmurent, s'enhardissent l'un l'autre contre le meurtrier : dix canons de fusil s'inclinent et se dirigent vers le Bambara. Lui, sans sourciller, leur dit : « Vous m'aviez nommé votre chef et le sien, il m'a désobéi, je l'ai corrigé. Aux blancs maintenant, la chasse aux blancs ! »

Des bravos éclatent, un chef était trouvé à l'insurrection. Tarquin ne demanda qu'une heure pour remettre sa captive en liberté et en sûreté ; puis il rejoignit ses amis, et ne se montra que trop fidèle à leur cause, qui n'était pas d'abord la sienne.

Il fut pris à leur tête les armes à la main ; on le réserva avec deux autres pour faire un exemple. Le reste fut épargné, c'est-à-dire fouetté à outrance, parce que les maîtres, intervenant, firent observer que c'était pitié de détruire une foule de grands et forts noirs qui, pris tous ensemble, les uns compensant les autres, représentaient une valeur en piastres assez considérable. À la bonne heure s'ils eussent été chétifs, usés, cacochymes. Par exemple, le vieux Malgache ne trouva pas grâce. Or il fut amené avec ses deux amis au chef-lieu de l'île, à Saint-Denis, qu'on choisit pour donner plus d'éclat à leur supplice.

Ce dut être une chose à voir jusqu'au bout pour ceux qui en eurent le courage. Je n'en vis que les préliminaires.

Un matin l'échafaud fut dressé au milieu du marché. L'exécution était ordonnée pour l'heure où les négresses viennent acheter les provisions quotidiennes de leurs maîtres. Une proclamation avait même invité les habitants à donner quelques heures de congé à leurs esclaves, tant on savait d'avance que ces misérables ne manqueraient pas à la fête. Il y eut des blancs plus zélés pour l'ordre public, qui amenèrent tous leurs noirs embrigadés, marchant deux à deux, et souriant, comme une pension qui va en promenade ou aux bains de rivière.

On attendait avec curiosité les trois condamnés, surtout Tarquin, le seul qui eût repoussé, disait-on, le prêtre de la geôle, le Montès colonial, et refusé le baptême. Un bruit que tout le monde connaît, se propageant dans la multitude, et grossissant comme une mer qui monte, annonça la sortie de la geôle, puis la marche, puis enfin l'approche des patients. Un homme, derrière moi, monté sur un étal de boucher, cria d'une voix altérée, non de pitié, mais de colère : « Le voilà ! le voilà ! c'est lui, mon scélérat ! » Je me retournai, je vis l'honnête M. Cambusier, qui avait eu la lâcheté de venir louer une place pour tout voir.

Cependant Tarquin cheminait à pied à travers la foule, ayant à sa droite un prêtre qui ne cessait de l'exhorter, de le supplier. Il ne l'écoutait pas, mais le laissait dire, sans mépris, sans impatience, tout occupé qu'il était d'achever le dépouillement d'une énorme cuisse d'oie, débris de son déjeuner, trop vite interrompu. Je m'attendais bien de sa part à un merveilleux sang-froid, mais pas à ce degré ni de cette nature.

De temps en temps il faisait une station, cherchait dans la foule les regards du peu de femmes blanches qui s'y trouvaient, et leur jetait ces paroles avec un admirable mélange de joie insultante et d'ironie amère : « C'est égal, Bambara connaît que les mamans de la couleur blanche sont belles et pas méchantes. Bambara non plus n'est pas mauvais mari pour les mamans blanches. » Et il se prenait à danser au pied de l'échafaud avec l'enthousiasme de David devant l'arche. Le prêtre était scandalisé. Cependant, résolu de tenter un dernier effort auprès de son catéchumène, il demanda que l'exécution fût retardée une demi-heure, et qu'on le laissât seul avec lui dans une des baraques fermées du marché. Cela fut fait, sauf que quatre gendarmes lui tinrent compagnie. On ne se fiait pas trop au confesseur, suspect de philanthropie. Les deux autres patients, qui en avaient fini de bonne grâce avec lui et fait régler tous leurs comptes, allèrent s'asseoir sur l'échafaud.

Peu importait au vieux Malgache de finir à l'instant ou quelques minutes plus tard : il s'accroupit dans l'ombre projetée par le billot, n'ayant d'autre souci que de n'être pas incommodé du soleil. Mais son jeune compagnon souffrit mille morts dans cette demi-heure, qui fut pour lui un siècle. Le malheureux tremblait comme la feuille, et son corps, nu jusqu'à la ceinture, révélait assez, par de soudains frémissements, les transes et l'agonie de son âme. Il faut savoir que les gendarmes sortaient l'un après l'autre de la baraque, y rentraient pour en sortir encore, et ouvraient machinalement la porte, sans songer quelle horrible menace était contenue dans ces allées et venues et dans cette porte roulant sur ses gonds ! À chaque fois, moi-même, qui avais une lorgnette pour tout observer, je la sentais s'échapper de mes mains ; et j'entendais, alentour, les gens rire de mon émotion et dire :

« Ce n'est pas étonnant, c'est un philanthrope, un correspondant de Grégoire[1]…

– Qui ça, Grégoire ?

– Eh ! Grégoire le conventionnel, le…

– Ah ! ce gueux-là… belle correspondance ! »

Enfin la porte s'ouvrit, et ce ne fut pas pour rien cette fois. Tarquin s'avançait, ayant reçu le baptême, parce qu'on lui avait dit qu'un de ses compagnons attendait plus mort que vif. Singulier chrétien, en effet ! s'apercevant qu'il avait encore son os de volaille à la main, il le jeta au nez d'un gendarme et dit au prêtre : « Vous êtes un bon blanc, monsieur le curé, vous allez me voir mourir. Dites bien à toutes les mamans blanches… »

Je n'en entendis pas davantage, je sortis en toute hâte du marché. Quand j'eus franchi la grille et détourné un mur d'où je ne pouvais plus rien voir, je m'arrêtai, effaré, hors de moi, mais (j'en rougis) prêtant l'oreille. Deux coups retentirent, mais si rapides, si précipités l'un après l'autre, qu'ils me parurent adressés à une seule victime. Je me remis à fuir. J'avais deviné juste, le bourreau avait fait une maladresse. – Tandis que l'on parle, en Europe, d'abolir la peine capitale, les créoles n'ont pas encore eu l'idée humaine de naturaliser chez eux la guillotine ; c'est un progrès qu'on peut leur conseiller.

---

[1] [L'abbé Grégoire (1750-1831), membre en effet de la Convention et évêque constitutionnel. Ses discours, pamphlets et ouvrages en faveur des Noirs sont réunis dans *Écrits sur les Noirs*, prés. R. Hermon-Belot, « Autrement Mêmes », Paris, L'Harmattan, 2009.]

LOUIS TIMAGÈNE HOUAT

LES MARRONS

(1844)

Tony de B. del. Félix

LE CONCILIABLE.

1

CONCILIABULE

Le soleil depuis longtemps avait quitté les bords de l'océan des Indes, et la nuit, ordinairement si belle et si limpide, secouant ses ombres et sa fraîcheur, sous le ciel brûlant des tropiques, était nébuleuse et ne laissait poindre aucune étoile. Le nègre venait de quitter ses longs travaux pour se blottir et se délasser un peu sur la pauvre natte en paille, unique mobilier de son ajoupa. Dans les établissements sucriers, le silence succédait à la voix rauque et terrible du commandeur ; le coq avait fait éclater au loin son premier chant nocturne : c'était le signal du repos ; et, si ce n'est un petit oiseau solitaire, le *tectec*, qui, de temps à autre, s'élançait d'une branche isolée, et, semblable à l'alouette, s'élevait à pic, en frappant tout à coup les airs de son cri sec et monotone, rien ne se faisait plus entendre au sein de la campagne.

À cette heure, en l'année 1833, quatre individus, presque nus, sortaient d'une même habitation coloniale ; marchant sur la pointe des pieds, ils traversaient, chacun par un chemin différent, un vaste champ de cannes à sucre, qui s'étendait comme un vaste tapis vert au pied des *Salazes*, chaîne des plus hautes montagnes de l'île Bourbon.

Ces hommes, à l'exception d'un seul qui était né dans la colonie, étaient des indigènes de la grande île de Madagascar, que le commerce de la traite avait enlevés de leur pays et mis en esclavage chez les blancs.

L'un appartenait à la tribu des Ovas ou Amboilames, qui paraissent tirer leur origine des blancs et des Malais ; l'autre à celle des Antacimes, de couleur et de traits tahitiens, tribu vaincue et subjuguée, comme la plupart des peuplades madagasses, par ces mêmes Amboilames ayant pour chef le fameux Radama ; le troisième enfin à celle des Sçacalaves, descendant des Cafres et des Arabes et que les Ovas n'ont jamais pu dompter, quelques guerres acharnées qu'ils leur aient toujours faites. Mais, courbés alors sous le même maître, tous quatre n'étaient pas seulement des égaux en misère, ils étaient aussi des amis qui maudissaient la même chaîne.

Au bout d'une heure environ qu'ils allaient ainsi, cheminant à la façon de l'autruche, mais s'arrêtant, prêtant l'oreille à chaque pas, et, pour éviter toute rencontre d'homme et ne pas se trahir, choisissant toujours des sentiers obscurs et peu frayés, ils arrivèrent presque ensemble à une espèce de muraille hérissée de piquants inabordables, et formée par des massifs d'aloès, de raquettes et de sapan, comme on en voit ordinairement plantés, pour clôture, aux confins des habitations coloniales.

Certes, il fallait plus que de la témérité pour oser, surtout le soir, se frayer un passage au travers d'une barrière si dangereuse. Cependant ils s'y mirent, et, moitié à quatre pattes, moitié sur le ventre, passant par les endroits les moins fourrés, non toutefois sans y laisser accrochés aux épines quelques lambeaux de leurs hardes et même de leur chair, ils traversèrent la formidable clôture, et puis ils débouchèrent dans une de ces plaines qu'on appelle *savanes* aux colonies.

Là, seul et isolé, un énorme tamarin se dressait comme un grand spectre au-devant d'eux. C'était, aurait-on dit, le génie de l'endroit. Il dominait la savane, et ses branches nombreuses et touffues, qui s'étalaient et se recourbaient autour de lui, formant un vaste cône, y couvraient la terre d'une ombre que le soleil brûlant même ne pouvait tarir. Aussi bien souvent le nègre, errant dans ce lieu aride, accablé de fatigue et de chaleur, avait-il dû recourir à son abri et le bénir comme un dieu protecteur !

Arrivés à cet arbre gigantesque, sous lequel on ne pouvait craindre d'être vu, mais d'où l'on pouvait, au contraire, embrasser du regard tous les points d'alentour, ils s'arrêtèrent les uns après les autres, comme s'ils s'en étaient donné le mot, en se rangeant dessous dans une attitude d'autant plus caractéristique de leur but que l'obscurité de la nuit y prêtait sa majesté lugubre.

– Oui ! dit aussitôt le Sçacalave d'un ton réfléchi, et comme s'il poursuivait, au lieu de commencer une conversation ; assez frères, assez d'être esclaves !…

– Assez ! oui, assez comme ça ! répétèrent tous les autres d'une voix étouffée.

– Après tout, reprit le même avec chaleur, pour nous, frères, qu'est-ce que la mort ?… Pouvons-nous la craindre ? Qu'avons-nous donc ici dans ce monde ? joie ? repos ? bonheur ? Infâmes moqueries ! Travail dur, continuel, toujours pour le maître ; coups, misère, servitude sans fin, voilà, voilà le vrai, le réel, oui voilà notre lot à nous ! et, frères, sont-ce là des liens qui cramponnent à la vie ? Je la maudis cette vie ! oui, je la maudis, car j'y suis comme dans la fournaise du volcan qui pétille là dans le morne ! Aussi le sommeil, bon dieu du maître et de l'esclave, n'est plus pour moi qu'un fuyard, un vieux marron ! Mais reviendrait-il encore, que je le repousserais tel qu'un mauvais envoyé ! Nos maux n'ont pas à se laisser tromper. Le noir qui dort sous le joug, c'est l'animal qui dort dans la boue. C'est un damné, frères ; il peut grogner, mais il ne sortira pas des griffes qui le serrent…

» J'ai là encore, tourmentant ma tête, ce moment si horrible où l'on m'arrache de la grande terre, de cette terre où j'ai tout laissé ! où des trafiquants rapaces me couvrent de chaînes, et, tel qu'un ballot de coton ou de sucre, me jettent et m'arriment dans la cale d'un navire ! Ah ! comment donc, à la vue de ces odieux commencements de ma dégradation, ai-je pu comprimer, retenir les élans de ma révolte ? Comment, pour leur ravir au moins la rançon de mon esclavage, ne me suis-je pas tué, en m'étranglant sous les yeux mêmes de ces contrebandiers barbares ? Mais ma mère !… oui ma mère !… la voyant enchaînée près de moi, sa vue m'a étourdi, m'a désarmé !… Force ou faiblesse, n'importe, j'ai pensé qu'il fallait vivre, sinon pour moi, du moins pour elle… j'ai pensé qu'avec le temps d'ailleurs je pourrais peut-être, à force d'habitude et de combats, limer ou briser ma nature, étouffer les cris de ma conscience, oublier l'indépendance, le pays, la famille, enfin me résigner, me soumettre à mon sort d'esclave !… Hélas ! à quoi m'ont servi cette épreuve et cette longanimité du joug ?… J'ai vu ma mère tomber ensanglantée sous le fouet du commandeur… je l'ai vue tuée, morte ! et je n'ai pu la secourir, la venger !… Ah ! frères, on n'est pas seulement le bœuf qui traîne la charrette… malgré tout, il vous reste encore, quoique esclave, un sentiment, un instinct d'homme… et cet instinct s'est réveillé chez moi avec un redoublement de cris que je ne puis rendre, mais que chaque coup de la lutte n'a fait qu'augmenter… et voilà qu'au lieu de m'être assoupli, dompté, je suis devenu un véritable caïman ! mon cœur s'est repu de tant d'aversion pour l'esclavage, et de tant de haine contre la race des maîtres, que maintenant j'en regorge au point, frères, d'être capable même de me venger lâchement !…

Il s'arrêta un moment, comme suffoqué par d'indicibles émotions ; puis il continua avec un accent plus calme :

– Sans doute, les rigueurs du maître n'ont pas augmenté ; mais dites, frères, peuvent-elles être encore plus… ? Y a-t-il une place sur notre corps où mettre le doigt, sans rencontrer, sans sentir le sillon du fouet ? Je ne dis pas le chien de la maison ; c'est le camarade, l'ami du maître ; mais le cheval de selle à l'écurie n'est-il pas mille fois mieux traité que nous ?… Lui, il a des domestiques, plusieurs d'entre nous, à son service… il se promène et se repose… il a de l'herbe et du grain en abondance… Aussi, voyez, il est fier, altier, gras et luisant. Mais nous, frères n'ayant, jour et nuit, que travail, coups et misère… écorchés maigres et affamés, nous baissons la tête, nous tremblons sur nos jambes, nous avons honte de nous montrer aux autres hommes. Et cependant, l'on parle chaque jour de notre bien-être !… Le connaissez-vous, frères ? Où donc est-il ? Si, profitant du moment qui nous reste pour le sommeil, nous voulons nous délasser un peu, faire quelques pas hors de l'atelier, le pouvons-nous ? La maréchaussée n'est-elle pas là qui nous guette au coin de la borne, et qui fond aussitôt sur nous comme un loup ?… Elle nous attrape, nous garrotte, nous conduit à coups de plat de sabre à la geôle, où nous passons dans un cachot le reste de la nuit… et demain, nous voilà, de bonne heure, au poteau du grand bazar, exposés nus, fouettés jusqu'au sang, et, après cela, balayant les rues la chaîne au cou ! On nous reproche aussi notre gourmandise !… Quelle est-elle, et qu'est-ce qu'on nous donne à manger ? Un morceau de manioc !… encore on nous le jette comme à des pourceaux ! Frères, n'est-ce pas seulement pour nous empêcher de mourir ?… Et quand, poussés par la faim, nous sommes surpris cueillant, par hasard, un faible épi de ce maïs, pourtant planté par nous, arrosé de nos sueurs, y a-t-il d'assez horribles tourments pour nous ? Si l'on ne nous tue pas, après nous avoir exténués de coups, on nous tord les membres, on nous lie, on nous sangle les deux pouces avec de la ficelle qu'on mouille, et l'on nous suspend ainsi durant des heures et des heures à l'un des arbres de l'habitation… puis on nous rive au cou d'énormes cercles de fer à branches… on nous enserre la tête ou les pieds entre deux poutres, au bloc ou courbari enfin, ne va-t-on pas, pour nous empêcher de manger le fruit qui tombe de sa branche, jusqu'à nous arracher les dents ?… Assez, frères, assez d'être esclaves ! Il est temps d'avoir notre cœur ! Il est temps de secouer la chaîne, de nous venger en hommes ! À la révolte ! C'est notre cri, notre dernier travail ! À la révolte ! Parcourons les ateliers ! Soulevons-les tous à la fois ! Éclatons comme un ouragan sur l'île ! Oui, vengeons-nous ! Incendions ces champs tout fertilisés de nos douleurs ! Abattons ces demeures enrichies de notre esclavage ! Que leurs débris couvrent la terre, et que cette terre imbibée de nos sueurs soit engraissée par le sang de ceux qui nous tourmentent !…

Un grognement comme un écho sourd répondit à ces mots de vengeance. Après quoi l'Antacime prit la parole et s'exprima ainsi :

– Frère Sçacalave a rappelé des choses qui font tomber des larmes sur le cœur : je ne peux parler comme lui ; ma langue n'a pas l'instinct de mes pensées ; avec cela, dire ce que l'on m'a fait, c'est impossible ;

mais je m'en souviendrai toujours... J'étais un petit garçon, tout enfant encore, lorsqu'on m'a volé dans mon pays ; je gardais nos bœufs dans les champs, et, à la brune, quand j'allais rentrer chez nous, quelqu'un m'a saisi par le corps ; je me suis débattu, j'ai crié, on m'a fermé la bouche, on m'a frappé, on m'a fait peur de la mort ; et, après m'avoir amarré les bras derrière le dos, on m'a enlevé comme un rouleau de bois, en m'emportant bien vite et bien loin...

– Ah ! que cela fait mal !...

– Et vous comprenez mes larmes et mon désespoir, en pensant à ma famille, en me voyant devenu esclave !... Rendu à bord, on m'a dégagé les bras, mais on m'a mis en prison dans une barrique avec plusieurs autres ; j'ai vu, plus tard, que nous étions beaucoup sur le navire ainsi foulés dans des barriques ; et cela, pour cacher, je crois, la contrebande de nous-mêmes... Mais il n'y a rien pour rendre ce qu'on souffre là, frères, dans cette espèce de cercueil, serré entre des malades et des morts... privé de votre respiration... mourant de chaleur, de soif et de faim, et n'ayant à boire et à manger que des choses sales, puantes...

– Oh ! c'est horrible ! interrompit l'un d'eux. Je connais cela, moi, car on m'a fait manger, à bord, de la chair de nos camarades ; et, quand nous avons été poursuivis par un autre navire, on a jeté mon frère avec d'autres tout en vie à la mer !...

– Je ne sais, reprit l'Antacime, ce que l'on nous a fait manger à nous. Mais la viande qu'on nous donnait était bien mauvaise, bien dégoûtante..., le cœur me monte à la bouche, quand cela me revient... Je ne puis dire, non plus, si l'on a jeté à la mer de nos camarades encore vivants, j'étais trop jeune pour le savoir ; mais on a pu le faire aussi, puisqu'on tuait à coups de barre celui qui mettait la tête hors de la barrique...

– Quoi ! comme on tuerait la bête qui veut sortir de l'eau pour respirer ?

– La même chose !

– Ah ! Dieu ne peut pas oublier ça !

– Ni moi non plus, frères ; car il me semble voir encore, deux de ces malheureux, la figure écrasée, retomber sur nous, en se débattant pour mourir, et en nous couvrant de leur sang... Cependant nous sommes restés ainsi pendant des jours et des nuits qui ne finissaient plus ; et, après ce temps, qui m'a paru si long que je n'ai pu le retenir, on nous a enfin débarqués à Bourbon, en nous prenant comme si nous étions morts, en nous empilant vite, vite, dans de petites pirogues, qui allaient, pleines à couler bas, nous vider sur les galets de la plage... et là, j'étais si faible, on m'a tant battu pour me faire lever et marcher, que ma tête a tourné, et puis je n'ai plus rien senti jusqu'au moment où je me suis trouvé couché dans un grand hangar… Mais, en m'éveillant, j'ai regretté ce bon sommeil… j'aurais voulu le voir durer toujours… je ne souffrais plus… et j'ai tant souffert depuis, j'ai tant senti ce que c'est que la vie ou la misère du nègre !… Ah ! frères, on vous bat et vous écorche… on vous fait mourir de faim ou de coups… cela fait mal, c'est vrai ; mais quand on prend votre femme, vos petits enfants, on les vend à l'enchère publique… on les bat tout nus devant les yeux de tout le monde. Oh !… c'est plus que de la souffrance !… le corps ne sent plus rien, et cependant, bon Dieu ! on sent tant de mal qu'on est comme fou, on voudrait tuer quelqu'un, ou bien se faire mourir…

»Écoute ici ! le maître a dit l'autre jour à la petite Kaïla, continua le même en prenant un autre ton, elle n'a pas voulu ; parce que les yeux du maître avaient comme un mauvais penchant. Allons ! viens ici ma petite négresse !… Kaïla a baissé la tête, et n'a pas plus obéi. Veux-tu venir ici quand j'ordonne !… Et voyant que Kaïla avait plus peur de cette chose-là que de lui, le maître a dit qu'on l'empoigne ; et, après l'avoir fait battre, la robe levée, l'a fait raser à la tête et mettre dans le fond du cachot… Vous avez vu, longtemps, Ravana la jolie, avec un gros collier de fer au cou, et les cheveux tout coupés… ç'a été aussi pour la même cause. Il n'y a pas de justice, ni de *bordage* à côté du maître qui peut tout faire ; et, quand il tue, si quelqu'un en parle, il répond qu'on est mort de maladie, comme il a fait pour Namcimoine et Songol, avec d'autres encore… À dire la vérité aussi, frères, nous avons notre faute. Nous sommes complices de notre misère. Il y a longtemps que ce serait autrement si les esclaves n'étaient pas comme ils sont… Regardez : avant-hier le petit enfant de Koutkel a ramassé une mangue, un méchant fruit dans l'habitation ; et, comme il avait faim, il l'a mangée : on l'a dit au maître, qui ayant commandé, un noir tenait l'enfant, un autre le battait, et le pauvre petit être est sorti de là tout abîmé de coups… Et puis qui fouille les trous pour mettre le ventre des femmes enceintes que le maître fait fouetter ? qui nous amarre et nous sangle au *quatre-piquets* ? qui remarque et rapporte tout ce que nous faisons ? enfin qui exécute et va au-devant de tout ce que le maître dit et veut faire de méchant, de barbare ?… Oh ! oui, frères, les noirs sont complices. Ils flattent les maîtres qui les rendent si malheureux ; ils leur obéissent et les soutiennent contre eux-mêmes, au lieu de s'entendre comme de bons amis, de leur refuser de l'appui, de leur ôter le moyen de mal faire ; au lieu de se réunir, se lever en hommes et d'aller tous ensemble leur dire

« *Nous avons des pieds et des mains et du sang comme vous, et nous ne voulons plus être foulés, pétris !...* » À présent que, pour tenter cette chose-là, nous sommes ici en Kabar, mon cœur aussi rit tout seul, tant il est content… Mais si nous réussissons, frères, ne dévastons rien, n'assassinons personne ; – cela fâcherait le bon Dieu ; – nous sommes assez forts pour être libres sans tuer ; et puis, ces champs, ces maisons, pourquoi les brûler, les détruire ? Ils n'ont pas fait de crime, et nous en aurons besoin nous-mêmes, quand nous serons libres… Oui, frères ; sans verser de sang, ni dévaster l'île, nous pouvons faire notre soulèvement. Voici : quand nous aurons bien causé, et que nous serons bien d'accord sur tout, nous irons, chacun de notre côté, dans les établissements, parler aux amis, gagner les bandes, faire des *ensembles* ; le jour de l'affaire arrivé, nous nous lèverons en masse, nombreux comme nous serons, on n'osera pas nous résister. Nous dirons tous ensemble : *nous sommes libres !* et nous serons libres. Les maîtres vivront dans le pays, mais ne seront pas plus que nous ; autrement nous leur laisserons des navires pour s'en aller. Voilà ; j'ai dit comme je sens, et comme j'ai pu. Maintenant à un autre.

Ici le Sçacalave voulut répliquer ; mais, sur la remarque qu'on fit que la parole revenait au Câpre, il céda aussitôt, en invitant lui-même son compagnon créole à opiner. Après un moment d'hésitation, celui-ci se mit au milieu des autres, et dit :

– En venant ici, frères, ma pensée disait : nous ne parlerons pas ; nous écouterons, nous suivrons les autres. À présent vous osez entendre. Eh bien ! ma langue causera. La chose a des épines. Mais le silence de la bouche ne doit pas faire crier le cœur.

» Je ne dirai pas tout ce que j'ai senti, tout ce que j'ai souffert. À quoi bon, frères ? Hélas ! nous savons trop ce que c'est que la vie d'esclave ; et vous raconter nos tourments ne serait pas éteindre l'enfer ; au contraire ce serait attiser tout ce qui brûle…

» Allons donc de suite à l'affaire. Vous voulez la révolte ?…

– Oui ! oui !

– Eh bien ! moi aussi, frères ; car c'est trop juste à côté de notre sort. Mais vous dirai-je ?… je crains qu'on manque… Notre frère Antacime et notre frère Sçacalave ont parlé d'*ensemble*, de *soulèvement général...* excusez-moi, je n'ai pas confiance…

– Comment ? est-ce que tous les autres ne sont pas dans le feu comme nous ?

– Je ne dis pas non, frères. Mais vous avez dit vous-mêmes : *nous ne savons pas nous entendre, et nous soutenons les maîtres*. Nous pouvons donc risquer à parler complot, à faire des ensembles. Nous gagnerons, nous réunirons à nous, un… deux… trois noirs ; le quatrième sera un faux frère et nous vendra…

– Nous vendre !

– Oui, nous vendre !… et alors quel malheur ! nous serons pris, sans avoir pu seulement bouger le doigt, détacher un brin de chaîne, et notre meilleur sang coulera…

– Ça peut couler ! ce sang n'est pas à nous ! et qu'est-ce qu'on risque à jouer notre vie ?…

– Je sais, frères, je sais que, pour nous, la mort est plus douce, est meilleure que la vie. Mais pourquoi la mort inutile ? la mort qui fait mal et honte ?… Je pense encore. Je suppose. Nous sondons nos hommes…

– Ils veulent !

– Nous parlons à tous…

– Personne ne trahit ! tout le monde ne fait qu'un !

– Bon ! éclatons !

– Éclatons !

– Le sabre nous hache… le canon nous écrase…

– C'est égal ! nous marchons !

– Nous marchons comme vous dites, et plus, nous voilà libres !… Mais ce n'est pas tout, frères… l'île est trop petite… la France enverra contre nous des navires de guerre… on nous brûlera, on nous tuera, on nous remettra dans l'esclavage, et alors ce sera bien pire !… Écoutez-moi : j'ai entendu le papier causer. En France, en Angleterre, dans les grands pays des blancs, il y a des hommes, des enfants du bon Dieu, qui pensent à nous, qui prient pour nous, qui disent que, malgré notre peau noire, nous sommes blancs comme eux, et demandent au Roi, à la Reine, de nous faire déferrer, de nous donner notre liberté…

– Nous donner notre liberté !

– Oui, frères !… Patience encore un peu donc. Ça ne peut pas tarder. On l'attend de jour en jour. Ici, les blancs ne veulent pas. Mais ça ne fait rien : ils ne sont pas les premiers ; les grands chefs sont là-bas, et nous l'aurons. Et alors nous aurons aussi notre case, notre morceau de terre, avec notre légume et notre volaille à nous-mêmes ; et quand il faudra travailler, nous ferons ceci, cela ; mais ce sera pour nous-mêmes, et on ne nous battra pas, et nous serons maîtres de notre corps, avec notre femme et nos enfants, qui resteront à côté de nous, pour faire notre plaisir, et ne plus être malheureux… Ah ! frères, ne faisons pas de bêtises ! Attendons cette bonne chose-là, qu'on appelle *émancipation.* Et, d'ici qu'elle arrive, puisqu'il fait trop mauvais dans l'établissement, ramassons notre petit paquet, et sauvons-nous du maître. Nous serons marrons. Nous irons vivre dans le morne des Salazes. Là est mon grand-père depuis des années et des années. On n'a jamais pu l'attraper. Il doit être chef, et sera bien content de nous voir. Là, nous aurons à boire et à manger à notre content et comme nous voudrons, car il y a là, sirop, miel, arack, fraises, patates, palmistes, mangues, bananes, cabots, chevrettes, anguilles, merles, petits fouquets, poules, cochons, cabris marrons et mille et mille choses en quantité, en abondance ; et, avec tout ça, nous serons comme libres, nous ferons notre vouloir ! Qu'en dites-vous, frères ?…

– C'est bien bon ! répondit à son tour l'Amboilame, après un moment de silence et en venant prendre la place de l'autre, mais ça n'est pas l'affaire. J'ai été marron. Je connais les Salazes. Rien à comparer. C'est divin ! Oh ! c'est beau, beau même !… Mais quel dommage ! ça n'est pas à nous ! Et, avec votre dire, frère créole, il y a autre chose encore. Il y a du bon, du doux, oui. Il y a du mauvais, de l'amer aussi. Car là, faut pas l'oublier, il y a *les détachements,* méchants petits blancs qu'on dresse pour vous chasser comme des renards, et à qui on paye tant d'argent de francs par chaque patte de nous, pauvres noirs, qu'ils abattent…

– Tas de mauvais petits blancs !

– Ah ! c'est des gens fins, des limiers futés et lestes, allez, frères ! ça vous dépiste n'importe où, vous courre par tous les mornes, les précipices, vous traque jusque dans les plus petits coins, les plus petits trous de la terre… et gare les chiens ! gare les coups de fusils !…

– Fître ! il ne fait pas bon là !… On court, mais pas comme un boulet !

– Sans doute, et faut pas plaisanter ! faut avoir, jour et nuit, les pieds légers, l'oreille claire, et les yeux qui brillent ! faut être un bon lièvre, un bon cerf, et pouvoir, comme un tectec ou un lézard, sauter de rocher en rocher, de cap en cap ! autrement, frères, on vous pince ; et, si l'on vous tue pas, on vous conduit, tout garrotté en carotte de tabac, chez le maître, qui, pour accommoder la sauce, vous savez, et c'est le moins, vous fait piquer cent et cent coups de fouet sur le derrière, avec un arrosement de vinaigre, de sel et de piment, et puis, vous voilà au croc, attaché à la grosse roche de l'habitation, à moudre le maïs de la bande, pendant des mois et des mois, comme un vrai damné, au soleil, à la pluie et au vent. En voulez-vous, frères ?

– Oh ! fit l'Antacime, merci ! Toujours en crainte, toujours en alerte… toujours en visage de la mort… au bout du compte pris, sinon fusillé, reconduit à la chaîne, qu'on vous rive davantage !… Oh ! ça n'est pas à désirer… non, ça n'est pas une bonne chose ; et, malheur pour malheur, tant vaut-il rester chez le maître à manger la misère !

– Eh bien ! non ! reprit l'Amboilame avec ce ton qui marque l'assurance ; car j'ai là mon idée à moi, ajouta-t-il aussitôt en se frappant le front. Nous causons beaucoup. Nous parlons comme ça même. L'un dit ci… l'autre dit ça… Farfabé, oui ; Grangousier, non. On ne sait plus quoi faire. On ne sait plus de quel côté aller. Pourtant aucun n'a l'envie de rentrer son cou dans la chaîne, personne ne veut plus repiocher dans l'esclavage… Ouvrez l'oreille, frères, et nous serons d'accord… *Un*, ne resterons pas chez le maître… *Deux*, ne serons point trahis, vendus… *Trois*, ne ferons point de révolte… *Quatre*, ne verserons pas de sang… *Cinq*, n'irons pas dans les Salazes… *Six* enfin, nous serons libres et, par-dessus ça, dans notre pays…

– Comment ! comment ! dirent tous les autres avec un étonnement tout à fait nègre.

– Sans doute ! reprit l'Amboilame, en tendant le bras du côté de la mer ; notre pays, grand-terre, n'est pas là donc ?

– Hélas ! oui, dit l'un d'eux ; mais le ciel n'a pas de chemin, la mer pas de fond pour notre pied…

– Bah ! fit l'Amboilame ; un homme en homme n'a pas que des pieds pour marcher ; il a des nageoires et des ailes aussi quand ça lui veut. Écoutez. Vous connaissez la *Petite-Anse*, et vous savez ce qu'on voit là, qui marche sur la mer ?…

– Navire !

– Oui, navire… ça nous a conduits ici, ça nous ramènera là-bas ; c'est ça qui doit nous sauver… Donc, frères, j'ai choisi, dans ma tête, un joli petit bateau qu'on hale là sur le port le soir à terre… ça a des avirons comme des nageoires, et des voiles comme des ailes ; c'est tout ce qu'il nous faut pour faire notre voyage. Il est trop tard à présent pour commencer la partie. Nous allons rentrer. Nous passons encore la journée qui vient chez le maître. Nous ramassons par-ci par-là des petites provisions ; puis, dans la nuit même, à l'heure que tout le monde dort, nous sortons de l'atelier, nous marchons, comme aujourd'hui, doucement, doucement… nous arrivons au petit bateau. Il n'y a personne. Vite ! nous coupons la corde, et vlan ! nous sommes à l'eau, laissant à terre l'esclavage avec ceux qui ont peur et ceux qui vendent les frères… Alors nous faisons jouer la rame. Si le vent souffle bon, nous mettons la voile dehors… Nous filons… Nous gagnons le large… Nous filons toujours… Et nous voilà dans notre pays ! Oui, frères, dans notre pays même, à boire du bon lait de vache, à manger du bon riz, de bonnes bananes, à chasser avec notre flèche et notre sagaie, à courir, à danser dans la plaine, à travailler, à dormir ou non, comme ça nous dit, dans notre case, avec notre liberté, notre appartient, notre famille ! Ah ! frères, refuserez-vous ce bonheur-là ?…

– Refuser ! s'écria aussitôt le Sçacalave. Que dites-vous donc, frères ? Comment refuser notre liberté, notre pays, notre famille !… J'ai demandé révolte et vengeance ; ma parole a crié comme le cœur : était-ce pour mentir, pour rester esclave ?… mais on dit que l'affaire est impossible. J'écoute… On veut faire autre chose. Je ne contrarie pas… et, même avec mon incroyance dans votre projet, frère, je cède et vous suis… Je sais que nous ne sommes pas marins. Je sais que le vent et la mer, comme les maîtres, ne connaissent pas de pitié. Mais plutôt que de rouler ici plus longtemps dans la chaîne, oui, j'aime mieux vous suivre, j'aime mieux couler au fond…

– Moi aussi ! dit l'Antacime avec transport.

– Pour moi, ajouta dolemment le Câpre, je prierai le bon Dieu pour votre voyage, mais ne peux vous suivre… votre pays n'est pas le mien…

– Comment ! est-ce que vous n'êtes pas notre frère ?… Chez nous, vous serez chez vous… mieux que dans ce pays où vous êtes né esclave…

– Oh ! je sais, je vous remercie, frères… Mais le voyage n'est pas sûr… et j'ai besoin d'aller aux Salazes voir mon grand-père…

– Allons, comme vous voudrez, frère créole… Vous changerez peut-être d'ici demain, dit l'un des trois Madagasses, lesquels échangèrent encore quelques mots ; puis se séparèrent dans le plus profond silence.

Tony de B. del. Félix.

L'HABITATION.

2

L'HABITATION

Deux heures environ s'étaient écoulées depuis la séparation silencieuse de nos quatre individus ; et la blanche lueur, première gaze du matin, commençait à se faire voir, flottant incertaine aux abords de l'Orient.

Comme un sylphe messager du jour, le petit oiseau blanc avait quitté son nid. Il en gazouillait la nouvelle de feuille en feuille, de branche en branche.

Le merle s'éveillait. Aussi diligent que l'abeille, auprès des trésors de la grenadille et de la jamerose, il répétait l'égayante annonce, en parlant sa voix telle qu'un doux écho de l'aurore.

On était au printemps. Mais, printemps, été, hiver, automne qu'importe au climat de l'île ? il y a toujours de la chaleur, des fruits, des fleurs et de la verdure.

Cependant, peu à peu, le jour s'élevait, s'agrandissait. Il poussait une petite brise, qui, douce, agréable, fortifiante, pleine de joie, de délicieuses senteurs, d'enivrement indicible, semblait être le divin souffle générateur de la création et de la vie !

Le soleil allait paraître. De brillants nuages séraphiques l'annonçaient ; tout paraissait être dans l'attente. Aussi, quand, incendiant l'horizon, il montra sa face radieuse, ce fut un concert général.

La mouche d'or faisait entendre, avec d'autres, le bourdon de ses ailes ; le bengali, son petit cri saccadé, chromatique ; le serin, ses airs, ses fioritures, et la tourterelle, son roucoulement comme l'appel d'une fille romantique.

Tout chantait, la cascade, en descendant du morne ; le ruisseau limpide, en caressant l'herbe verte ; la goutte de rosée, en miroitant sur les feuilles, en souriant dans les fleurs ; le papillon, en folâtrant, en faisant palpiter, sur chaque corolle embaumée, les couleurs de ses ailes ; le palmier, en balançant ses verts éventails, le goyavier, ses myriades de bouquets roses ; les oiseaux, les insectes, les arbres, la nature entière, oui, tout chantait à l'oreille et aux yeux, tout exprimait le bonheur dans ce paradis, excepté le malheureux nègre…

Hélas ! oui, lui seul ! Car cette heure, si belle et si bénie, c'est l'heure qui le désabuse d'un doux rêve de la nuit, qui retinte à son esprit toutes les rigueurs de son sort, qui lui rappelle qu'il est esclave et qu'une nouvelle journée de labeur, de fatigue et de coups l'attend ! Heure triste où sa voix s'élève au ciel, non en prière, mais en gémissements plaintifs ! Heure malheureuse où d'habitude il se tord à la flagellation du *quatre-piquets* ! Heure maudite enfin où le maître, après le compte rendu de la veille, fait exécuter ses terribles châtiments comme des offrandes au lever du soleil !!!

Admirez où nous sommes : Devant nous, et après une jolie maison de maître, laquelle fait face à une longue et belle avenue plantée d'ananas, se montre une sucrerie en pleine activité ou roulaison, et bordée de son champ de roseaux saccharifères, qui s'en allant à perte de vue, en balançant d'innombrables tiges de fleurs en soyeux panaches, a l'air d'une armée nombreuse en bivouac entre la montagne et l'établissement.

À droite, et flanqués de magasins, de hangars et de petites cabanes, ajoupas ou paillotes de nègres, s'alignent, avec symétrie et sur un vaste carré long, d'immenses files de girofliers et de muscadiers aux noix purpurines ; tandis que, séparés d'eux seulement par une haie de grands arbres des tropiques, et comme pour leur faire encadrement, suivent, d'un côté, des cacaotiers avec leurs longs fruits rouges et taillés à côtes, et, de l'autre, des touffes de caféiers où chaque arbuste paraît succomber sous la charge de ses grappes de baies.

À gauche, sont encore quelques petites paillotes adossées à des massifs de verdure ; puis les parcs, les écuries, les poulaillers ; puis les allées couvertes de lianes et de fleurs ; puis les jardins de toutes sortes, et le grand verger où passe un bras de rivière : en un mot, et pour tout dire, nous sommes dans une de ces habitations coloniales si riches et si variées d'aspects et de productions qu'on ne peut les décrire.

Or, maintenant regardez, au sein de cette richesse et de cette abondance, ces pauvres nègres qui sont nus, décharnés, qui meurent de faim, et qu'on pousse au travail tels que des animaux ! Regardez surtout, dans l'enceinte de l'habitation, au lieu-dit *la plateforme*, ces trois hommes attachés là, le ventre contre terre, les membres étendus, et que d'autres, avec de longs fouets, frappent à coups redoublés, excités qu'ils sont par les menaces du régisseur et du maître !... Leur sang ruisselle ! leur chair vole en lambeaux !... Mais pas un cri, pas une plainte ! Il y a donc en eux quelque chose de plus fort que la douleur ? Sans doute un mélange de sentiments qui domine tous les autres les soutient, les encourage ; car ils supportent la souffrance avec cette force de martyre qui voit le ciel devant lui !...

Mais on a cessé de les battre ; où les conduit-on ces malheureux que nous avons déjà reconnus pour trois de nos hommes de la veille ? – Voilà le pire ! – Un cachot, bâti derrière la sucrerie, s'ouvre devant eux ! cachot noir, infect, mortel, où, non content de les enfermer comme dans un tombeau, on les met encore au *bloc,* les pieds enclavés entre deux gros madriers qui, façonnés à cet horrible usage, se trouvent cramponnés, tels qu'un démon de tourment, au sein de cet infernal séjour ! C'est la douleur jointe au désespoir ! Et cependant aucune parole n'est encore sortie de ces poitrines torturées !... Mais les exécuteurs des ordres du Maître s'éloignent... L'Amboilame rompt enfin le silence, et, s'adressant à ses deux autres compagnons :

– Pardon ! frères !... leur dit-il d'un ton douloureux, et comme s'il était exempt ou coupable de leurs souffrances ; oui, pardon ! J'ai eu tort de vous engager à revenir dans ce maudit établissement...

À ces paroles, l'Antacime jeta un soupir... soupir pour répondre en ce moment bien plus significatif que la parole. Le Sçacalave sembla ne rien entendre. Mais, d'une voix sourde, il laissa échapper des mots entrecoupés parmi lesquels on distinguait « sang... cachot... bloc... vengeance ! » et ce dernier suivi d'une telle exclamation, ou plutôt d'un tel rugissement, que l'Amboilame crut devoir l'interrompre, en reprenant comme pour le calmer :

– Oui, frères, j'ai eu tort... mais qui pouvait savoir que ce mauvais régisseur remarquerait notre absence et l'apprendrait au maître ?...

Le Sçacalave parut ne pas entendre encore et répéta d'une manière plus distincte, mais de la même voix concentrée : « sang... cachot... bloc... vengeance, » et puis, avec l'ironie de la rage, il ajouta :

– Non ! pas de vengeance !... toujours courber la tête et baiser les pieds des maîtres qui vous assassinent !

– Oui, ce sont des bourreaux, reprit l'Amboilame toujours avec la même intention ; mais, frères, patience un peu ; nous sortirons de leurs mains : si ce n'est pas aujourd'hui, ce sera demain... nous aurons enfin un jour...

– Hélas ! fit alors l'Antacime avec une expression pleine de regret ; frère créole a été mieux conseillé en ne revenant pas ici !... Il n'a pas été battu !... Il n'est pas au cachot ni au bloc !... Il est libre dans le bois !... Il est plus heureux que nous !...

– Faut pas dire ça, frère Antacime ! répondit l'Amboilame d'un ton de reproche plein de douceur. Pensez que notre frère créole est marron, et qu'il est peut-être à présent tué ou arrêté !... Nous avons été battus, nous sommes au bloc et au cachot, c'est vrai ; mais c'est affaire finie ;

et, pendant que ça le menace avec d'autres malheurs encore plus grands, pour nous ça n'est plus à craindre, à recommencer ; car, une fois échappés d'ici, et c'est ce que nous allons tâcher de faire malgré tout, allez donc après nous rattraper ! Nous prenons le petit navire qui est toujours là à notre service, et nous partons…

En ce moment un bruit de pas et de clefs, arrivant du dehors, se fit entendre, et l'Amboilame se tut… Mais en ce moment aussi que devenait le noir créole ? Sa position était-elle plus heureuse ?…

Tony de B. del. Félix.

LE MARRONAGE.

3

LE MARRONNAGE

Différent d'intention, comme on a pu le voir, avec ses autres camarades, le Câpre ne crut pas non plus devoir suivre la même direction qu'eux, à l'issue de la fameuse réunion du grand tamarin : ainsi, tandis que les trois Madagasses, qui étaient tombés d'accord sur la proposition de l'Amboilame, s'en retournaient à l'établissement, avec la pensée toutefois de n'y rester qu'un jour ; lui, n'ayant pas adhéré à leur projet de voyage, et prévoyant peut-être aussi la terrible réception qui les attendait à l'atelier, il gagnait la route des Salazes et se faisait aussitôt marron, suivant le vœu qu'il avait exprimé dans le conciliabule.

Du lieu où s'était tenu le conciliabule, au flanc avancé des mornes salaziens, on pouvait compter en ligne directe une distance de quatre à cinq kilomètres au plus. Ce premier trajet paraissait court. Cependant notre fugitif n'employa pas moins de deux heures pour le faire. Ce n'est pas qu'il n'eût hâte de quitter la savane et qu'il n'y mît toute sa diligence ; l'endroit était trop peu désert pour qu'il eût l'envie de s'y attarder. Mais le chemin, qui n'allait pas droit, de tortueux devint difficile… bientôt il n'y en eut plus. C'étaient des broussailles, des fourrés d'épines qu'il fallut traverser, puis vinrent les torrents de la colline plus dangereux encore ; si bien que le jour commençait, quand il parvint à la base effroyable des Salazes.

Il lui fallait un redoublement de force et de courage ; car la lutte était ici, comme on le sent, des plus terribles à soutenir. Mais, quelque fatigué qu'il fût, il ne recula point devant elle, il ne s'arrêta point devant le géant. Il se prit aussitôt corps à corps pour ainsi dire avec cette formidable masse rocheuse élevée comme une pyramide à pic, et grimpa, travaillant du ventre et des mains autant que des pieds : à l'y voir, on eût dit d'une fourmi s'escrimant sur un vaste pain de sucre, avec cette différence toutefois que pour lui la plus horrible mort était au bout de la moindre glissade ; car un peu d'herbes par ici, une petite aspérité par là, étaient ses seuls moyens d'appui, d'ascension, d'équilibre au-dessus de l'abîme…

Mais arriva un moment où ces moyens même, ces soutiens si faibles lui manquèrent… moment affreux où la montagne, faisant une espèce de coude, n'offrit plus au-dessus de sa tête qu'une surface unie, verticale !... Comment monter, se tenir là ?... Il voulut descendre, revenir sur ses pas. Mais, pour le faire, sans l'appréhension, la certitude d'une chute éminente, il lui fallait des yeux aux orteils, pouvoir retrouver les positions quittées au-dessous... et ses mains n'osaient pas sortir d'où elles s'étaient accrochées, et ses pieds, cherchant ces positions, nageaient vainement contre le précipice...

Ainsi suspendu, ne pouvant ni monter ni descendre, retenu que par un cheveu pour ainsi dire à une hauteur effrayante, il s'en vit tout à coup échapper, tomber écrasé au bas du morne !

Et tout son corps se couvrit d'eau, sa respiration devint courte, ronflante, les battements brusques de son cœur étouffant sa poitrine, il suffoquait...

Et déjà ses doigts humides glissaient, ses muscles fatigués se relâchaient, toutes ses forces l'abandonnaient, il était perdu !... Un effort désespéré le sauva.

Appuyant l'un de ses pieds sur une petite éminence et tendant l'autre horizontalement, il fit un bond, en lâchant prise, se jeta sur un quartier de rocher qui s'avançait en saillie à sa gauche et s'y cramponna de tous ses membres...

Quelques minutes se passèrent ainsi dans un abattement profond, où l'idée du danger qu'il venait de courir le faisait encore frissonner, en même temps qu'elle éveillait en lui des regrets amers ; et il se reprochait de n'avoir pas suivi la résolution de ses camarades, il se le reprochait d'autant plus, que son absence de l'atelier, avant leur départ, pouvait entraver, faire échouer leur voyage, et que le sien même était loin de se terminer, de se montrer sans encombre. Il en fut un moment si affecté qu'il lui prit envie de rebrousser chemin, comme il le pourrait, et de rentrer à l'établissement ; mais la pensée des sévices du maître remonta tout à coup son courage. Il se leva, regarda autour de lui ; et voyant un endroit praticable, il reprit la montée, gagna une espèce de sillon creusé par l'avalasse... Bientôt il était sur une des crêtes sourcilleuses des Salazes.

Certes il eût bien désiré alors pouvoir se reposer un peu ; mais il n'avait encore rien pris depuis la veille, et son estomac, excité par le jeûne autant que par la fatigue et l'air vif de la montagne, demandait impérieusement à manger.

Obligé donc, n'ayant aucune provision, de chercher de quoi l'apaiser avant tout, force lui fut de ne point s'arrêter ; et, chemin faisant, il regardait de tous côtés s'il ne verrait pas un de ces arbres fruitiers qui croissent naturellement et sans culture même dans les lieux les plus ingrats de l'île.

Mais il ne rencontrait sur son passage que des fraises ou des framboises, ce qui ne faisait que l'affamer au lieu de calmer son besoin de nourriture. La faim le tourmentait, l'affaiblissait, il commençait à craindre de ne pouvoir plus marcher, de tomber d'inanition dans un tel endroit, lorsque, après avoir gravi assez péniblement une petite élévation, il arriva dans un bas-fond où plusieurs de ces arbres bienfaisants qu'il cherchait avec angoisse, tels que des dattiers, des goyaviers, des bananiers, des vavanguiers, s'offrirent à sa vue tout chargés de fruits.

Il va sans dire que sa joie fut grande autant que son empressement à cueillir, à manger de ces fruits.

Mais à peine en eut-il dévoré quelques-uns avec toute la gloutonnerie de sa faim, qu'il entendit d'éclatants aboiements partir non loin du lieu où il était : – des détachements, pensa-t-il avec effroi ; – et aussitôt il quitta le verger sauvage et se mit à fuir du côté opposé…

C'était en vain et trop tard ; les chiens qui aboyaient l'avaient senti ; et, suivant sa trace, ils ne tardèrent pas à l'atteindre.

Assailli par quatre à la fois de ces terribles animaux, et forcé de faire face à leur attaque acharnée, il tenait tête et se défendait avec tout ce qu'il pouvait trouver sous sa main. Mais, tout en se défendant, il cherchait toujours à fuir ; il craignait l'arrivée des chasseurs ; il battait en retraite, et le malheureux allait à reculons, ne songeant pas qu'un des versants du morne, un précipice affreux était derrière lui !… – il y disparut tout à coup !…

Arrêtés court et désappointés jusqu'à la rage de voir ainsi échapper leur proie, les quatre chiens hurlaient contre l'abîme, en même temps que deux hommes, armés de longs fusils, accouraient en toute hâte à leurs cris…

– Il a dégringolé, se dirent-ils, en ne voyant que leurs limiers seuls au bord du précipice. Mais nous le retrouverons en bas, et nous aurons du moins la prime de son poignet coupé, ajoutèrent-ils, en prenant un sentier qui conduisait à l'une des descentes les moins rapides de la colline.

Arrivés, non sans plusieurs détours et beaucoup de mal, au bas du morne et à l'endroit où ils pensaient que le marron était tombé, ils furent étonnés de ne pas l'y voir. Ils le cherchèrent, concurremment avec leurs chiens, et ne le trouvèrent pas, quelques soins qu'ils y missent. Ils supposèrent alors que son corps en tombant s'était abîmé sur un des rochers avancés du flanc de la montagne, et qu'il y était resté. Mais les lieux étaient trop escarpés pour oser s'y hasarder. Confus, ils abandonnèrent toute recherche ; et, sifflant leurs chiens qui rôdaient toujours, ils partirent pour continuer leur chasse d'hommes sur un autre point des Salazes.

Tony de B. del. Félix

LA CAVERNE.

4

LA CAVERNE – FRÊME ET MARIE

Notre pauvre marron vivait. Le ciel, en l'épargnant, avait fait servir sa chute même à son salut.

À l'endroit où elle eut lieu, la montagne était d'un aspect épouvantable : élevée à une hauteur de plus de deux mille mètres, elle surplombait sur elle-même, et ne présentait de la tête au pied que des masses et parties fuyantes, détachées, inaccessibles. Aussi les chasseurs s'étaient-ils retirés avec la persuasion que leur gibier humain, le Câpre, s'y était infailliblement tué ! Mais en tombant, celui-ci, par un mouvement machinal, instantané, porta ses mains contre le morne. Il eut le bonheur de s'accrocher à une de ces grosses lianes qu'on y voit quelquefois pendre comme des cordages le long du bord d'un navire. Elle était longue. Il s'y laissa affaler doucement, et arriva ainsi sur une espèce de plateau coupé vers le milieu de la masse générale.

Il était sauvé. Il ne le croyait pas. Aussi bien d'en haut les détachements pouvaient encore, dans leur malice, envoyer à sa poursuite quelques roches homicides. Il chercha aussitôt à se cacher. Un grand trou noir se montrait au ventre du morne et à la naissance du plateau. Il y mit la tête. C'était une caverne spacieuse. Il y pénétra sans pouvoir rien distinguer d'abord. Mais bientôt l'obscurité s'éclaircissant, il s'arrêta soudain. Que vit-il ? Une jeune femme blanche assise dans un coin et tenant dans ses bras un enfant mulâtre à qui elle donnait son sein !

Interdit à cette apparition si étrange, il resta immobile ; et, doutant de la réalité, ouvrant de grands yeux pour mieux voir, obsédé de mille craintes de blancs et de fantômes, il n'osait ni avancer ni reculer, il était comme pétrifié, quand la jeune femme, tout occupée de son enfant et sans lever la tête, articula d'une voix douce :

– C'est toi, Frême ?…

À cette demande le Câpre, encore plus troublé, marmotta, sans rien répondre, quelques monosyllabes inintelligibles.

– Ah ! mon ami, continua la jeune blanche ; tu as bien tardé aujourd'hui… J'ai entendu des chiens aboyer… J'ai pensé aux détachements, et j'ai craint pour nous…

Ces derniers mots éclairèrent l'intelligence du Câpre, qui, ne se croyant plus en proie à une vision, ni dans un refuge de chasseurs, revint de sa stupeur, et répondit avec le plus de calme qu'il put :

– En effet… il y a aux environs des chiens et des détachements mais le bon Dieu… est là aussi… Puis il ajouta, non sans hésitation : Je ne suis pas Frême, Madame…

À cet aveu, la jeune femme tressaillit, leva la tête et regarda le Câpre d'un air si plein de stupéfaction, que celui-ci chercha aussitôt à la rassurer et dit :

– Ne craignez rien, Madame, je suis un pauvre marron, poursuivi par ces chiens que vous avez entendus, j'ai manqué pied, je suis tombé ici… Je ne cherche à faire aucun mal… Je cherche seulement un gîte…

La jeune femme, à ces paroles, passa la main sur son front, comme pour essuyer son trouble, en disant avec une certaine honte candide :

– Ah ! vous m'avez bien fait peur !

Un grand jeune nègre, à la tête martiale, à la cheville mince, au corps souple et agile, venait d'entrer dans la caverne.

– Qu'est-ce que c'est ? Qui te fait peur, Marie ? dit-il en se précipitant vers la jeune blanche et sans apercevoir le Câpre debout auprès d'elle.

– Non ! j'ai eu peur mal à propos, mon ami, reprit-elle en paraissant aussi rassurée que contente de le voir, et désignant le Câpre, elle ajouta : C'est un pauvre marron qui est entré ici pour se cacher avec nous.

Le Câpre balbutiait quelques mots d'excuse.

– Ah ! fit le grand noir, en regardant l'autre d'un air étonné ; mais comment diable êtes-vous arrivé ici, frère ?

– Eh bien ! répondit le Câpre avec une sorte de naïveté ; quand la coquille chauffe trop, frère, on la quitte… Le maître est méchant, j'ai quitté l'habitation du maître, et j'ai pris le chemin des Salazes et des Marrons. Mais, rendu là-haut sur la montagne, ayant faim, je me suis amusé à casser quelques goyaves, et je n'en avais pas seulement mangé deux, que les détachements sont venus… Attaqué par leurs chiens, j'ai voulu me défendre, me sauver ; le mal, c'est qu'en reculant je n'avais pas les yeux derrière ; et, tout d'un coup, j'ai senti la terre manquer… C'était le précipice… Heureusement il y avait là un cordage de liane que j'ai saisi, il m'a conduit ici.

– C'est avoir du bonheur ! dit Frême en secouant la tête. Il y a plus de douze lunes que nous sommes ici, et vous êtes le premier, frère, que nous voyons dans notre caverne ; car il n'y a chemin, ni par en haut ni par en bas, et il faut un coup du hasard vraiment, pour arriver ici…

Mais, frère, vous êtes fatigué, vous avez faim !… Asseyez-vous là sur ce banc… Nous mangerons quelque chose ensemble.

Ce disant, il tira de sa *bretelle*, espèce de havresac, quelques fruits qu'il venait de cueillir ; et Marie, ayant posé, sur une natte étendue à côté d'elle, son enfant qui dormait, alla chercher des bananes grillées, des patates douces et une salade de chou palmiste qu'elle avait préparées… Bientôt, assis en cercle à la manière arabe, les deux noirs et la femme blanche effectuaient le repas frugal, et la conversation continua.

– Les maîtres sont donc toujours méchants, dit la jeune femme en s'adressant au Câpre comme pour le plaindre.

– Toujours, Madame. Si ce n'est pas eux, c'est leurs représentants, et ça revient au même pour les malheureux esclaves à qui l'on n'épargne rien en fait de misère et de tourments. On ne fait pas seulement que de les mal nourrir, de les charger de travail ; il y a des maîtres, dont vous avez entendu parler sans doute, et qui, tels que le mien, leur coupent le corps à coups de rotin, comme à coups de coutelas… qui les chargent de chaînes et les font mourir à petit feu au courbari et dans les cachots… qui leur cassent les os d'un membre sans regret, leur brûlent la figure avec des tisons, la leur écrasent à coups de pied… qui leur font cracher au visage par toute une bande, avaler tout ce qu'il y a de plus sale au monde, arracher les cheveux, les dents, couler de l'huile bouillante dans la bouche…

– Assez ! assez ! s'il vous plaît ! s'écria la jeune blanche en témoignant la plus vive horreur.

– Je comprends, Madame, reprit le Câpre, je comprends que ça vous indigne et vous fait mal, parce que vous êtes bonne mais pourquoi tous les blancs ne sont-ils pas de même ? ils ne croient pas que nous souffrons ; et, si par hasard nous allons nous plaindre à ceux qui jugent, ils ferment les yeux, ils se bouchent les oreilles et nous chassent comme des menteurs et en nous traitant de mauvais sujets. Ah ! c'est bien triste, allez, Madame, et je ne sais pas quand le bon Dieu fera finir ce maudit métier de noir esclave, métier qui ne doit pas exister même en enfer… On dit cependant qu'il y a beaucoup de blancs en Europe qui s'occupent de notre misère, qui plaident notre liberté, et que cette liberté qu'on nomme émancipation ne va pas tarder à venir…

– Quel bonheur ! dit vivement Marie ; au moins l'on ne verra plus tant de choses injustes !…

– Moi, dit Frême avec incrédulité, je n'espère pas cela. Il y a longtemps que je l'ai entendu dire, et c'est toujours à venir ; ça n'arrive jamais. Les blancs sont les blancs. Ils pensent, ils travaillent pour eux. Les noirs sont leur bien, leurs esclaves. Ils ne sont pas près d'avoir l'envie de les rendre libres. S'il y en a quelques-uns qui ont pitié de ce qu'on fait aux noirs, il y en a beaucoup d'autres qui font voir et qui trouvent que c'est bien ; que nous sommes heureux comme nous sommes et bons seulement à être mis en cage, à être enchaînés toute la vie. Ils se soutiennent entre eux, les blancs, ils sont forts, ils sont riches, ils plaident et gagnent notre esclavage avec l'argent même de notre esclavage, et outre cet argent qu'ils ont à dépenser contre nous, ils font valoir encore la couleur, la domination, les navires ; ils font parler tout ce qui vient de notre travail, le sucre, le café, le cacao, le coton, le poivre, le girofle, la muscade. Allez donc en sortir ! Avec ça sommes-nous à côté de l'Europe ? Une mer grande et longue nous sépare, et l'on a là-bas bien des choses à penser avant nous, qu'on ne voit pas, qu'on ne connaît pas, et contre qui on peut tout croire. On s'occupera de ce qui est près, et l'on nous oubliera parce que nous sommes loin. On s'occupera de bois et d'animaux. On ne s'intéressera pas à nous. On fera des lois, comme on fait ici dans l'île, pour la conservation des plantes, des poissons, des chevaux, des chiens et des oiseaux ; on n'en fera pas pour notre conservation, pour l'adoucissement de notre sort ; on n'en fera pas pour notre liberté…

– Ah ! fit la bonne Marie. Pourquoi dire cela, Frême ! Dieu est grand. Il est plein de pouvoir. Tu sais combien il a été bon pour nous. Il nous a sauvés. Il sauvera aussi les noirs. Espère ! Les blancs ont du cœur ; ils ont de l'esprit, de l'intelligence, et l'intérêt leur dira comme la justice que l'esclavage est une mauvaise chose, et l'on fera son abolition ; on trouvera que c'est un bien pour tout le monde.

– Oui ! oui ! Madame a raison, dit le Câpre, avec l'accent de la conviction, et j'approuve ces bonnes paroles. Moi, j'espère en cette chose, parce que c'est juste, elle doit arriver ; et c'est en attendant qu'elle arrive que j'ai quitté la maison du maître et me suis fait marron. Mais laissons ça, parlons de vous, frère : vraiment je n'en reviens pas ! Comment donc avez-vous fait pour être ici avec une Madame blanche si jolie ?

– Ah ! dame ! fit Frême, c'est une histoire… si elle ne vous ennuie pas trop…

– Non, non ! assura le Câpre avec tout l'empressement de la curiosité.

– Eh bien ! reprit Frême, j'essayerai… mais il faut que Marie m'aide un peu…

– Je le veux bien, dit celle-ci d'une voix timide.

Et alors le récit commença, et le Câpre était tout oreille à l'histoire de Frême et de Marie que nous allons résumer, ne pouvant la rendre dans tous ses détails et sa naïveté.

Tony de B. del. Félix.

LE PETIT NÈGRE.

5

LE NÉGRILLON – UN ATTACHEMENT D'ENFANCE

Frême n'avait conservé qu'une idée confuse de ses parents, de sa patrie. Enlevé fort jeune encore de l'Afrique, où il naquit, il ne portait à la figure ni sur le corps aucune marque de tatouage, marque distinctive de caste en usage dans ce pays, et il ignorait de quelle partie, de quelle peuplade ou tribu africaine il était.

Seulement il se rappelait, comme la réminiscence d'un rêve lointain, que son père devait être un chef de guerriers, qu'il avait toujours des plumes brillantes fichées en panache dans ses cheveux crépus, et que ce fut à la suite d'une surprise nocturne et dans un combat affreux que lui, Frême, il fut saisi par l'ennemi et séparé de sa famille.

Vendu d'abord à des Portugais, il fut conduit dans un de leurs comptoirs de la côte de Mozambique, et, au bout de quelques mois, revendu à des traitants étrangers, qui l'embarquèrent sur un navire avec d'autres noirs qu'ils avaient achetés sur cette même côte.

Mais la traite n'était plus protégée, encouragée par des primes gouvernementales ; et, pour l'extirper, au contraire, la France, d'accord avec l'Angleterre, avait des croisières dans l'Atlantique et la mer des Indes. Or, le négrier qui portait Frême fut découvert ; et, chassé par une corvette française, il fut bientôt pris et amené à l'île Bourbon, où il devint, ainsi que sa cargaison de victimes, la propriété de l'État.

Ce fut un bonheur pour Frême. Il ne pouvait trouver un meilleur maître.

Les personnes qui ont visité la colonie ont pu remarquer, sur la rive gauche de la rivière, au pied de la colline, à Saint-Denis, et distant de cette capitale comme la butte Montmartre l'est de Paris, un endroit tout à fait pittoresque et qu'on nomme *la Petite-Île.* On le voit de la mer. Il est sur une éminence ; et, sans parler des arbres qui l'égayent de mille manières, une infinité de petites cabanes proprement faites, couvertes de feuilles de vétiver ou de latanier, s'y montrent à l'envi, entourant, avec ordre et gentillesse, une jolie maisonnette, qui, rebâtie depuis, couverte en bardeaux et peinte de diverses couleurs, s'élève élégante et détachée au-dessus des autres comme une petite chapelle coloriée. C'est le camp des noirs de l'État, espèce de village à part où l'on dépose et où demeurent tous ceux qui, tels que Frême, proviennent des captures de traite ; et, c'est une justice à rendre, ils sont, ces noirs, aussi bien logés que nourris et vêtus. On ne les tue, ceux-là, ni de coups ni de travail. Les traitant au contraire avec une certaine sollicitude, on leur fait apprendre des métiers, on les emploie à des travaux d'utilité publique, et l'empire d'un bon régime fait qu'ils ont tous l'air plus dégagé, plus intelligent et beaucoup mieux que les autres esclaves.

Frême, qui était donc de cette élite, s'appelait *Coudjoupa*, dans son pays, ce qui veut dire *lion* ou *panthère.* En l'immatriculant dans *l'Atelier colonial*, l'État changea ce nom baroque pour les blancs en celui de Frême ; et, comme il n'avait alors que six ans au plus, le directeur des noirs, qui s'appelait Bolvin et qui habitait la jolie maisonnette dont nous venons de parler, le prit chez lui et le donna à ses enfants pour les distraire et les amuser.

Le petit nègre avait un air avenant comme une humeur charmante ; et, avec l'instinct imitateur et gai, il n'eut pas de peine à se tirer d'affaire, et à s'acquitter de son emploi à la satisfaction générale.

Il badinait, il faisait mille folies, moins par devoir que par caractère, et les enfants du directeur, qui se composaient de deux petits garçons et d'une petite fille, s'en trouvaient au comble de la joie et riaient bien souvent à perdre haleine. Tantôt il contrefaisait la poule, le chien ou le chat, d'autres fois c'était l'éléphant ou le bœuf qu'il singeait, et alors il se mettait à quatre pattes et marchait ainsi, en criant par intervalle et de sa plus grosse voix : *moom, moom !* si bien qu'il devint le favori, le joujou indispensable. On ne pouvait plus se passer de Frême. Frême était de tous les jeux, de tous les pleurs, de toutes les fêtes. On rêvait Frême. On cherchait Frême en s'éveillant. Quand on pleurait, c'était encore Frême qu'on appelait ; et Frême, à part quelques petites tapes et quelques égratignures d'un moment de colère, n'avait, de son côté, qu'à se louer de ses maîtres camarades.

Ceux-ci le traitaient beaucoup plus en ami qu'en esclave. On ne mangeait rien sans faire goûter à Frême sa petite portion ; et, participant aux repas, à toutes les friandises, bien que cela fût défendu, il participait aussi, sans en avoir l'air, aux leçons de l'instituteur, et il apprit ainsi à lire et à écrire au grand étonnement comme au grand mécontentement de tous. Mais le mal ou le bien était fait ; il n'y avait plus à y revenir ; c'était une chose entièrement acquise désormais à Frême, qui devenait par-là doublement précieux aux enfants du directeur ; car, outre ses amusements, il les aidait encore dans leur travail d'écolier, et ses complaisances, en ce point comme en d'autres, étaient surtout pour la petite fille, parce qu'elle était plus douce et beaucoup plus jeune que les autres. Il taillait son crayon, ses plumes. Il faisait une partie de son devoir. Il avait mille soins, mille attentions pour elle. Il la portait, quand on allait jouer dans la cour, et la mettait sur son dos, quand il imitait le bœuf. Aussi en paraissait-elle reconnaissante et lui donnait-elle de ses bonbons, de ses caresses enfantines plus souvent que les autres !

Et l'on grandissait, et cette habitude de se voir, de jouer, d'être ensemble, cette espèce d'amitié réciproque, innocente et si douce grandissait aussi, croissait tous les jours. Elle se montra bien plus vive encore lorsqu'il fallut se séparer. On atteignait l'adolescence. Frême eut à prendre un état, sa place dans l'atelier colonial, et son désespoir fut si grand de quitter la maison, qu'il fallut pour ainsi dire l'en arracher, de même que les deux petits garçons, qui furent envoyés en France pour y être mis au collège.

La petite fille resta seule, et la séparation lui fut ainsi d'autant plus sensible ; elle n'avait pas, comme ses frères, des camarades de collège pour l'égayer, la distraire, lui faire oublier le passé.

Dans sa solitude, elle pensait à Frême, à ses folies, à toutes ses prévenances pour elle, et celui-ci ne pouvait oublier non plus les moments si heureux où il était chez le directeur, les bontés, les caresses des enfants et surtout celles de la petite fille, dont la charmante figure, la gracieuse image ne l'avait pas quitté, était toujours devant lui, à sa vue, à son cœur, se mêlait à tous ses travaux, à toutes ses pensées, l'occupait, l'appelait, lui souriait sans cesse.

Oh ! que n'aurait-il pas donné au monde pour le droit de rester toute la vie, à ses pieds, esclave ! Au moins il l'amuserait, il l'égaierait, il la garderait, il la suivrait partout comme son chien fidèle !… Il la porterait dans les mauvais chemins, il la garantirait des faux pas, des cailloux, des épines !… Maintenant elle peut s'ennuyer, tomber, se blesser, se faire du mal ! il n'est pas là pour jouer, pour veiller, pour servir près d'elle !… Et quel espoir de retrouver cet esclavage, ce bonheur de la choyer, de lui faire plaisir ? Il est dans un métier, charpentier de marine, relégué dans une des cabanes de la *Petite-Île* ! c'en est fait, il ne peut, il ne pourra jamais plus s'approcher d'elle, de la bonne petite maîtresse blanche !…

Et son cœur était toujours gros d'idées semblables ; et quand le soir, après son travail, il revenait à sa paillote, regardant la maison du directeur, ses yeux se remplissaient de larmes…

Cependant il faisait des progrès dans son état, et le maître charpentier auquel on l'avait confié n'avait que des éloges à faire de son ouvrage comme de sa conduite.

Il était assidu, docile, attentif, et, de plus, vif, intelligent et adroit. On ne pouvait espérer de lui qu'un bon sujet, un bon ouvrier, et déjà il commençait à l'être ; aussi bien il gagnait de la force et du corps, il devenait un homme, il avait sa cabane à part.

Mais les souvenirs de ses premières années dans la colonie, la petite blanche étaient toujours dans son esprit, ne le quittaient pas, et ses pensées, à cet égard, loin de s'affaiblir, semblaient prendre chaque jour plus de consistance, une teinte plus mélancolique.

Il ne pouvait s'empêcher de rêver au bonheur perdu, de regarder toujours avec un œil humide la maison du directeur, dont l'entrée lui était interdite ; mais c'était son temple, un ange, son adoration était là !

Bien souvent la nuit même, entraîné par la vive inspiration de ses regrets, il quittait sa paillote, et, debout dehors dans la plaine, il restait, les yeux fixés de ce côté, pendant des heures entières, comme dans une sorte de contemplation sainte, divine. Il était fasciné par sa propre pensée, qui se faisait vision, une ombre qu'il croyait voir, ombre trompeuse, mais chérie de l'objet auquel tendait toute son âme, de celle qu'il avait vue enfant, qu'il avait soignée comme sa sœur, et que, depuis, il n'avait eu que le bonheur d'apercevoir quelquefois, et de bien loin seulement, mais qui était devenue une grande et si belle blanche qu'il n'eût osé qu'en tremblant se présenter devant elle ! On aurait dit d'un fou religieux échappé de l'hospice, et poursuivant, au milieu de la savane et de la nuit, son idée fixe, sa monomanie pieuse.

Et quand, les sens fatigués, l'âme affaiblie, il se surprenait dans cette espèce de méditation, d'extase, de somnambulisme nocturne, il se trouvait plongé dans un chaos inextricable de pensées tristes, désolantes, qui ne se dissipaient un peu que par leur excès même et d'abondantes larmes !

Tony de B. del. Félix.

LA JEUNE BLANCHE.

6

LA JEUNE BLANCHE

Ainsi s'écoulèrent bien des années, où, de loin en loin, à vrai dire, Frême pouvait remarquer avec bonheur qu'on ne l'avait pas entièrement oublié ; car si le hasard voulait, quoique rarement, que la jeune blanche l'aperçût, elle ne manquait jamais de lui adresser de la main un bonjour, un salut amical.

Mais cette douce preuve de souvenir ne faisait qu'augmenter ses regrets, la force de cette affection indicible restée au fond de son cœur.

Il avait bientôt vingt ans ; une nuit, sortant comme à son habitude de sa cabane, il crut voir des étincelles apparaître à l'endroit même qui captivait toujours ses regards ! Il pensa d'abord que c'était l'effet d'un éblouissement, d'un vertige occasionné par la chaleur de sa tête ; mais le phénomène continuant, surtout accompagné d'une lueur rougeâtre, il en prit aussitôt la direction, avec cette promptitude que donne une violente alarme, et ne tarda pas à se convaincre d'un malheur qui lui causa d'autant plus d'effroi, que c'était la maison même du directeur qu'il voyait la proie des flammes, qui déjà s'élevaient par une des fenêtres ! Et tout le monde dormait au camp ! Personne n'était accouru au feu ? La maison elle-même, dont toutes les issues étaient fermées, sinon les croisées d'en haut, ordinairement ouvertes, paraissait dormir en paix au sein de l'incendie !

À cette vue, comme une affreuse tempête passa au dedans de lui-même. Il oublia toute retenue, toute défense ; et, sans songer non plus à appeler du secours, ni aux dangers qu'il pouvait courir, il se mit à escalader la maison pour aller en arracher, s'il était encore possible, les habitants à la flamme !

Aussi naturellement souple et fort qu'habitué par son état à une sorte d'exercices gymnastiques, il fut bientôt, par l'une des fenêtres restées ouvertes, dans la partie de l'étage supérieur que le feu respectait encore.

Il la parcourut aussitôt, en criant d'une voix déchirante :

– Sauvez-vous ! Sauvez-vous !

Personne ne répondit à ce cri d'alarme.

Seulement, une jeune fille sortit tout éperdue de l'une des pièces du même étage et courut pour se précipiter dans l'escalier ! Mais l'escalier n'était plus qu'un gouffre de vapeur enflammé ! Frême arrêta la jeune fille, qui s'évanouit…

Il la porta dans un fauteuil, et, sans perdre un moment, car le parquet brûlait déjà sous ses pieds, il ramassa tous les draps qu'il put trouver, en fit une espèce de corde qu'il attacha au gond de la fenêtre.

Puis, enveloppant la jeune fille, évanouie, dans les vêtements qu'elle avait laissés près de son lit, il la prit dans ses bras, et, en peu de temps, il était hors du théâtre de l'incendie, évitant tout bruit, toute rencontre, et comme un lion emportant sa proie, fuyant avec sa précieuse charge vers sa cabane, où il la déposa…

Étendue sur une natte madagasse, à terre, la jeune fille, encore dans le paroxysme d'un profond évanouissement, respirait à peine, et ne paraissait plus offrir qu'une faible lueur d'existence qui vacillait à s'éteindre.

Il la dégagea, pour la soulager, la faire revenir, des vêtements dont il avait pris soin de l'entourer, et mouilla d'eau fraîche un linge qu'il passa à plusieurs reprises sur cette figure blanche, pâle, régulière, angélique, en écartant doucement les boucles de beaux cheveux noirs qui floconnaient autour…

Et dans quelle attitude, avec quel respect, il était là, lui, Frême, le jeune nègre, auprès de cette blanche vierge !

À genoux, et penché vers elle, immobile et n'osant prendre haleine, il épiait son moindre mouvement, son moindre souffle.

Il était comme une noire statue agenouillée, la regardant, l'admirant, l'invoquant avec une expression de joie, de tendresse, d'inquiétude ineffable !

Mais n'était-il pas devant la réalité, réalité adorable et pure de sa pensée constante, de son rêve d'enfant et d'homme ? On l'eût tué qu'il n'eût bougé de place, qu'il ne se fût séparé de cette existence, à lui mille fois plus chère que la sienne propre, et encore bien mille fois plus chère depuis le sentiment du droit bienheureux de l'avoir conquise sur la mort !…

Les cloches de l'endroit sonnaient ; et, de toutes parts, on s'éveillait, on criait, on courait au feu. Quelqu'un, en passant, frappa à la porte de Frême, comme pour l'appeler. Celui-ci resta muet. Il n'y avait d'ailleurs aucun secours à porter à la maison. Elle n'était plus qu'un vaste brasier, et l'on pensa, ne les voyant pas, que le directeur et les siens y avaient péri.

Comme les pétales d'une fleur pâlie qui renaît sous la rosée, bientôt les paupières aux longs cils de la jeune fille palpitèrent, s'entrouvrirent et laissèrent voir la limpidité de ses beaux yeux d'un bleu de saphir.

Frême était au comble de ses émotions et ne se contenait plus de bonheur, en même temps qu'il tressaillait d'appréhension redoutant le moment si dangereux encore de la reconnaissance.

En le voyant dans la singulière position qu'il avait prise, la jeune blanche crut à un rêve. Elle se frotta les yeux, les ouvrit plus grands :

– Bon Dieu ! où suis-je ? murmura-t-elle d'une voix faible, plaintive, en roulant des regards inquiets autour d'elle…

Et Frême était tout en transe ; il n'osait répondre. Il balbutia cependant quelques mots sur l'événement et quelques paroles pour la calmer…

Elle le regarda fixement, fit un mouvement brusque pour se lever. Mais les forces lui manquèrent, elle retomba sur sa natte, en se repliant sur elle-même, comme une feuille de sensitive qu'on a touchée… Elle fondait en larmes…

À quelques années de là, on vit, au fond d'une espèce de chapelle, au *Bernica*, dans la charmante commune de Saint-Paul, un vieux blanc, à l'air vénérable, au costume pauvre, sévère, apostolique, élever ses mains en signe de bénédiction sur un jeune couple, et il les élevait en unissant dans une même prière les noms de Frême et de Marie !

Oh ! c'est que Frême, quoique nègre, était noble, sinon par l'épiderme et la naissance, oui, noble par l'âme : Celle qu'il avait servie enfant, sauvée jeune fille, étant devenue pauvre, orpheline, après l'incendie, avait encore trouvé en lui un généreux appui ; et, par un soin, des attentions, un respect, une tendresse, un dévouement à toute épreuve et sans bornes, il avait su mériter sa main, quelque blanche et honorable qu'elle fût.

C'est qu'inaccessible à un préjugé absurde, et ne suivant que la nature et son cœur, Marie, loin d'avoir jamais eu de l'éloignement pour Frême, à cause de sa couleur, s'était sentie au contraire attirée à lui, non seulement par une vive reconnaissance, mais encore par tout ce qu'il y a de pur et d'affectif dans ce qu'éprouve irrésistiblement la femme libre et non pervertie pour l'homme de son choix.

Et d'ailleurs, ayant vécu, grandi avec Frême, comme avec un frère, n'était-elle pas habituée à sa noire, mais bonne, mais belle figure ? À cet égard, elle n'aurait pu comprendre les sarcasmes des blancs ; et si elle avait pu comprendre une différence aristocratique de couleur, elle n'y aurait trouvé qu'un critérium en faveur de celle de son nouvel époux, car, sous l'enveloppe ébénée de sa personne, il ne lui avait toujours montré que des qualités dignes d'estime et d'amour.

C'est qu'enfin, malgré toute récalcitrance et notre incrédulité, n'existe-t-il pas un attrait incompréhensible, une force naturelle ou surnaturelle, sorte de fatalité ou de magie divine, s'il en fût jamais, qui porte à leur insu des individus souvent les plus éloignés, à se chercher, à se trouver, et alors même à se plaire, à s'aimer, à s'attacher pour la vie ? Soumis à l'influence invincible pouvoir attractif, emportés l'un vers l'autre par une sympathie mutuelle, ardente, entraînés donc à s'unir, Frême et Marie avaient voulu que leur union fût aussi sainte aux yeux de l'humanité qu'aux yeux du Créateur ; et, chose assez rare dans les pays à esclaves, ils avaient pu trouver, pour la bénir et la consacrer, ces dignes et vrais ministres du Seigneur, lesquels, aux dépens de leur tranquillité, de leur existence, prêchent l'union, la fraternité, la miséricorde ; ministres devant qui s'effacent les préjugés et les distinctions de couleur et de castes, parce qu'ils ne voient dans tous les hommes que les enfants du Dieu qu'ils servent.

Tony de B. del. Félix

LA FUITE.

7

LE PRÉJUGÉ DE COULEUR – LA FUITE

Frême et Marie, qui s'étaient vus contraints de quitter la capitale de l'île depuis longtemps, demeuraient alors à Saint-Paul, dans une habitation petite, modeste.

Mais, placée au bord d'un bel étang qui traverse la commune dans presque toute sa longueur, cette habitation jouissait d'une position avantageuse et riante.

La vue y était enchantée par un site agréable et pittoresque autant que par la riche fécondité du sol.

Ici, c'était des rizières, séjour adoré des cailles, étendant leurs larges bandes gazonneuses et vertes le long des joncs de la nappe d'eau limpide. Là, les treilles de raisins de tous pays, des arbres à fruits de mille espèces différentes, offraient à l'œil la bienfaisante prodigalité du climat ; alors que, dominant le tableau général, s'élançaient, de place en place, d'énormes cocotiers, qui balançaient leurs cimes verdoyantes dans le ciel, comme de vastes parasols s'élevant pour abriter de la trop grande chaleur du jour.

Et, au sein de cette charmante nature, Marie s'amusait, tout en s'occupant des soins du ménage, à cultiver un petit jardin de fleurs et de légumes, à élever des oiseaux aquatiques, des oies, des canards et des poules d'eau, qui s'en allaient le jour vivre à l'étang, et le soir revenaient d'eux-mêmes au logis.

Frême était, lui, toute la journée employé dehors et tirait bon parti de son état ; il travaillait à la construction d'un navire, chez les frères Baptiste, excellents charpentiers de marine, établis au bord de la mer ; après l'heure du travail, arrivant à la maison, aidait encore Marie dans ses douces occupations domestiques, et le ciel était béni de leur amour et de leur bonheur. Heureux, s'ils avaient pu toujours être cachés au reste des hommes !

Mais l'union de Frême et de Marie ne pouvait guère rester longtemps secrète. Bientôt le bruit courut dans tout le pays qu'un nègre, qui de plus était esclave, avait épousé une fille blanche.

La qualification d'esclave donnée à Frême était fausse, car, étant de l'atelier colonial, il ne pouvait être considéré comme tel, d'après même les lois et les ordonnances abolitives de la traite.

N'importe, les esprits s'en émurent, le fléau des colonies, le terrible préjugé de couleur et de caste s'en fit un aliment, un *extra* de colère, et l'ouragan commença.

Habitué dès son enfance à rencontrer à chaque pas la sottise, la morgue et toutes ces façons blessantes du privilégié d'outre-mer, Frême crut, tout d'abord, ne devoir pas s'arrêter à certaine médisance et propos dissonants qui venaient de temps à autre bourdonner à son oreille et dont son mariage était l'objet. Il les reçut sans répondre et n'en parla même pas à Marie.

Mais on ne resta pas à des paroles, à des épigrammes, à des injures plus ou moins violentes.

Il fut attaqué, frappé en chemin, et, comme avec sa souplesse et sa force il eut dans un instant terrassé les agresseurs, la vengeance s'en mêla et l'irritation n'en devint que plus grande.

On se mettait à plusieurs dans un coin ; et, quand il passait, on fondait sur lui à l'improviste ; on l'assaillait d'injures et de projectiles. On en assaillait aussi sa modeste demeure, où l'on venait en bande et presque tous les soirs, crier, vociférer, faire des dégâts et du tapage. – Il faut tuer, criait-on, il faut brûler vifs ces *deux monstres sacrilèges* ! – Et l'on tenta à plusieurs reprises de mettre le feu à la maison. La police elle-même, loin de sévir contre les persécuteurs, semblait, au contraire, les encourager ; et Marie ne vivait plus, elle était dans des craintes continuelles.

– Oh ! mon ami, disait-elle, nous ne pouvons plus rester ici. Ta vie est en danger et la mienne aussi !... Quittons ce lieu, bien vite et fuyons, fuyons dans les bois, où nous serons du moins plus tranquilles !

Frême hésitait, par égard même pour Marie. Mais il ne pouvait plus sortir ; on menaçait la vie de l'un et de l'autre. Enfin les excès devinrent tels que, n'y pouvant plus tenir, ils durent prendre en commun le parti d'aller vivre ailleurs, loin de la présence et des préjugés des blancs. Alors, une nuit, fuyant la persécution, abandonnant tout ce qu'ils avaient, ils quittèrent tristement leur petite habitation du bord de l'étang ; Marie, comme un enfant, était portée par Frême ; ils gagnèrent ainsi le sommet de la montagne...

Marrons et proscrits désormais, ils errèrent de bois en bois, de précipice en précipice, et il fallait toute leur tendresse pour se consoler, pour surmonter les dangers, les fatigues et les privations de toute nature auxquels ils étaient en butte ; ils trouvaient à peine quelques fruits pour se nourrir, quelques buissons pour se reposer, se mettre à l'abri le soir : peu faits à un genre de vie si rude, ignorant les lieux qu'ils parcouraient, ils devaient infailliblement périr, et voyaient approcher une mort triste, lente, terrible, plus terrible que celle qui les avait menacés ailleurs, mort sans témoin ni secours…

Mais à leur insu, quelqu'un, comme une Providence, était là qui les suivait, qui marchait près d'eux… c'était aussi une victime du système et des préjugés coloniaux…

Tony de B. del. Félix.

LE VIEUX NÈGRE.

8

LE VIEUX NÈGRE

La personne qui suivait, à la dérobée, Frême et Marie, n'était autre qu'un vieux nègre, qui les avait remarqués presque à leur arrivée dans la forêt. Mais ce vieux nègre était marron, défiant par besoin, et la présence étrange d'une blanche avec un noir en ce lieu, lui ayant inspiré tout d'abord quelques soupçons, il se mit à épier leurs pas et leurs allures, afin d'éclaircir ses doutes et savoir ce qu'ils voulaient, ce qu'ils étaient. Or, les voyant aller à l'aventure, marcher sans but offensif, ni direction certaine, et, tels que des fugitifs, hésiter, craindre, se cacher au moindre bruit, enfin défaillir de fatigue et de besoins, il les trouva plus dignes de compassion que de crainte ; et, revenant de sa défiance, il se décida à les aborder.

Frême et Marie étaient occupés, dans une petite clairière, au milieu du bois, à cueillir quelques plantes légumineuses qu'ils mangeaient crues. Le vieillard, ne pouvant plus se contraindre, sortit d'un fourré voisin et s'approcha d'eux tranquillement.

– Que faites-vous là, mes enfants ? leur dit-il avec douceur.

Tout saisi, le couple malheureux et proscrit ne put répondre. Il regarda le vieux nègre d'un air de stupéfaction indicible… celui-ci continua :

– Vous avez tort de manger de ces herbes ; car c'est mauvais, cela vous fera mal, mes enfants… vous avez faim… vous avez besoin de vous reposer… je n'ai pas grand-chose à vous offrir. Mais, si vous voulez me suivre, vous pourrez vous remettre un peu…

Frême et Marie n'en revenaient pas. Ils se consultaient des yeux comme deux personnes cherchant à démêler un mystère.

– Eh ! bien, vous ne voulez donc pas me faire plaisir ? dit le vieillard ; vous ne voulez pas me suivre ?

– Oh ! n'importe, vous, grand-père, vous êtes bien bon ! répondit Frême, avec toute l'effusion de la reconnaissance ; et, prenant la main de Marie, il ajouta d'une voix émue :

– Nous ne pouvons pas vous refuser… nous vous suivons… Il y a cinq jours que nous sommes sans abri… allant d'un côté, de l'autre… marrons…

– Comment marrons ! repartit le vieillard avec étonnement ; marrons, vous avec une blanche ?

– Hélas ! oui, fit Marie, qui se tenait appuyée contre Frême. On s'est fâché… on a voulu nous tuer, parce que nous sommes mariés *à l'église…* et nous avons été obligés de fuir…

– Mais vous m'intéressez encore plus, mes enfants. Oh ! venez, venez partager mon peu, oui venez avec moi ;… ce n'est pas loin ; nous serons arrivés bientôt. – Et le vieillard saisit avec amitié le bras de Frême qui le suivit avec sa compagne.

Puis il reprit en secouant la tête et tout en marchant.

– Je comprends… je comprends… Oui, il n'y a pas que les esclaves qu'on tracasse et qui s'en vont marrons dans ce pays-ci. Moi-même qui parle, qui suis couvert de peau de cabri, dans cet accoutrement, dans cet endroit de bêtes sauvages, je suis libre… et ce n'est pas pour me vanter, j'ai le droit autant qu'un autre d'être respecté dans une ville de blancs ; car enfin, je suis soldat, citoyen français ; j'ai vécu, j'ai longtemps servi dans les armées en France, j'ai été sergent, chef de poste, et je puis montrer les blessures que j'ai reçues dans les guerres…

» Eh bien ! après avoir versé mon sang pour les libertés en Europe, qu'est-ce qui m'arrive dans cette île où je suis né, où je croyais mourir tranquille ?… on me met hors la loi qui protège… on veut, malgré tous mes papiers, tous mes services, toute ma liberté, me faire ôter mes souliers, me rendre esclave…

– Vous rendre esclave ! dit Marie tout indignée. Mais qui ?

– Une famille entière qui prétendait que je lui appartenais de père en fils…

– Quelle injustice ! Et vous n'avez pas réclamé ?

– Réclamer auprès de qui, mes enfants ? Elle avait de ses membres dans l'administration, dans la magistrature ; elle était riche, puissante ; elle était partout, et partout elle avait raison. Ainsi j'ai fermé la bouche, mais ne me suis point soumis, vous pensez bien ; j'ai quitté la ville et les blancs, je me suis fait marron.

– Et il y a longtemps de cela, grand-père ?

– Environ quinze ans ; vous étiez bien petits encore, car vous avez, je crois, tout au plus quarante ans tous les deux…

– C'est vrai, en effet !

– Et j'en avais alors cinquante à moi seul. Mais, comme vous, pour commencer, je n'étais pas fort, je n'étais pas à mon aise dans cette vie de marron ; et les combats de broussailles en Espagne, en Vendée, les bivouacs, les marches, les contremarches et le marronnage dans la neige de Russie, après avoir perdu mon régiment, tout cela n'a pas empêché que les premiers moments j'ai passés ici ont été d'un dur à ne pas supporter. Le terrain n'était pas connu, et je ne savais où trouver à manger, où me cacher. Quand j'étais poursuivi par les détachements, je perdais la tête, je m'égarais dans les bois, dans les précipices, j'étais tout hébété, tout meurtri ; et jour et nuit j'avais l'œil ouvert, l'oreille au guet, ce qui, joint à la soif, à la faim qui me tourmentaient, me minait, me rendait à faire peur et m'aurait bientôt achevé, si par hasard je n'avais découvert le trou que vous allez voir tout à l'heure. Alors j'ai pu me reposer, dormir un peu le soir, ramasser quelques fruits, avoir en avance quelques petites provisions : et, peu à peu, j'ai sondé les lieux, je me suis fait au métier, j'ai gagné la ruse et l'expérience qu'il faut… aujourd'hui je suis tranquille ; je sais où prendre mon eau, ma nourriture, mes remèdes ; je sens les chasseurs avec leurs chiens du plus loin qu'ils m'approchent, et ils ne connaissent pas mon gîte… Mais nous voilà arrivés mes enfants : vous voyez que ce n'est pas loin… Tenez, passez par ici, un peu de précaution seulement.

Et le vieillard aida les deux jeunes gens à descendre un endroit tourmenté, capricieux, escarpé, où la masse montagneuse avait l'air de s'être cassée, déchirée en deux parts distinctes… Ils arrivèrent sur un pan de rocher qui, finissant en pointe, faisait face à un autre, mais l'abîme était entre…

– Où allons-nous, dit Marie toute tremblante. Il n'y a plus de passage ! Nous voilà dans le précipice !…

Le vieux nègre se courba au bord du vide, tira une corde, et une espèce de pont suspendu s'éleva d'un cap à l'autre !

– Voilà où nous allons ! dit-il, en montrant le rocher opposé ; et il désignait ce même rocher placé dans la montagne en forme de balcon, de terrasse inaccessible, où le Câpre, assailli par des chiens féroces, tomba si miraculeusement.

– N'ayez pas peur, mes enfants ; là, vous serez à l'abri, ajouta-t-il, ni la faim, ni les chasseurs, ni le blanc, ni le mauvais temps, rien, personne ne viendra vous tourmenter, soyez-en sûrs et d'ailleurs, ce n'est pas pour rien que je vous appelle mes enfants ; je vous garderai, moi, je vous soignerai jusqu'à la fin, comme un bon père…

Et en effet, le vieux nègre, après avoir établi Frême et Marie dans sa caverne, ne les abandonna pas. Son amitié, sa sollicitude fut sans bornes. Il était leur esclave, leur Providence ; il pourvoyait à leurs besoins, de même qu'à leur sécurité : le jour, il allait courir la forêt, les précipices, chasser, butiner, faire leurs provisions ; le soir, il venait coucher à l'entrée de leur asile, tel qu'un vieux chien de garde ; il les distrayait de ses anecdotes de France, de batailles et de Marrons, et les instruisait de son expérience et de ses conseils ; bien souvent, Frême l'accompagnait dans ses excursions, et il le façonnait aux exigences du marronnage : il lui apprenait à courir, à grimper dans la montagne et dans les bois, à éviter, à tromper les chiens et les détachements, à se servir de l'arc et de la fronde, à prendre les oiseaux, les bêtes sauvages, à trouver les gisements de l'eau, du miel, des fruits, des plantes, des racines, enfin de toute chose ainsi nécessaire ; et l'instituteur sexagénaire, près de son élève si vigoureux et si souple, se montrait encore d'une adresse, d'une agilité, d'une vigueur surprenante ; et, sans les cheveux cotonneux et blancs, comme l'écume de la mer, qui surmontaient son front d'un noir de jais, on l'eût pris pour un homme jeune, plein de force, de santé, de longs jours à vivre. Mais, dans une de ses courses périlleuses, il s'était enfoncé au pied une grosse épine de raquette. Il n'y porta malheureusement aucun soin, aucune attention, malgré toutes les prières, les instances possibles ; et, l'humidité des lieux s'ingérant comme un poison dans la piqûre, le tétanos impitoyable vint bientôt le surprendre et l'enlever à ses enfants d'adoption !...

À cet endroit de leur récit au Câpre, ils furent obligés de s'arrêter, tant le souvenir de la mort du bon vieux nègre leur était encore douloureux et poignant !

Frême avait changé de figure ; il était comme un homme dont la respiration et la parole étaient obstruées par un caillou dans la gorge, et Marie pleurait en regardant son enfant, que le grand-père avait le premier reçu sur ses genoux et baptisé...

Aussi on pouvait les voir, chaque matin, chaque soir, aller tout recueillis, comme on se rend à l'église, s'agenouiller près d'une croix de bois noir, entourée de fleurs sauvages, et plantée contre une petite pierre tumulaire, au bord du précipice, en regard de l'Orient !!!

Dauch del. Felix

L'EMBUSCADE.

9

L'EMBUSCADE

Le Câpre, qui avait suivi, avec le plus vif intérêt, le narré simple, mais touchant, intraduisible de Frême et de Marie, partageait aussi vivement leur émotion :

– Ah ! vous m'avez fait oublier tout ! dit-il, en passant la main sur quelques larmes qui miroitaient comme des perles sur ses joues d'ébène. Vous m'avez fait oublier ce que j'ai été… ce que je dois faire… et puis vous ne m'avez pas donné seulement l'hospitalité ; vous m'avez donné aussi autre chose au cœur… Heureux soyez-vous et soyez bénis !… Mais l'heure a passé… il faut que je vous dise adieu, que je vous remercie…

– Comment, déjà ! s'écrièrent à la fois Frême et Marie.

– Oui, bons amis, pardon ; j'ai aussi un grand-père ; et, tandis qu'il fait jour encore, je voudrais pouvoir gagner son endroit.

– Est-ce loin d'ici ?

– Vers deux lieues, près du Piton des neiges.

– C'est encore assez loin. Et comment se nomme votre grand-père ?

– Jean, répondit le Câpre, je ne le connais pas autrement.

À ce nom, Frême et Marie tressaillirent ; car leur bon vieillard s'appelait aussi Jean. Toutefois, dans la crainte d'éveiller quelque inquiétude chez le Câpre, qui ne connaissait guère son aïeul, ils s'abstinrent de lui en communiquer la remarque, comme ils ne firent aussi que plus d'instances pour l'engager à rester avec eux, sinon toujours, du moins jusqu'au lendemain. Mais il parut si décidé, et témoigna tant d'envie de reprendre sa route qu'il fut impossible de le retenir davantage.

La bonne Marie lui adressa ses souhaits, Frême lui fit passer le pont du vieux nègre, et voulut l'accompagner jusque sur l'autre versant du morne.

Dans un ravin profond et boisé, non loin de là, venaient de se poster deux hommes basanés, misérablement vêtus, mais armés jusqu'aux dents, sans compter trois ou quatre dogues qui se tenaient près d'eux en manière d'avant-garde.

– Les as-tu bien vus ? dit tout bas à son compagnon l'un de ces hommes qui s'étaient tous deux tapis dans la broussaille et lorgnaient d'un regard de chat tigre le creux sillon du ravin.

– Pardi ! répondit l'autre, j'étais niché sur le grand palmiste ; et je crois que de là on pouvait bien pointer les gibiers, pas avec la carabine, bien entendu. Ils ont gagné le mamelon qui donne sur cette pente ; il n'y a pas de doute qu'ils descendent maintenant…

– En ce cas, ils sont à nous, reprit le premier, car, à moins de faire la dégringolade comme celui de ce matin, ils n'ont pas d'autre escalier qu'ici… Mais chut ! j'ai comme entendu quelque chose ! Tiens bien les chiens !…

… Le Câpre et son hôte arrivaient dans l'embuscade…

– Halte-là ou sans quoi mort ! leur cria une voix immonde ; et aussitôt, les chiens et les hommes armés se montrèrent.

Surpris par cette attaque imprévue, le Câpre resta court et se défendit à peine.

Mais, à la vue du danger, à la pensée de Marie, Frême bondit, se dressa comme un lionceau devant les assaillants ; sa force et son courage se triplèrent.

– Oh ! voilà bien votre travail ! s'écria-t-il avec un dédain plein de rage. Vous n'êtes bons que pour surprendre. Mais, lâches que vous êtes, vous ne m'aurez pas en vie !…

Et nul ne pouvait l'approcher, car il s'était emparé d'un des dogues, qu'il brandissait autour de lui, comme s'il jouait avec l'arme dangereuse du fléau ; s'en servant ainsi contre les autres, il ne tarda pas à les mettre tour à tour hors de combat !

– C'est trop fort ! dit l'un des chasseurs. Il faut en finir avec sa capture vivante.

Et il le coucha en joue à bout portant.

– Grâce ! ne le tuez pas ! il se rendra !…

Mais le Câpre eut à peine jeté ce cri, tout en cherchant à se dégager des mains de celui qui le tenait, qu'un coup de feu partit, la balle siffla dans l'air… Frême avait disparu… Il ne faisait plus qu'un avec le chasseur, que d'un bond il venait de saisir au cou.

Enveloppé aussitôt comme par un serpent, l'assaillant homicide abandonna sa carabine. Il s'arma d'un poignard. Mais, perdant la respiration et l'équilibre, il tomba, tel qu'une masse inerte, avec celui qui l'étreignait de ses membres de fer, dans le bourbier du ravin, où dès lors le groupe resta muet, immobile, ainsi qu'une pétrification.

Et le Câpre et l'autre chasseur, qui s'embarrassaient mutuellement de leur côté, n'avaient pu prendre part à cette lutte terrible, d'ailleurs si prompte qu'elle dut passer presque inaperçue. Cependant, à la chute des deux corps, ils accoururent, quoique accrochés aussi l'un à l'autre, pour tâcher de les dégager, de les secourir…

– Oh ! bon Dieu, quel malheur ! s'écria le Câpre. Il est mort !…

Rendant du sang par une large blessure au côté gauche, le corps de Frême, qui se trouvait sur l'autre, était tout roide et contracté ; mais il tenait encore étroitement serrés, et le bras armé du poignard et le col du chasseur, dont la bouche entrouverte, la langue bleuâtre, ensanglantée, pendante, et les yeux injectés, gonflés, tout ternes, sortis de leurs orbites, offraient les caractères d'une affreuse strangulation. On tourna et retourna le triste groupe sans pouvoir arracher les mains de Frême d'où elles s'étaient fixées. Du reste, ainsi que son adversaire, il ne donnait plus aucun signe de vie.

– Oh ! bon Dieu ! quel malheur !… Il est mort !… Et sa pauvre femme !

– Voyons ! voyons ! vas-tu bien finir ! répliqua durement le chasseur en secouant le Câpre, qui était agenouillé pleurant sur le corps de Frême. Jusqu'où vas-tu le plaindre, vilain magot ? Il a tué mon camarade, contente-toi de ce qu'à mon tour je ne te tue pas… Mais… si tu m'impatientes… tu verras bientôt l'affaire… Heim ! et avec ça que tu me gênes pour lui couper les pattes à ce tigre-là, à ce mauvais sujet de nègre… Allons ! sors de tes grimaces ; en avant et marche ! où sans quoi gare à ta peau, que j'ai bien envie de tanner, pour t'apprendre à le plaindre et à venir faire le libre ici…

À la suite de cette terrible injonction, il fallut bien quitter le lieu ; mais le Câpre, en s'en allant devant le chasseur, répétait encore avec un profond désespoir :

– Oh ! bon Dieu ! quel malheur !… Il est mort !… et j'en suis la cause !

Fauchery del. Félix.

LA CAPTURE.

10

LA CAPTURE

Il pouvait être, d'après la position du soleil, cinq heures et demie du soir, quand le Câpre et le chasseur quittèrent le lieu de la scène. Rudement mené par son impitoyable capteur, le malheureux marron était obligé d'aller vite. On avait pris la route la meilleure et la plus courte, il est vrai, pour descendre et sortir des mornes. Mais, rompu par les fatigues et toutes les émotions de la journée, il succombait sur ses jambes ; et, n'en pouvant plus, rendu au pied des Salazes, il demanda par grâce à se reposer un peu ; il reçut une poussée brusque avec ces paroles :

– En route ! mauvais lapin !… Tu prendras tes aises dans le terrier de ton maître ; mais pas dans mes griffes… Eh ! à propos, où demeure-t-il ton maître ?

Le Câpre garda le silence.

– Dis donc ! veux-tu répondre ?… Ah ! tu fais la sourde oreille ! Eh bien ! je te vas conduire tout droit à la police… et tu auras double ration…

Cette menace, faite autant dans l'intérêt du capteur que du marron, puisqu'à la police, pour l'un, le prix de la capture allait être moindre, et, pour l'autre, le châtiment double, étant à recommencer chez le maître, finit par produire son effet sur l'esprit du Câpre, qui répondit à la demande réitérée du chasseur :

– Sainte-Suzanne.

– Son nom ?

– Zézé Delinpotant.

– Ah ! ben ! ton carri ne sera pas mal assaisonné, mon garçon ! tu peux t'en flatter ; car je connais ton maître ; et, s'il y a de l'impotent dans la famille, il n'y a bigre pas de manchot !

– Pour mal faire…

– Vraiment ! tu appelles ça mal faire, d'étriller des gars comme toi !…

– C'est bien pour vous… ça fait des marrons… vous avez de l'argent au bout…

– Ah ! ça ! est-ce que tu raisonnes par hasard ? Attends ! je vas te donner tout à l'heure de l'*argent* sur ton dos, chien de nègre ! Allons, double le pas ! file ! et rondement !… Plutôt de faire le farceur, vilain crapaud, songe à la danse que tu vas recevoir !

Ainsi poussé, en face d'une si triste perspective, le Câpre s'en allait comme un criminel qu'on pousse à la mort. Il avait les pieds nus, tout ensanglantés, il pouvait à peine les porter l'un devant l'autre ; il faisait des efforts inouïs pour marcher, et chaque pas était un supplice affreux. Enfin, après sept heures d'une telle horrible marche, il arriva avec son capteur à Sainte-Suzanne, et, vers une heure du matin, à l'habitation Zézé Delinpotant déjà décrite. Ils y entrèrent par la grande allée. Le maître était absent. On alla au commandeur, puis au régisseur, et celui-ci dormait de même qu'on avait trouvé l'autre. On frappa à sa porte…

– Qu'est-ce que c'est ?

– On vous ramène un lièvre !

– Bon ! bon ! Attendez…

Le régisseur, qui était un homme grand, blême et maigre, avec de petits yeux enfoncés, de longs cheveux plats tirant sur le gris fauve et tombant en filasse sur les pommettes nuancées et pointues de ses joues creuses, sortit peu après, et voyant le Câpre :

– Ah ! c'est vous, Monsieur ! lui dit-il d'un ton goguenard et en le secouant par l'épaule. Eh bien, vous avez fini votre promenade !… Mais c'est tout de même un peu vexant, n'est-ce pas ? Vouloir prendre l'air, et se trouver aussitôt les ailes empaillées, sans compter ce qui vous attend en cage !… (Changeant de ton :) Triste oiseau ! vilain garnement ! tu me payeras cela ! je te donnerai de la promenade, pour te laisser attraper, et nous faire dépenser plus que tu ne vaux !… (S'adressant au capteur :) Combien je vous dois pour ce mauvais singe ?

– Quinze francs, Monsieur ; et ce n'est pas cher…

– Oui ! vous trouvez cela ! Mais je ne vous donnerai que cent sous…

– En ce cas, je le conduis à la police, répliqua le chasseur. L'animal sera mis en fourrière à la chaîne publique, il travaillera pour la commune, et, au bout du compte, vous verrez combien cela vous coûtera par jour avec la capture jointe. Mais en vous demandant quinze francs, Monsieur, je n'ai pas même dit assez, car le lièvre m'a donné beaucoup de mal ; comptez qu'il a été pris dans les Salazes, et qu'encore il était avec un autre qui a tué mon camarade et nos chiens. Je pourrais bien vous le faire perdre, vous le faire confisquer par la justice, en le livrant avec cette bonne note…

– Allons ! tenez, voilà vos quinze francs, et sautez la borne ! reprit brusquement le régisseur en jetant trois pièces de cinq francs au chasseur de nègres, puis menaçant le Câpre, il ajouta : Mais tu me les payeras double !

– Kaborda ! dit-il alors au commandeur noir, qui se tenait avec un long fouet à quelques pas de là. Je vous recommande ce monsieur qui s'amuse à faire le libre. Il aime le grand air, à ce qu'il paraît. Vous lui en donnerez ; et, pour commencer, en attendant que nous fassions son compte demain matin, vous le mettrez au bloc par le cou, et dans le même gîte que les autres promeneurs d'hier au soir, pour qu'il ne s'ennuie pas trop, entendez-vous ?

– Bien ! Monsieur ! répondit l'exécuteur, en s'emparant du pauvre Câpre et en le conduisant à l'infernal cachot.

Oui, c'est cela aux Colonies. L'arbitraire du commis sur le point des châtiments, s'il n'est pire, ne le cède en rien à celui du maître. En l'absence de celui-ci, l'autre coupe, tranche dans la malheureuse gent esclave, comme dans un chiffon à charpies. Il invente des tourments, il augmente les peines, il renchérit sur tous les sévices jusqu'à la mort inclusivement. Et, en cela, le régisseur de l'habitation Zézé Delinpotant n'était pas le moins cruel, car, outre ses appétits féroces, il avait à contenter le patron, qui, pour ses esclaves, ainsi qu'on a pu le voir par l'allusion grotesque du chasseur, était d'une inhumanité, d'une barbarie proverbiale. Aussi, depuis le régisseur, jusqu'au dernier des chefs de bandes de cette habitation, – ce n'était à dire vrai qu'une hiérarchie d'impitoyables bourreaux !

– Tu veux donc faire le blanc, mauvais noir ! dit au Câpre celui qui le conduisait. Qui t'a fait voler la journée du maître et t'en aller d'ici ?… Tu ne parles pas ?… Mais c'est moi qui vas t'arranger… Ah ! nous allons voir un peu si tu auras l'envie encore de refaire ton blanc !…

– Blanc de quoi ? finit par répondre le pauvre diable impatienté de tant d'ignominies. Vous n'êtes pas plus blanc que moi. Et vous faites plus que le maître ; vous n'êtes bon que pour remettre toujours du sel, au lieu d'avoir pitié…

– Pitié de qui ? des animaux comme toi ! on a pitié à grands coups de rotin !…

– Eh bien ! si l'on n'a pas pitié, pourquoi l'on ne tue pas tout de suite, plutôt que de faire souffrir à petit feu…

– Tiens ! parce que ça plaît ! et, après tout, si l'on te tue, ce ne sera jamais qu'un failli nègre à remplacer, comme le vieux mulet qui crève au manège…

– Mais ce sera fini pour moi, et de l'argent à dépenser pour le maître !...

– Ah ! bah ! le maître est riche et se fiche bien de ça !

– Oui ! si son cœur, sec pour nous, n'était pas tendre devant l'argent !...

– Allons ! tais-toi ! voilà ! ce qui te fera...

Et le commandeur ne put achever ; la porte du cachot où ils arrivaient se montrant toute fracturée ! ouverte !

– Ah ! bon dieu ! s'écria-t-il, tout ahuri de cette circonstance ; voyez ce qu'ils ont fait ces démons-là ! Ils ont tout cassé, brisé !... Qu'est-ce que va dire le régisseur, le maître, à présent ? C'est sur moi que tout ça va retomber !...

– N'y a pas de fer ni de pierre... pour le cœur qui désire... pour la tête qui pense, murmura le Câpre.

– Qu'est-ce que tu dis là ? reprit brutalement le commandeur. Je te ferai voir qu'il y a encore du fer et de la pierre pour toi ! Allons, entre ! ajouta-t-il, en poussant le patient dans l'intérieur du lieu maudit. Tu payeras pour tous ensemble !...

En effet, trouvant le bloc où l'on avait enserré les trois Madagasses entièrement démonté, l'implacable commandeur fit peser tout son dépit sur le pauvre Câpre. Il le conduisit dans l'un des coins de l'abominable cachot, et là, il l'attacha par le col et les quatre membres, à des chaînes et des anneaux de fer cramponnés dans le mur ; et puis, comme pour couronner l'œuvre barbare, par quelque chose encore de plus révoltant, il lui dit tout en se retirant avec une figure de satyre :

– Maintenant, Monsieur le libre, vous pouvez prendre l'air... si ça vous dit... faire comme les autres...

Hélas ! faire comme les autres ! – en eût-il les moyens, il n'en aurait eu ni l'envie, ni la force ! Accablé comme il l'était le malheureux, que pouvait-il demander alors, si ce n'est un peu de repos ? Aussi, pour toute réponse :

– Laissez-moi tranquille ! jeta-t-il à l'exécuteur, avec cette expression d'indifférence qui peint tout un état d'abattement ; et, malgré ses ressouvenirs irritants, ses souffrances actuelles, ses pieds saignants, son corps tout endolori, enfin sa position fatigante, incommode, presque verticale, succombant bientôt au besoin le plus impérieux, celui de dormir, il s'affaissa au milieu de ses chaînes et tomba dans ce sommeil lourd, profond, mais rêveur, agité, qui arrive à la suite d'un grand tourment, d'une grande fatigue...

Fauchery del. Pein.

LES RÊVES.

11

LES RÊVES

Et, dans ce sommeil, le Câpre, assailli par les ressentiments de la veille, fut reporté aux faits les plus émouvants, les plus tristes, et toutes les scènes qui s'en formaient, auxquelles l'initiait la fièvre des songes, scènes reproduites et productions bizarres de son esprit malade, passaient une à une dans le tableau de sa pensée avec toute la magie de la réalité.

Il se croyait encore à la *Réunion du grand Tamarin*, et, parlant à ses camarades, il les adjurait de ne pas tenter le soulèvement, ni d'aller s'aventurer sur la mer ; de se faire plutôt marrons dans les mornes, d'attendre l'émancipation promise.

Et puis, malgré ses instances, il les voyait prendre une frêle barque et partir ; et, tout en s'en allant, libres, joyeux, dans leurs pays, lui adresser des adieux avec des reproches qui lui disaient :

– « Vois où tu es ?... Tu n'as pas voulu nous écouter, nous suivre... Tu as mieux aimé plaider contre nous, rester près des maîtres... à quoi cela t'a avancé ?... Tu as été chassé, traqué comme un cabri sauvage... Tu as craint de mourir, et tu as été cause de la mort de cet homme hospitalier et brave... de la mort de Frême...

Et chacune de ces paroles, en frappant son entendement, passait par toutes ses fibres, et produisait en lui une sorte de vibration générale, galvanique, étrange ; et ses yeux, ses lèvres s'agitaient, tous ses muscles se mouvaient, et il faisait des efforts comme quelqu'un qui voudrait voir, parler, agir de ses membres, et qui ne le pourrait pas ; mais, au nom de Frême, son émotion fut si vive et si poignante, qu'il sortit de cette lutte par un mouvement violent qui fit bruire ses chaînes, et il s'éveilla aussitôt en murmurant d'un ton douloureux :

– Hélas ! oui, c'est bien vrai ! je suis cause de cette mort... de la mort aussi peut-être de la femme et de l'enfant abandonnés là-bas sans secours !... Oh ! je ne m'en consolerai jamais !...

Et, tout couvert de sueur, agité d'un tremblement nerveux, il tournait et retournait ces pensées tristes dans son esprit comme pour les adoucir ; mais plus elles se reproduisaient, plus elles s'assombrissaient, plus il se désolait de la position de Marie et de son enfant, qu'il se voyait dans l'impossibilité d'aller secourir.

Cependant ses idées s'embrouillèrent, sa tête s'appesantit bientôt et il se rendormit…

Alors il vit Frême apparaître sur un des pics salaziens.

Mais Frême avait une grandeur surhumaine, et, au lieu d'une seule blessure, il en portait plusieurs à droite et à gauche de la poitrine.

Et ces blessures étaient béantes, larges et profondes, telles que des gouffres sous-marins, et lançaient, avec la force que la baleine souffle l'eau de ses narines, des colonnes de sang, qui couraient dans l'air, comme d'immenses fusées rouges, et tombaient en rejaillissant sur tous les points de l'île.

Et les habitants effrayés se sauvaient, se cachaient dans la cime des arbres et les caves des maisons et les antres des rochers. Mais c'était en vain, car nul ne pouvait se soustraire à ce cataclysme de sang qui tombait, qui pénétrait, qui s'infiltrait partout. Et, à mesure qu'il imprégnait, qu'il submergeait l'île, on voyait Frême grandir, ainsi que ses blessures et les colonnes sanguines qu'elles lançaient… Bientôt tout le pays ne fut plus qu'un vaste lac de sang agité par une multitude d'hommes qui se débattaient à la surface…

Frême avait disparu comme un arc-en-ciel.

Mais à l'endroit même où il s'était montré, sortit une femme blanche, belle, magnifique, avec les traits de Marie, avec un enfant à la mamelle.

Et cette femme éleva l'enfant au-dessus de sa tête, ainsi que le prêtre le fait à l'hostie, et incontinent, tous ceux qui se débattaient dans le lac de sang prirent la couleur de l'enfant, laquelle était un mélange de noir, de blanc, de jaune et de rouge, à peu près semblable à celle de certains orientaux ou mulâtres.

En même temps une voix se fit entendre, et cette voix, qui semblait venir du ciel, dit des paroles que le Câpre ne put comprendre, sur ce changement, cette unité de couleur, le sort, l'avenir des diverses races coloniales.

Et la femme disparut avec l'enfant comme Frême. En disparaissant, elle laissa échapper une goutte de lait de son sein maternel.

Et cette goutte de lait tomba et s'étendit sur tout le lac de sang, qui aussitôt changea de consistance, de teinte et de forme ; il devint un sol couvert d'arbres et d'animaux, un pays accidenté, riche et fertile, pays où il n'y avait plus aucune différence de couleur ni de conditions parmi les habitants, où tous ils étaient libres ; où, loin de chercher à se faire la guerre, à s'esclaver, à s'entredétruire, ils paraissaient au contraire heureux de se rencontrer, heureux de se voir égaux, de s'aimer, de s'unir et de s'entraider.

Et le Câpre lui-même aussi avait changé. Il se voyait dans ce délicieux pays. Il était l'un de ces paisibles habitants. Mais, hélas ! tandis qu'il jouissait ainsi de la bienheureuse transformation tout son être et du bonheur général, la voix du commandeur se fit entendre, et, l'éveillant, vint le replonger dans la plus triste réalité ! Il fut retiré de ses chaînes et conduit devant le régisseur, car l'heure terrible était arrivée, cette heure où nous avons vu la veille exposés sur la *plate-forme* et se tordre au *quatre-piquets* les trois autres malheureux dont nous allons maintenant nous occuper.

Fauchery del. Félix.

L'ÉVASION.

12

L'ÉVASION

Nous avons déjà parlé, dans notre récit, du *bloc* ou *courbari.* Nous serons obligé d'en reparler une fois encore pour l'évasion de nos trois Madagasses. Le *bloc* ou *courbari*, avons-nous dit, est un instrument de supplice composé de deux gros madriers. Ils sont faits du bois le plus lourd, et posés longitudinalement et de champ l'un sur l'autre. Le madrier inférieur est attaché à demeure par des crampons de fer dans la muraille du cachot, tandis que l'autre, qui vient sur celui-ci, y forme d'un bout une articulation mobile par le moyen d'une forte charnière, et de l'autre bout, ayant un piton de fermeture, il se lève, se baisse et se cadenasse à volonté. C'est absolument la figure en grand de l'ancien pied de roi de l'ouvrier fermant sur lui-même par le milieu. Seulement, tout le long des deux parties qui s'adhèrent se trouvent pratiquées des entailles qui, semi-circulaires, se correspondent de manière que lorsqu'elles se réunissent et que le bloc se ferme, on y voit des trous ronds et percés de distance en distance sur toute la longueur de la machine.

Or, c'est dans ces trous de six à huit centimètres au plus de rayon que l'on enserre le col ou les pieds du patient, et fort heureusement pour nos trois fugitifs, qu'à la suite du *quatre-piquets*, on n'eut pas l'idée de les mettre au *bloc* par la tête. Ils y seraient encore et n'auraient pu s'en échapper. Mais, embloqués qu'ils étaient par les jambes, l'un d'eux, au milieu de la nuit, après plus de quinze heures de cachot, essaya, sans trop croire à la réussite, de mettre à profit la contexture et la souplesse de ses chevilles. C'était l'Antacime, qui s'écria tout à coup :

– Ah ! je viens de tirer un pied du bloc !

– Pas possible !

– C'est bien possible, puisque je suis à faire arriver l'autre et que je vais vous délivrer tout à l'heure…

– Oh ! quel bonheur ! Allons ! bon courage, frère !

– Mais, voilà ce qui gâte… j'ai un pied plus gros que l'autre, à ce qu'il semble, et ça serre… ça n'arrive pas vite… Il faut se disloquer… C'est un badinage qui n'est pas doux… qui n'est pas facile…

– Allez toujours, frère ; vous avez fait un ; vous ferez bien deux.

– Oui… mais… ce vilain pied… n'est pas de même calibre que l'autre… Ouf !… c'est tout de même étonnant… c'est beaucoup plus gros… ça n'est pas si souple… et ça tient dur… Pourvu qu'on ne m'attrape pas ainsi avec une jambe hors du piège et l'autre dedans !

– Non, non, frère, tâchez encore un peu !

– Beaucoup plutôt !… Mais c'est égal, et quitte à casser, à démonter, il faut que ça vienne… Hôé ! hein ! holà ! ouf !…

– Eh bien ! ça vient-il ?

– Voilà, je crois… voilà !… Ibre !… C'est sorti !

– C'est sorti !

– Oui, mais ce n'est pas sans peine… la cheville est un peu endommagée… c'est égal… maintenant pour vous, frères…

Et ce disant, l'Antacime alla, tout en boitant, au cadenas du bout, qui se lève et s'abaisse à la façon de certaines barrières. Il fit tant, qu'il le rompit et délivra, ainsi qu'il l'avait dit, ses deux autres compagnons. Mais ce n'était pas tout ; il fallait sortir du cachot, puis de l'habitation, et des indices non équivoques annonçaient qu'on ne dormait pas encore dans l'établissement ; on pouvait à tout moment venir les visiter, les surprendre, et ils étaient dans une anxiété extrême. Enfin tout bruit cessa au dehors ; ils se mirent en devoir de forcer les portes et d'évacuer les lieux ; ce qu'ils firent avec une adresse, une précaution qui leur valut un plein succès, et en emportant avec eux quelques ustensiles du cachot, tels qu'un bidon de bois et de vases de coco, ainsi qu'une provision de manioc et de cannes à sucre qu'ils prirent sur l'habitation. – C'est environ une heure après que le chasseur de nègres et sa capture arrivèrent, et que l'on s'aperçut de l'effraction du cachot ; mais nos trois Madagasses étaient déjà loin. On ignorait le chemin qu'ils avaient pris, et ce qu'ils allaient faire.

Le lendemain cependant, le bruit courut, à Sainte-Suzanne, qu'une barque, amarrée sur la berge, avait disparu pendant la nuit. Cette circonstance, annonçant presque toujours une évasion d'esclaves qui, dans l'espoir d'atteindre les côtes de Madagascar et d'Afrique, errent et se perdent sur les flots, mit en émoi toute la commune. On dépêcha plusieurs chaloupes à la recherche de fugitifs. On fit une enquête et des interrogatoires à l'effet de constater la nature de l'évasion et de s'assurer si elle ne provenait pas d'un complot qui aurait encore des ramifications dans l'île. On ne put rien découvrir. On ne sut même pas quels étaient ceux qui avaient pris la barque. Le Câpre se garda bien de souffler mot du projet de ses camarades, et, la plupart des habitants ayant des esclaves en marronnage, il était impossible d'établir, sur la fuite en question, aucune certitude à l'égard des personnes.

Huit ou dix jours s'écoulèrent. M. Zézé Delinpotant avait fait sa déclaration d'usage à la police. On ne s'occupait plus de la barque fugitive. Une frêle embarcation vint échouer et se brisa sur un des récifs de *la Pointe des Galets*, à Saint-Paul. Les individus qui la montaient s'étaient jetés à la mer ; et, battus par la lame, ils arrivèrent presque mourants à terre. Ils paraissaient, en outre, avoir beaucoup souffert ; et, comme ils étaient noirs, on les arrêta, on les interrogea. Ils répondirent d'une manière évasive. On les prit pour des nègres évadés de l'île de France ou Maurice, et on les mit à la disposition du procureur du roi. Mais, conduits à Saint-Denis, ils s'expliquèrent et furent bientôt reconnus pour nos trois fugitifs, qui, dès même leur sortie du rivage, avaient failli chavirer.

L'embarcation prise par eux n'était pas celle qu'avait lorgnée l'Amboilame ; ne l'ayant pas trouvée, force leur fut de s'emparer de la première qu'ils virent inoccupée, et c'était une mauvaise petite barque non pontée : aussi quand il fallut traverser les lames qui se forment et déferlent à la rive, ils furent mouillés jusqu'aux os et leur pirogue se remplit à couler bas. Cependant ils la vidèrent et gagnèrent le large. La mer était belle : ils firent du chemin, ils perdirent de vue la terre de leur esclavage ; et, joyeux, ils chantaient des chansons de leur pays, pensant bientôt le revoir. Mais ils n'avaient rien pour guider leur marche. Ils croyaient aller droit sur Madagascar, ils ne faisaient que tourner autour de la colonie qu'ils voulaient fuir ; et ils n'avaient de vivres que pour fort peu de jours, et la faim et la soif ne tardèrent pas à se faire sentir, de même que les mauvais temps. Faibles, harassés de fatigue, assaillis par les bourrasques, ils furent poussés vers la terre. En la voyant, ils sautèrent de joie. Les malheureux croyaient toucher à leur pays, tandis qu'ils retombaient sur le sol maudit.

Tony de B. del. Félix.

LA CONDAMNATION.

13

LA CONDAMNATION

À la nouvelle du naufrage et de l'arrestation des trois Madagasses, une certaine rumeur éclata parmi les habitants de l'île, lesquels se réunirent, tinrent des conseils, et les plus influents, se présentant aux autorités, demandèrent la condamnation des coupables.

– Il faut, disaient-ils, avec ce ton chaleureux, exigeant du maître, il faut un exemple sévère en cette circonstance. Le bloc, les cachots, le quatre-piquets, les chaînes et fers à branches, toutes ces peines sont trop ordinaires, elles sont insuffisantes. Il faut autre chose : frapper un grand coup dans l'esprit des noirs, pour leur faire perdre tout à fait l'envie de se sauver de l'île ; et c'est pourquoi nous demandons que les coupables aient les quatre membres rompus et la tête tranchée !... autrement la colonie est perdue, la désertion deviendra générale… on ne fait plus la traite nous n'aurons plus d'esclaves. »

M. Zézé Delinpotant lui-même fut le premier à émettre cet avis et à faire abnégation de son droit de propriété sur les accusés. Le procureur général résista quelque peu, trouvant sans doute le châtiment invoqué par trop gothique ; mais on le traita de négrophile, on le menaça de l'expulser du pays, et il se crut obligé de poursuivre, non avec toute la rigueur des lois, comme on le dit, mais avec toute l'inhumanité et la barbarie du maître. Or, les trois pauvres Madagasses furent jugés ; – que dis-je ? ils passèrent devant un simulacre de cour, et l'on trouva un édit, une loi pour les condamner, *en raison du crime d'avoir voulu se ravir à leur maître*, à mourir ainsi que les habitants l'avaient demandé…

– Ah ! s'écria le Sçacalave, à l'issue de la sentence inique : je vous remercie, bons blancs ! Vous avez bu mes larmes, ma sueur ; vous avez mangé ma force, mon courage, toute ma liberté ; aujourd'hui vous voulez tout mon sang, ma mort, tant mieux ! merci ! tant mieux ! au moins je ne verrai plus ce que je maudis, votre…

Et il ne put continuer ; un bâillon lui fut appliqué à la bouche par des gendarmes qui le saisirent aussitôt et le conduisirent à la geôle avec ses deux compagnons, l'Antacime et l'Amboilame.

Pendant ce temps, l'échafaud se dressait au bord de la mer, au lieu même où la barque fut prise, et le bourreau faisait ses préparatifs, aiguisait sa hache ; car la dernière fois qu'il eut à s'en servir, il en donna sept coups sur le col du patient sans pouvoir terminer l'affreuse opération : il n'y parvint qu'en sciant pour ainsi dire, et il ne voulait pas voir se renouveler le désagrément d'une telle besogne.

L'exécution devait se faire le jour même. À cause de ses apprêts qui demandaient quelques délais, elle fut remise au lendemain matin. Les habitants en reçurent avis, en même temps qu'il leur fut enjoint d'envoyer chacun une partie de leurs esclaves, à l'heure et à l'endroit indiqués pour le supplice, afin de les faire profiter du spectacle.

Or, le lendemain, dès la première apparence du jour, l'exécuteur, accompagné d'aides et de gardes, pénétra dans le cachot des condamnés. Il les trouva encore endormis ; et, en les éveillant, il leur dit :

– Excusez, mes amis, si je vous dérange… mais l'heure est arrivée…

– Excusez, pourquoi ? reprit le Sçacalave ; c'est nous plutôt à vous demander pardon de la peine, à vous prier, ici comme là-bas, sur la grande table, d'aller vite, de ne pas trop nous faire languir…

– Oh ! soyez tranquilles, braves enfants, j'ai eu soin de l'outil… vous avez du courage… vous ne m'embarrasserez pas et ça ira vite, répondit l'exécuteur tout en liant les bras des victimes, en les préparant à leur holocauste.

Une fois l'œuvre préparatoire achevée, on les sortit du cachot ; et, les faisant passer par des corridors remplis de noirs enchaînés, on les conduisit sous la voûte de la grande porte de la geôle où les attendait un piquet de gendarmerie…

– Avant de partir pour toujours, dit alors l'un des trois au concierge de la prison, qui venait de terminer les dernières formalités, nous vous demandons une grâce… vous êtes un brave homme ;… vous nous avez donné à boire et à manger comme nous n'avons pas eu de notre vie… et vous ne nous avez pas tracassés… Faites-nous donc le plaisir de recevoir nos adieux et remerciements… de prendre pour la première et la dernière fois un petit verre d'arack avec nous…

Le concierge, qui était un bon et ancien militaire européen, n'eut garde de refuser ; il trouva chez eux tant de courage, de résignation et de malheur, qu'il sentit ses yeux et son cœur se gonfler : il fit plus que de prendre un petit verre avec eux, il leur donna une poignée de main comme à des frères d'armes sur le point d'être fusillés.

Le départ ordonné, les portes de la geôle s'ouvrirent, et le triste cortège se mit en marche. Les trois victimes s'en allaient à pied et d'un pas ferme, entre une haie de gendarmes et de gardes de police. Le bourreau, qui marchait derrière elles, les tenait par une corde et portait sur le dos, à la façon d'une gibecière, un grand sac de vacoua d'où l'on voyait sortir le manche du fatal instrument.

On avait, pour se rendre à l'endroit du supplice, environ quatre lieues à faire ; et, tout le long de la grande route de Saint-Denis à Sainte-Suzanne, était accourue une foule d'individus de tous sexes, de toutes conditions, de toutes couleurs, les uns par obligation, les autres par plaisir et curiosité : ceux-ci ricanaient au passage des fugitifs voués à la mort, et leur lançaient des quolibets plus ou moins impitoyables sur leur évasion manquée ainsi que sur l'horrible sort qui les attendait ; ceux-là, tout au contraire, les regardaient avec commisération, les plaignaient, pleuraient au fond de leur âme ; mais, quelles que fussent leur douleur et leur révolte intérieures, ils se gardaient de les témoigner et se taisaient ; tandis que les trois infortunés, calmes, tranquilles, résignés, passaient sans s'occuper des regards et des paroles de la multitude, comme aussi sans montrer ni bravade ni faiblesse ; et plus ils approchaient du lieu fatal, plus ils paraissaient se fortifier dans la pensée de leur sacrifice, et plus également la foule grossissait et devenait compacte d'esclaves envoyés de tous les bords.

On était au mois de juin, le jour avançait, le soleil était brûlant ; toutefois de gros nuages, qui traversaient la zone, interceptant les rayons solaires de temps à autre, rafraîchissaient l'atmosphère, ainsi qu'une brise humide soufflant du sud-est, et permettaient au cortège de ne pas se ralentir.

Cependant, après trois heures de marche, il fallut faire une pause, et l'on s'arrêta pour se remettre, en un lieu dit *le Bel Air*, lieu charmant, mais d'où l'on pouvait voir, en avant, dans le lointain, de l'autre côté de la rivière, le lugubre plancher, en forme de table quadrangulaire, avec un petit escalier à gauche, s'élever sur la berge marine…

Iony de B. del. Felix.

L'EXÉCUTION.

14

L'EXÉCUTION

Au bout d'un moment de repos, les victimes et leur escorte se remirent en route ; il n'y avait guère plus qu'un quart de lieue à faire, et les spectateurs se pressaient davantage, se multipliant toujours. Mais, parmi tous ceux qu'agitait l'événement, deux hommes, venant du haut de Sainte-Suzanne et transversalement à la route, un nègre de taille moyenne, ayant pour tout vêtement une mauresque serrée aux reins, avec un autre noir également accoutré, mais aux formes grandioses, athlétiques, couraient à toutes jambes pour arriver à temps…

– Ah ! se disaient-ils parfois avec un certain dépit ; il sera trop tard !… ce sera fini !…

Et, tout en allant de la sorte, ils montaient sur chaque éminence qu'ils rencontraient, pour tâcher de découvrir le grand chemin et les acteurs de la triste cérémonie…

– Oh ! les voilà ! s'écria bientôt l'un d'eux ; j'aperçois les fusils ; mais, quel dommage ! ils sont déjà au bord de la rivière, et nous n'aurons pas le temps de les attraper !…

– C'est égal ! reprit l'autre ; allons toujours ! la marée peut les retenir, et nous les gagnerons en tournant la cascade…

Ils coupèrent en effet par une masse élevée de rocher, d'où le torrent fait sa chute ; et, rendus de l'autre bord, ils prirent une ligne parallèle au cours de l'eau, qu'ils se mirent à poursuivre de toutes leurs forces. Mais ceux qu'ils voulaient atteindre avaient passé la rivière et les devançaient encore de près d'une demi-lieue. Ce voyant, nos deux coureurs se hâtèrent davantage ; et dans leur empressement, ils traversaient les champs, les enclos, sans s'inquiéter des maîtres, et sautaient les fossés, les ruisseaux, comme s'ils avaient des ailes…

– Oh ! j'ai comme entendu un coup de canon ! dit avec effroi et en s'arrêtant le moins grand des deux nègres.

– Ce n'est pas possible ! répondit l'autre, et il redoubla de vitesse.

– Écoutez ! entendez-vous le tambour !… Bon Dieu ! bon Dieu ! nous arriverons trop tard !… Ils sont perdus !… C'est fini !…

Mais le grand nègre n'entendait plus. Lancé tel qu'un cerf, il employait les derniers efforts de son agilité, de son énergie puissante…

Laissant son camarade loin derrière, il arriva bientôt au grand chemin, où, tel qu'un énergumène, abordant, fendant aussitôt la foule, il criait d'une voix de tonnerre :

– À moi, mes amis ! venez ! venez ! ne laissons pas tuer des innocents ! venez, suivez-moi !

Alors, d'un bout de la multitude à l'autre, il y eut une secousse, un ébranlement subit, général, en même temps qu'un bruit sourd, grondeur, semblable au bruit de l'Océan en courroux, s'en éleva et bourdonna dans l'air. Le courage et la parole du grand noir avaient vibré dans la masse esclave, et cette masse, qui naguère n'osait faire un geste, ni dire un mot, d'inerte, silencieuse et craintive qu'elle était, devint tout à coup active et menaçante, et voulut suivre, comme un seul homme, celui qui venait de lui communiquer l'étincelle électrique.

Mais les affreuses exécutions n'avaient-elles pas commencé ? Quel pouvait être ce lugubre signal de canon et de tambour entendu au loin ?...

N'importe ! l'élan était imprimé : il fallait agir, et, derrière, à droite, à gauche, on se poussait, on se pressait contre le grand noir, tandis qu'au-devant on lui livrait passage ; et l'on arriva tel que des vagues ameutées ; amoncelées les unes sur les autres, on fondit sur la place homicide... En un instant, la ligne de gendarmes et de gardes de police qui l'enceignait fut rompue, dispersée, de même que les curieux portant souliers, c'est-à-dire libres, saisis d'une terreur panique, avaient fui de toute part ; et l'on se rua sur le plancher sacrilège, où le sang innocent ruisselait, où déjà la tête et les membres de deux hommes étaient séparés de leurs troncs, et le bourreau traqué, renversé parmi leurs restes tout palpitants encore, fut contraint de lâcher la dernière victime qu'il allait immoler !

Au même moment, le compagnon du grand noir, faisant des efforts inouïs pour percer la foule, arrivait au lieu de la scène, et deux cris éclatèrent à la fois :

– C'est vous, frère Sçacalave !

– C'est vous, frère Créole !

Et le Câpre et la victime sauvée s'étaient précipités dans les bras l'un de l'autre, en même temps que la multitude, aguerrie par sa victoire autant qu'exaspérée par le spectacle affreux du supplice, appelait la révolte et demandait une vengeance générale. Mais cette effervescence se calma bientôt sous la parole du grand noir, de celui-là même qui en avait donné l'impulsion généreuse, lequel n'était autre que Frême, poignardé par le chasseur de nègres et laissé pour mort au milieu du bois.

Retrouvé miraculeusement guéri de sa blessure, et prévenu de la condamnation des trois Madagasses par le Câpre, qui, dans le but d'aller secourir Marie et son enfant, avait fini par s'échapper des chaînes de l'habitation Zézé Delinpotant, Frême ne put résister à l'élan de son cœur, au besoin de sauver ses frères, et c'est ainsi que fut prise cette résolution héroïque exécutée encore au péril de sa vie.

Frême, ayant apaisé l'émeute, invita les moins compromis, et c'était la généralité, à rentrer chez leurs maîtres, en leur donnant l'espoir d'une prochaine délivrance ; et les autres, au nombre de cent environ, y compris le Câpre et le Sçacalave, il les emmena avec lui aux Salazes et les plaça sur une crête de morne voisine de sa caverne. Il les disciplina et en fit une bande de Marrons aussi résolus qu'indomptables, bande qui, démolissant le fait comme la théorie heureuse de la servitude noire, se recrute tous les jours, se grossit par les rigueurs du maître, et de laquelle Frême est encore aujourd'hui le vaillant chef.

THÉODORE PAVIE

UNE CHASSE AUX NÈGRES-MARRONS
(Île Bourbon)

(1845)

UNE CHASSE AUX NEGRES-MARRONS
(Île Bourbon)

Le soleil venait de disparaître derrière les mornes, et les nègres qui portaient nos bagages se débarrassèrent de leurs fardeaux comme des gens en disposition de faire halte. Nous étions parvenus à l'endroit où se joignent deux petits ruisseaux qui donnent naissance à la rivière des Marsouins, l'une des plus larges et des plus limpides de toutes celles dont les eaux capricieuses arrosent l'île Bourbon. Devant nous, vers l'ouest, par-delà le Coteau-Maigre, se dressait une muraille de montagnes volcaniques, au-dessus desquelles le Piton-de-Fournaise lançait sa longue colonne de fumée. En nous tournant du côté de l'est, comme contraste à cette nature âpre et menaçante, nous voyions, entre deux cimes arrondies et boisées, la mer aussi calme qu'un beau lac. Un grand navire, faisant route vers l'île de France, reflétait dans ses voiles les dernières teintes du jour, et les vagues, sans cesse agitées le long de la côte, écumaient en se brisant sur les promontoires. – Si vous voulez, messieurs, dit le docteur, nous n'irons pas plus loin aujourd'hui ; il est bon, avant de pénétrer dans les froides régions de l'île, de camper, cette nuit encore, en pays tempéré. Reste à savoir si nous trouverons par ici un gîte convenable. – C'est mon affaire, répliqua le guide ; je sais dans ces environs une grotte fameuse que j'ai cherchée longtemps. Si je ne me trompe, nous devons en être assez près ; laissez-moi voir si ce sentier n'y conduirait pas.

Et il disparut à travers les buissons, suivi de son chien.

Le docteur, impatient de passer en revue les belles plantes recueillies pendant la journée, prit sa boîte suspendue sur le dos d'un noir, l'ouvrit, et resta quelques instants en contemplation devant son riche butin ; puis il baigna dans le ruisseau les tiges déjà fanées par la chaleur du jour.

– Qui sait, s'écria-t-il avec un soupir, en jetant au fil de l'eau les débris de feuilles et de racines amassées au fond de sa boîte, qui sait si les volcans n'ont point englouti sous la lave des variétés, des espèces à jamais perdues ? Aux ravages de ces feux souterrains se joignent ceux d'une culture toujours envahissante ; les localités se transforment…

Un coup de fusil, tiré à quelque distance de l'endroit où nous étions assis, tout en interrompant les réflexions du botaniste, mit en émoi la petite troupe ; le bruit de l'arme à feu, répété par les échos de la montagne, s'en allait roulant de roc en roc et résonnait sourdement jusque dans les forêts échelonnées au-dessous de nous. Chacun s'élança du côté où l'explosion s'était fait entendre, et, après avoir traversé un bois assez épais, nous nous trouvâmes sur le sommet d'un escarpement qui bordait un véritable précipice. Le guide essuyait sa carabine et sifflait son chien.

– Eh bien ! Maurice, lui cria le docteur, quel ennemi avez-vous rencontré dans ces parages ?

– Ce n'est rien, répliqua le créole. Avant d'entrer dans la grotte, j'ai voulu m'assurer qu'elle n'était pas occupée. Mon chien sentait quelque chose ; il a fini par aboyer. J'ai armé ma carabine, et j'ai tiré au moment où un noir marron s'enfonçait dans le ravin en s'accrochant aux lianes. Vous pouvez entrer, messieurs ; personne ne viendra vous troubler ici désormais. Aussi loin qu'a retenti ce coup de feu, les maraudeurs sont avertis qu'il y a des blancs sur la hauteur ; ils se tiendront tranquilles.

Un rideau de plantes grimpantes masquait entièrement l'entrée de la caverne ; rien ne pouvait faire supposer que ce ne fût pas un roc tapissé de verdure, et cette retraite solitaire n'avait dû être découverte que par un fugitif réduit à demander un asile à tous les buissons. Nous y allumâmes une lampe dont la flamme se jouait en reflets charmants sur les feuilles découpées, et nous nous étendîmes sur une mousse fine, que le docteur se garda bien de fouler avant d'en avoir examiné à la loupe quelques poignées ; il affirma même, car il était un peu las, que ce frais tapis lui semblait plus mielleux que le velours. Quant à moi, je craignais que le créole n'eût blessé ou tué peut-être ce noir marron qu'il avait chassé de son gîte ; mais il me rassura complètement.

– J'ai tiré à balle perdue, me répondit-il en riant. D'ailleurs, je voulais l'éloigner, lui et ses pareils, voilà tout ; il a d'autres repaires, croyez-le, moins agréables peut-être que celui-ci, mais assez bons encore pour un nègre.

– Dieu veuille que, dans le cours de notre exploration au milieu de vos sévères montagnes, vous puissiez toujours nous loger aussi agréablement ! dit le docteur. Il semble que la nature ait préparé ces charmants asiles pour ceux que l'amour de la science entraîne loin des plaines habitées. Mais vous, Maurice, par quel hasard avez-vous découvert cette grotte ?

– Oh ! répondit celui-ci, quel est le créole des quartiers de Sainte-Rose et de Saint-Benoît qui ne l'a pas visitée en faisant des battues ? quel est le planteur de l'île qui n'a pas entendu parler de la *grotte au*

Malgache ? Seulement, il y en a beaucoup qui ne savent pas pourquoi elle porte ce nom-là. C'est une vieille histoire.

– Que rien, sans doute, ne vous empêche de nous raconter ?

– Rien, si ce n'est qu'après la course d'aujourd'hui vous avez peut-être besoin de sommeil ; demain nous aurons encore beaucoup à monter pour atteindre la région des mousses que vous voulez parcourir. Et puis, une histoire de noirs ne doit pas être bien intéressante pour vous !

Dans les excursions du genre de celle que nous venions d'entreprendre, le guide a d'ordinaire une assez haute idée de son importance : c'est lui qui dirige les mouvements de la troupe, tant qu'elle est en marche ; mais à la halte, il sent que sa position a changé. De bavard qu'il était, on le voit devenir taciturne ; les questions l'embarrassent, le mettent en défiance, jusqu'à ce que la plus légère marque d'égards de la part de ceux qui l'accompagnent lui rende son assurance habituelle. Pour vaincre la timidité de Maurice et l'engager à nous donner son récit, je lui offris d'excellents cigares de Manille en le priant de nous apprendre ce qu'il savait lui-même sur cette grotte où nous étions si commodément établis. Cette simple avance fit son effet ; il prit place entre le docteur et moi, et glissant un des cigares dans sa poche :

– Merci, monsieur, me dit-il ; je fumerai cela dimanche au village ; pour l'instant, laissez-moi charger ma pipe avec le tabac de mon jardin. Quant à l'histoire, si vous y tenez, je ne demande pas mieux que de vous la raconter. Nous autres, petits colons, nous ne sommes pas savants comme les Français de France ; mais aussi ce ne serait pas vous, messieurs, qui me feriez parler pour vous moquer de moi !

I

Je n'ai jamais voyagé, messieurs, dit Maurice en posant son chapeau de paille sur le canon de sa carabine, par conséquent j'ignore si dans les autres pays les choses changent de jour en jour ; mais je puis assurer que, depuis que je suis au monde, il s'est introduit dans notre île bien des nouveautés. On défriche tant, que l'eau ne tardera pas à disparaître de nos rivières, et à notre métier, à nous autres petits créoles, qui ne possédons guère qu'un jardin, un champ de maïs, quelques pieds de *vakouas* pour faire des sacs à sucre, notre métier, trois jours par semaine, c'est la pêche. Le reste du temps, nous chassons les chèvres sauvages, qui deviennent rares, le merle qui a bientôt disparu des forêts, et les nègres marrons quand il y en a. Figurez-vous qu'on ait abattu tous les bois, vendu tous les terrains vagues, bâti des villages sur tous les plateaux, il nous sera impossible de vivre comme par le passé ! Faudra-t-il alors que nous bêchions la terre ? Mais nous sommes blancs, aussi blancs que les plus gros planteurs, et la pioche ne convient qu'aux noirs ; c'est une chose reconnue.

Et avec cela, les bras viendront à manquer ; la traite est abolie ! Tant qu'elle n'a été que défendue, il nous arrivait encore des esclaves en assez grande quantité, et de toute espèce. C'est le *tricolore*, messieurs, qui nous a valu cette loi-là, et il a été cause d'un malentendu dont quelques noirs ont porté la peine. Ces insensés ne s'imaginaient-ils pas que les trois journées représentaient trois jours de la semaine à eux accordés par le gouvernement de Paris pour ne pas travailler ? Déjà le roi le plus puissant de Madagascar, Radama, ne voulait plus qu'on exportât des Malgaches ; le gouverneur anglais de l'île de France lui promettait par compensation une somme de quarante mille piastres par an, oui, deux cent mille livres fortes, quatre cent mille livres, monnaie de l'île ! Il venait encore des Yolofs, des Yambanes, des Makondés, beaux noirs de pioche, un peu difficiles à tenir ; des Cafres, qui aiment mieux garder les vaches que labourer la terre, et préfèrent de beaucoup l'eau-de-vie de canne à l'eau des torrents ; des Mozambiques, hommes bêtes de somme, solides rameurs à face de singe. Comme chacune de ces races avait une aptitude différente, on trouvait, en choisissant bien, de quoi répondre à tous les besoins d'une habitation.

Les moins dépaysés de tous ceux que la traite jetait sur notre côte, ce devaient être les Malgaches ; ils retrouvaient ici les bœufs de leurs plaines et une grande quantité d'arbres de leurs forêts. Eh bien ! on avait plus de peine encore à les apprivoiser que les autres : il est vrai qu'on ne perdait pas beaucoup de temps à leur faire la leçon ; mais, voyez-vous, messieurs, le nègre est né paresseux, et l'homme qui a horreur du travail…

– S'imposera toute espèce de privations plutôt que de surmonter son penchant, continuai-je en regardant le créole.

– Oui, monsieur, mon père me l'a répété bien souvent quand nous allions tendre nos lignes à l'embouchure des rivières. Tenez, c'est lui qui a travaillé cette calebasse que vous voyez : vous n'en trouveriez pas de plus belle dans toute l'île ; il lui a fallu plus d'un mois pour l'enjoliver comme elle est là. La première fois qu'il s'en servit lui-même (il y a bien longtemps, et je m'en souviens comme si c'était hier), nous étions à la chasse aux chèvres du côté des Salazes. À force de prières, j'avais obtenu la permission d'accompagner les chasseurs. La course fut bien longue, et au retour j'étais éreinté ; mais je fis bonne contenance jusqu'au bout, et mon père me laissa entrer au village avec sa carabine sur mon épaule. Or, comme nous descendions de la montagne, nous aperçûmes à l'horizon, bien loin au large, un petit point blanc.

– Vois-tu là-bas ? me dit mon père.

– Oui, répondis-je ; je vois un paille-en-queue ou une mouette qui devrait bien me prêter ses ailes, car je commence à me sentir la plante du pied un peu pesante. – Mon père ne répondit rien ; comme le soleil miroitait sur les vagues, il abaissa son grand chapeau sur son front, s'arrêta court, et se mit à considérer ce point blanc, qui semblait glisser entre le ciel et l'eau. Quant à moi, je me laissai tomber sur l'herbe.

– Je parierais que c'est *la Diane*, s'écria mon père après un moment de silence. Elle aura vu un croiseur à la hauteur de Saint-Denis, et elle fait fausse route pour le dépister ; il n'y a qu'une goélette qui puisse ainsi serrer le vent et s'élever au sud de l'île. Si la brise ne la gêne pas, nous la verrons ce soir, mouillée à l'anse du Piton.

Pendant ce temps-là, un petit navire de guerre débouchait derrière le cap que nous voyions tout à l'heure sur notre gauche. Il courut dans cette direction environ vingt minutes ; puis, soit qu'il eût perdu de vue la goélette qu'il chassait, soit qu'il fît semblant de ne plus l'apercevoir, il vira de bord et disparut. Aussitôt le point blanc cessa de s'éloigner ; il grossit rapidement, et nous pûmes distinguer *la Diane* elle-même qui forçait de voiles dans la direction du Piton. Dès que le soir vint, un feu s'alluma dans un coin du rocher qui marque la baie ; c'étaient les planteurs intéressés dans l'armement qui dressaient un phare pour marquer la route à la goélette, et en vérité, la précaution ne semblait pas inutile, car jamais on n'avait vu une nuit plus noire, et la fallait ainsi pour qu'on pût opérer le débarquement sans être inquiété.

L'arrivée d'un négrier sur la côte faisait toujours une certaine sensation dans les quartiers. On courait à la place pour voir les nouveaux esclaves ; les enfants surtout se glissaient derrière les rochers, se jetaient dans les pirogues et c'était à qui approcherait le plus près du navire. Les matelots nous chassaient à coups de gaffe quand nous arrivions les mains vides, mais ceux d'entre nous qui avaient quelque argent trouvaient le moyen de monter à bord et ils achetaient de beaux perroquets gris de la côte d'Afrique. Mon père n'était pas riche, et le plus souvent ces arrivages ne l'occupaient guère ; cependant, il venait de faire un petit héritage, ce qui lui donna l'idée d'aller choisir un noir auquel il pût apprendre le métier de charpentier qu'il exerçait lui-même de temps à autre. Comme tous les créoles de nos quartiers, il savait construire une maison de bois et creuser une pirogue. Les premiers colons qui sont venus s'établir dans l'île ont bien été obligés de se bâtir des cases eux-mêmes. Ils étaient d'abord soldats dans les garnisons de Madagascar, puis ils se sont faits flibustiers ; puis, quand il n'y a plus eu de profit à courir les mers, il leur a bien fallu se fixer tout à fait à terre, et là ils ont planté. Plus tard, quand il s'est formé un gouvernement, on a cédé des terrains à ceux qui avaient de l'argent ; ils se sont mis à acheter des esclaves, à défricher en grand, et nos anciennes familles, qui se croyaient maîtresses de l'île, se sont trouvées peu à peu si réduites dans leurs possessions, qu'on les dirait aujourd'hui fondues entre les plantations immenses qui les étouffent. Oui, messieurs, les premiers habitants et leurs descendants que l'on méprise ont pourtant fondé la colonie ; comme Adam au paradis terrestre, ils ont donné des noms aux oiseaux du ciel, aux poissons des rivières, aux arbres de la forêt.

– Et en cela ils sont loin d'avoir rendu service à l'histoire naturelle et à la botanique, interrompit le docteur.

– C'est possible ; mais ils ont fait pour les savants ce que je fais aujourd'hui pour vous, monsieur : ils se sont chargés de montrer la route. Tous les sentiers que nous avons suivis et ceux que nous parcourrons demain, je les ai appris, comme bien d'autres, à mes dépens ; la découverte de cette grotte m'a coûté… plus que je ne posséderai jamais. Donc, sitôt que *la Diane* eut jeté l'ancre dans la petite baie, mon père me dit : Maurice, viens avec moi, si tu n'es pas trop las de la chasse. Il a dû arriver là un beau lot de noirs, et je veux choisir. Un nègre brut, de force moyenne, ne se paiera pas plus cher qu'une mule de France : moi, je lui apprends mon métier ; il devient ouvrier, bon ouvrier ; nous le louons dans les grands ateliers de Saint-Denis à une piastre, à deux piastres, par jour ; à la fin, il se rachète, je te donne cette somme-là en dot, et si tu as de l'économie, un jour tu seras planteur.

Je ne doutais pas que tout cela ne dût arriver ainsi, puisque mon père me le disait ; aussi le cœur me battait bien fort quand je vis à la lueur des fanaux qui l'éclairaient la goélette entourée de pirogues. De ce bâtiment si léger, si effilé, qui dansait sur l'eau et se balançait à la moindre brise, il sortit tant de noirs que je croyais rêver. En vérité, messieurs, il fallait qu'on les eût pliés en deux comme des cuirs secs pour qu'ils pussent tous tenir dans la cale. À mesure qu'on les mettait à terre, je les regardais des pieds à la tête et ils me semblaient tous plus ou moins avariés ; c'est qu'ils n'avaient pas respiré à leur aise pendant la traversée ; mais le grand air les fit revenir, à l'exception de quelques-uns : ceux-là, comme des poissons restés trop longtemps hors de l'eau ne se réaccoutumèrent point à vivre. Le capitaine jurait contre eux ; il n'était pas impossible qu'ils eussent fait exprès de mourir, car, parmi ces noirs à demi sauvages, on voit de mauvais sujets, capables de tout. Chacun ayant choisi les esclaves qui lui convenaient, l'équipage s'occupa de nettoyer la cale. On envoya des provisions à bord ; les canots vinrent prendre de l'eau douce à l'embouchure d'un ruisseau, et le lendemain, les noirs achetés dans la nuit ayant été internés, il ne resta plus de trace du débarquement. Le navire de guerre en station devant l'île se remit à courir ses bordées de grand matin ; mais la goélette se trouvait juste au même point où nous l'avions aperçue la veille, avec cette différence qu'elle s'en allait à la côte d'Afrique tenter une nouvelle traite.

Le canon du soir, tiré dans les divers quartiers de l'île, retentit tout autour de nous comme un orage lointain ; une brise légère, qui montait du milieu de la plaine et du fond des ravins, nous apporta en murmurant le parfum des girofliers mêlés aux suaves exhalaisons de la forêt. Les petites lianes arrachées aux parois de la grotte frémirent doucement ; c'était la tiède haleine des nuits tropicales, transformée à ces hauteurs en un vent frais et piquant.

– Une pareille nuit offre véritablement l'image du repos, dit le docteur en écartant le rideau de feuillage. Voyez comme les belles constellations de l'hémisphère austral étincellent dans le sud ! N'admirez-vous pas la bienveillante nature, qui a fait sortir du sein de l'Océan cette île fertile et gracieuse ?

N'est-ce pas, messieurs, reprit Maurice avec vivacité, n'est-ce pas que notre île est un petit bijou ? Avec ses montagnes et ses ravins, ses plantations et ses forêts, ses volcans et ses rivières, elle semble trois fois plus grande qu'elle n'est réellement ; il y a bien peu d'habitants qui la connaissent dans tous ses recoins, dans tous ses replis. Du côté de la mer, elle est menaçante : il lui faut bien des rochers pour se défendre contre les vagues qui la battent sans cesse ; mais, à mesure qu'on s'éloigne de la plage, on la trouve plus riante, plus verte, plus rafraîchie par les torrents, jusqu'à ce qu'on aborde ces gros mornes chauves où se cachent les sources. C'est par là aussi qu'elle accroche, pendant l'été, les grands nuages qui tomberaient dans l'Océan sans servir à rien. Les noirs qu'on amenait de la côte d'Afrique devaient se trouver trop heureux d'être apportés sur notre île ; d'ailleurs, c'étaient le plus souvent des prisonniers de guerre, destinés à être dévorés par le vainqueur. Ceux de Madagascar devaient s'attendre à être tués à coup de sagaie, puisque telle est leur coutume de se débarrasser des captifs qu'ils ne peuvent pas vendre. Ne valait-il pas mieux planter des cannes et cueillir la graine de café ? Eh bien ! il était très difficile de leur faire entendre cela. Il y en a qui, à peine débarqués, couraient droit à la montagne ; mais, au bout de quelques jours, on les trouvait, mourant de faim, blottis sous des buissons comme des lièvres, ou bien ils se laissaient acculer au bord d'un précipice d'où ils ne pouvaient vous échapper qu'en se jetant, la tête la première, au fond du ravin. D'autres restaient accroupis au pied d'un arbre, les yeux tournés vers la mer, et refusaient toute nourriture, ne répondant rien aux menaces, insensibles aux coups ; peu à peu, on les voyait s'affaisser, un tremblement fiévreux frappait leurs genoux l'un contre l'autre, et ils mouraient en regrettant un pays où il ne leur était plus permis de vivre. Quelle désolation de voir des hommes robustes, des femmes dans la fleur de l'âge, s'éteindre là comme des arbres frappés par le soleil sans avoir rapporté un sou au maître qui les avait payés si cher !

Quant au Malgache que nous venions d'acheter, il ne paraissait point atteint de cette maladie terrible ; c'était un garçon alerte, actif, qui bientôt apprit à manier la hache avec une certaine adresse. Nous le traitions bien, parce qu'avec cette race-là on ne gagne rien à se montrer trop sévère. Quand il travaillait à creuser des pirogues que nous allions vendre à Saint-Pierre, je le regardais, je l'aidais même quelquefois ; il me taillait des petits bateaux que je faisais flotter sur la rivière, en y mettant des plumes au lieu de voiles. Je l'avais pris en affection, mais mon père se montrait défiant à son égard ; un jour même il me dit : – Ton Malgache nous jouera un tour ; je n'aime pas sa figure, il ressemble trop à Quinola ! – Quinola, c'était un noir de Madagascar qui avait disparu depuis longtemps. Les uns disaient qu'il avait péri dans les mornes, d'autres affirmaient qu'il dirigeait les bandes de marrons, dont le nombre ne diminuait guère malgré les battues qu'on faisait fréquemment.

II

Dans ces temps-là, messieurs, continua Maurice, il y aurait eu quelque danger à courir les bois comme nous faisons aujourd'hui pour cueillir des plantes. Les nègres fugitifs occupaient les hauteurs que nous appelons ici des plaines : ce sont des plateaux plus ou moins élevés, cachés entre des montagnes à pic ; des espaces unis, défendus par des ravins, entourés de précipices abrupts qui ressemblent aux fossés d'une citadelle. Il n'était pas impossible de pénétrer jusqu'à ces régions perdues en remontant le lit des rivières ; mais outre que ce chemin est impraticable pendant la saison des pluies, les arbres déracinés, les rocs entraînés par les eaux, les lianes qui pendent de chaque côté, les plantes épineuses qui tapissent les bords du ravin, ne permettent guère à un homme armé de courir lestement à l'assaut de ces places fortes. On savait bien à peu près où nichaient les noirs marrons ; quelquefois, le soir, leurs feux brillaient là-haut comme des étoiles, car le froid les faisait souffrir. Quand la faim les pressait, ils descendaient brusquement dans les vallées par une nuit bien sombre, pillaient les jardins, incendiaient et détruisaient en quelques heures les récoltes d'une année : l'alarme se répandait vite, on s'armait ; mais où courir ? Les maraudeurs, frottés d'huile de coco, échappaient à la main qui voulait les saisir, et quand on revenait de ce premier moment de surprise, les brigands étaient bien loin ; ils avaient eu le temps de se mettre en lieu de sûreté, d'emporter leur butin. Quelquefois ils se répandaient isolément à travers les habitations, emmenaient avec eux leurs femmes, leurs amis, et au matin le planteur trouvait la case vide. Pour certains noirs, c'est un besoin de vagabonder ; on les reprend, on les met à la chaîne, on leur fait traîner le boulet, et le jour où le châtiment cesse, ils partent de nouveau, si bien que leur vie se passe à expier la faute et à la commettre.

– Et on ne se lasse point de les punir si sévèrement d'avoir voulu à toute force être libres ? demandai-je au créole.

– Les maîtres qui sont humains, monsieur, renoncent quelquefois à châtier eux-mêmes, répondit Maurice ; ils envoient leurs esclaves travailler sur le port, et là on les mène un peu rudement ; ce sont ceux que vous avez pu voir…

– Mon ami, interrompit le docteur, ne me faites pas souvenir de ces scènes attristantes qui frappent les yeux de l'étranger quand il aborde votre île. En abusant ainsi de l'esclavage, vous hâtez le jour de l'émancipation.

– Ah ! oui, la liberté, *grand'merci !* comme disent les noirs de l'île de France, s'écria Maurice. Alors, à quoi servira d'être blanc, je vous le demande ? Si jamais cela arrive, je me fais marron, j'abandonne le village, je déserte la milice ! On peut passer tranquillement sa vie dans les mornes, pour peu qu'on ne tienne pas trop aux plaisirs de la société. Il y a des esclaves échappés qui ont vécu là plus de vingt ans, et tandis que, selon les chances de la guerre, la population se trouvait anglaise ou française, eux, qui ne savaient rien de tout cela, ils n'ont point cessé d'être Cafres et Malgaches. On ne songeait point à les tourmenter dans ces temps-là, et ils regardaient avec indifférence, du haut des montagnes, leurs anciens maîtres se battre sur la plage, sans se déclarer pour aucun parti, comme des gens qui n'ont rien à perdre, rien à gagner.

Ils avaient formé un camp principal au centre même de l'île, à un endroit qu'on appelle encore aujourd'hui le camp d'Henri. C'était là leur forteresse ; mais comme il n'y avait pas à manger pour tout le monde dans cet espace étroit creusé en entonnoir, ils occupaient, selon les saisons, d'autres points dans les plaines : le moins inaccessible de ces camps secondaires où ils ne s'établissaient qu'en passant et toujours avec défiance, parce qu'on n'avait pu les y surprendre, bordait le grand étang, à l'entrée de la plaine des Palmistes. De là, ils s'abattaient par la rivière Sèche sur les habitations de Saint-Benoît et de Sainte-Rose, et remontaient par la Plaine des Cafres pour descendre dans les vallées de Saint-Pierre. Le palmiste, qui croissait en abondance sur ces hauteurs, leur fournissait une nourriture facile ; ils y avaient aussi planté des bananiers et quelques racines. Le soleil faisait mûrir les fruits de ces jardins champêtres tout comme ceux de nos vergers.

Un jour, on résolut de faire une double attaque sur ce camp, à l'époque où l'on supposait que les marrons y seraient établis ; on était las d'avoir toujours au-dessus de sa tête des ennemis invisibles. Un espion fut envoyé sur la montagne pour qu'il s'affiliât avec eux ; les mesures ayant été bien prises, on se prépara à aborder la plaine des Palmistes par deux chemins différents. Les gens de Saint-Benoît marchèrent le long de la rivière Sèche, et nous, nous suivîmes le *rempart* du bois Blanc ; on devait, à jour fixe, se réunir sur le plateau. Dans une pareille expédition, il y avait des fatigues à essuyer, des dangers à courir ; mais on ne s'en inquiétait guère : les montagnes attirent comme la mer ; on veut voir ce qui se passe là-haut comme on aime à savoir ce qu'il y a là-bas, derrière l'horizon.

Avec cela, nos pères étaient des aventuriers, comme je vous l'ai dit, et nous tenons d'eux ce besoin d'activité qui nous tourmente ; ils explorèrent l'île, ils pénétrèrent les premiers sous ces forêts où l'oiseau chantait, bien qu'il n'y eût personne pour l'entendre ; notre plaisir à nous, c'est de grimper sur les mornes, de glisser au fond des ravins, de chercher partout s'il ne reste pas un coin de terre à découvrir. Ce qui nous animait aussi, c'est que la troupe obéissait d'ordinaire à de vieux créoles, à d'anciens traitants de Madagascar, qui étaient venus se reposer ici de leurs voyages bien autrement aventureux, et se guérir, sous notre climat plus hospitalier, des fièvres gagnées à Tintingue ; le plus souvent, ils ne rapportaient pas du pays malgache de grandes richesses, mais une foule d'histoires étranges et merveilleuses, que nous leur faisions raconter pendant les haltes.

Dans ces courses-là, nous marchions toujours pieds nus : le dimanche, pour aller au village, nous prenions des sentiers, parce qu'on nous confondrait avec les mulâtres qui ne sont pas libres ; mais, en campagne, cette distinction devenait inutile. La calebasse au côté, le fusil sur l'épaule, nous nous enfoncions gaiement à travers les bois : chacun portait en outre une pipe passée dans le ruban du chapeau, un briquet et quelques provisions. Il y en avait aussi qui suspendaient à leur ceinture une petite hache pour couper les grosses lianes et abattre des arbres qu'on jetait, en manière de pont, d'un bord à l'autre des précipices. Ainsi équipés nous ressemblions un peu à une troupe de flibustiers de l'ancien temps ; les soldats de marine se seraient moqués de nous, eux qui rient de nos milices parce qu'elles ont beaucoup de mal à marcher au pas. Que voulez-vous ? nous ne sommes pas enrégimentés pour aller guerroyer au loin, mais bien organisés par compagnies pour nous défendre contre les pillards des montagnes et contre l'ennemi du dehors. Quand il a fallu faire le coup de feu sur la côte, pendant la révolution de France, il ne restait guère de troupes de garnison, il ne nous venait plus de secours et pourtant nous nous battions ; nous envoyions même des renforts à nos alliés de l'Inde. Ceux qu'on a accusés plus tard d'être à la solde des Anglais, croyez-le bien, messieurs, ce ne sont point des petits blancs sans souliers.

Cette expédition de la plaine des Palmistes, je la faisais en qualité de volontaire : j'avais à peine dix-sept ans ; mais je me disais que courir après les marrons n'était pas une chose plus difficile que d'aller dans les rochers dénicher les fous. Et quel enfant de nos cantons n'a pas exposé cent fois sa vie pour aller prendre dans le nid, au fond de leurs trous, ces oiseaux de la mer ? Nous commençâmes par traverser la forêt qui couvre le Vieux-Brûlé. Le volcan qui fume aujourd'hui presque à la pointe sud semble s'être promené dans toute la longueur de l'île avant d'arriver où il se trouve maintenant ; mais, à la fin, la végétation a repris le dessus. Aussi, dans le Vieux-Brûlé, on trouve partout des bois sur sa tête et de la lave à ses pieds ; on marche sur quelque chose qui ressemble à du verre et les arbres qui se sont implantés dans ces vagues de feu refroidies depuis des années ont fini par croiser leurs rameaux, par former des taillis presque impénétrables. Quand le soleil donne d'aplomb sur ces masses de branches étalées comme des parasols, on se trouve à l'ombre, c'est vrai, mais on éprouve une chaleur accablante. Dans les espaces découverts, les pieds brûlent ; l'herbe qu'on foule çà et là se réduit en poussière ou plutôt en cendres. Les brises de mer ne font que passer sur ces versants ; à peine les a-t-on senties, à peine a-t-on vu remuer les feuilles, que le souffle a disparu ; on l'entend qui court à la surface de la forêt, comme pour se jouer du voyageur haletant.

Le souvenir de ces chaudes journées réveilla chez le créole une soif qui lui était assez habituelle. Il se désaltéra donc à sa calebasse qu'il eût déjà vidée si nous n'avions eu soin de la remplir en y versant une bouteille de vieux vin de France.

– Merci, messieurs, reprit-il en essuyant sa bouche avec le revers de sa main, vous m'avez glissé là un excellent vin qui fait parler au lieu d'endormir comme l'eau-de-vie de canne ; si nous en avions eu de pareil dans notre battue ! Mais, bah ! ce n'était pas la peine ; si jamais vous avez connu ce que c'est que d'avoir soif et de chercher à boire dans un lieu inhabité, vous conviendrez avec moi que les dernières gouttes d'eau épargnées par le soleil dans le creux d'un rocher se paieraient aussi cher, à certains moments, que la plus précieuse liqueur. Dans ces cas-là, l'homme se rappelle qu'il n'est qu'une pauvre créature de Dieu, comme le plus petit insecte de la forêt. Heureusement, notre île est si bien arrosée, qu'on a rarement à souffrir de ce côté-là, à moins qu'on ne s'en aille jusqu'à ces réservoirs de feu autour desquels les sources tarissent. Dans les bois du Vieux-Brûlé, on trouve même de jolis bassins transparents qui conservent l'eau longtemps après les pluies. Cependant la fraîcheur, la vraie fraîcheur qui ranime comme un bain, qui repose comme le sommeil, c'est dans les ravins qu'il faut la chercher ; je ne dis pas seulement en hibernage où le ciel n'est plus qu'un arrosoir, où les nuages descendent tout d'une pièce entre les mornes pour nous verser des nappes d'eau à faire déborder les plus petits torrents, mais au milieu de la saison sèche, quand le soleil fait mûrir le café dans sa pulpe, la muscade sous sa triple enveloppe.

Après une journée de marche assez pénible, ce fut dans un de ces ravins que nous nous arrêtâmes, sous de grands *takamakas* à moitié déracinés qui se penchaient au-dessus de l'abîme en attendant qu'une trombe les y précipitât. Çà et là, au-dessus des framboisiers qui aiment l'ombre, s'élançaient les fougères en arbres dont les longues feuilles découpées, détachées du tronc et disposées en cercle, ressemblent à ces soleils d'artifice qu'on fait partir dans les villages aux jours de fête. Au-dessus de nos têtes, par l'ouverture où se montrait une large bande de ciel aussi bleu que la mer dans les baies, nous voyions les tiges des palmistes remuées par les vents, s'agiter comme des panaches de plumes à l'entrée de la plaine. Il ne nous restait plus qu'à monter pendant quelques heures pour arriver sur le plateau où campaient les noirs ; mais le gibier que nous cherchions y était-il encore ?

Voilà ce qu'il fallait savoir ; un jeune homme de la troupe se chargea d'aller à la découverte, et il devait nous faire un signal de monter après lui en jetant un caillou dans le ravin. – Si Quinola est avec eux, disaient quelques-uns d'entre nous, on ne trouvera que le nid, les oiseaux seront envolés. – Bah ! répondaient les autres, si Quinola vivait encore, on le verrait dans les bandes ! – Les noirs qu'on avait repris depuis plusieurs années affirmaient qu'il habitait la montagne, mais que, comme il était habile dans les sortilèges, il savait se rendre invisible ; ils l'appelaient le grand *Ombia*, le grand prêtre. Ce qu'il y avait de certain, c'est que si on se moquait dans les villes de ceux qui croyaient Quinola vivant, dans les villages on le prenait plus au sérieux, et son nom faisait trembler les enfants. Quant à moi, je pensais bien qu'il pouvait vivre dans la montagne sans jamais se montrer, et qu'il était trop rusé pour indiquer à d'autres marrons le lieu de sa retraite ; malgré cela, je ne pouvais tout à fait vaincre la terreur que la pensée de cet homme, c'est-à-dire de ce noir, m'inspirait dans mon enfance : j'avais plus de raisons qu'un autre de n'être pas trop rassuré. Une fois, étant allé seul cueillir des jamroses à une assez grande distance de la maison, j'aperçus derrière moi un vieux nègre malgache, aux cheveux tout blancs. Vous concevez, messieurs, qu'en le voyant, la peur me prit, et je voulus me sauver ; mais il m'arrêta en me barrant le chemin et me dit : « Maurice, vous avez chez vous un bon noir, un honnête travailleur ; quand il saura bien son métier, je lui montrerai quelque part un bel arbre qu'il aura plaisir à tailler ! » Et là-dessus, il s'enfonça dans le bois. De retour à la maison, je n'osai jamais parler à mon père de cette vision qui me tourmentait, il se serait moqué de moi, et comme il m'aurait grondé si je l'avais dit à d'autres, je gardai mon secret.

III

Après avoir dormi quelques heures, les noirs qui nous accompagnaient s'étaient mis à rallumer le feu ; ils s'en rapprochaient toujours un peu davantage, au point qu'on eût pu croire qu'ils allaient se rôtir.

Accroupis sur leurs talons, les coudes sur les genoux, les mains ouvertes devant les flammes, ils se torréfiaient avec une délectation qui nous est inconnue, à nous autres gens du nord. Au milieu de ses immenses forêts, le sauvage de l'Amérique septentrionale grelotte devant quelques tisons qui donnent moins de flammes que de fumée ; l'Hindou, débilité par son climat trop énervant, demande grâce au dieu du jour et divinise ses rivières ; l'Africain s'épanouit à cette température brûlante, appropriée à sa nature comme le soleil tropical qui l'enivre et l'exalte.

Je me rappelais donc cette rencontre, continua Maurice, et je me promettais de bien regarder si je découvrirai le vieux noir à cheveux blancs que je ne connaissais point, et qui m'avait appelé si familièrement par mon nom. Pendant que nous étions tous arrêtés dans les rochers, l'envie me prenait de raconter ce que j'avais vu ; mais la crainte de n'être point écouté m'arrêtait aussitôt. Les anciens, qui sont assez sujets à mentir, s'imaginent toujours que les jeunes veulent leur en faire accroire, et puis on n'aime pas passer pour un poltron, tout simplement parce qu'on a eu le malheur de voir quelque chose de plus que les autres. Ces réflexions-là se croisaient dans ma tête, et bien d'autres encore, car on ne réfléchit jamais si bien que quand on est un peu las. Tenez, messieurs, couchez-vous dans la forêt ; les oiseaux et les insectes se remettent à chanter et à bourdonner de plus belle ; reprenez votre marche, ils se taisent et disparaissent. Ainsi font les idées qui assiègent le cerveau quand les jambes s'arrêtent ; dès qu'on recommence à courir, tout cela s'envole !

Après quelques instants de halte, nous entendîmes un caillou retentir sur les pierres du ravin, et quand il tomba, après avoir longtemps ricoché dans le torrent qui roulait à nos pieds, nous étions debout. Chacun se prépara à gravir la rampe de son côté ; pour cela, il faut s'accrocher aux lianes, poser le genou sur une pointe de rocher, se soutenir du coude à de vieilles racines vermoulues qui se brisent souvent, et on se sent glisser. Dans ces moments-là, on se rattrape à tout, à des épines, à des ronces qui déchirent les mains et les mettent en sang ; on s'écorche les pieds, on se frotte le visage sur une terre humide, on fait rouler sous soi toute une avalanche de petites pierres qui se détachent du sol et tombent avec bruit jusqu'au fond du précipice ; enfin on s'arrête dans sa chute sur quelque tronc d'arbre plus solide, on reprend haleine et on s'assure qu'on a reculé d'une vingtaine de toises.

– À ce train-là, on se trouve au bout de quelques heures précisément au fond du ravin, dit le docteur.

– Et quand on veut descendre, on est tout aussi embarrassé, reprit le créole ; mais, à force de chercher, on découvre quelque sentier moins impraticable ; on rampe, on avance doucement, en retenant son haleine, sans regarder derrière soi, les yeux fixés sur le sommet qui semble reculer toujours, car les montagnes sont en général dix fois plus élevées qu'elles ne le paraissent. Il y a bien des choses dans la vie qui fuient et s'éloignent quand on croit les tenir. Aussi, quand on a de l'âge, on va plus doucement, parce qu'on sait qu'il faut aller longtemps ; mais j'étais jeune alors, et je brûlais d'impatience d'arriver là-haut. Ennuyé de lutter contre une rampe aussi inabordable, je filai un peu à droite, en tournant à travers des petits chemins sans doute tracés par les chèvres. Je me mis à courir, à sauter ; je ne me sentais plus. Tout à coup je sortis de cette masse d'ombre que les cimes voisines projetaient sur le ravin, et le soleil m'éblouit ; le cœur me battait violemment parce que j'avais marché trop vite, et aussi parce que j'allais aborder le plateau des Palmistes, c'est-à-dire le camp des noirs marrons.

À cette heure-là, les brigands doivent dormir, pensais-je en moi-même ; mes compagnons auront le temps d'arriver avant qu'ils se remettent en campagne. Nous sommes sûrs de les atteindre. – Et je me glissai avec précaution à travers les *bois noirs* : il y avait çà et là des branches cassées ; l'herbe était foulée autour de moi ; tout m'annonçait que j'approchais du camp, et j'en eus bientôt la preuve. Comme j'allongeais la tête sous les broussailles, en écartant d'une main des racines qui semblaient entortillées exprès pour faire tomber les passants, mon genou se posa sur une pointe de bois, et je ressentis une si vive douleur que je m'arrêtai tout court. Ces petits bâtons bien aiguisés, durcis au feu et plantés dans les sentiers qui conduisent à leurs camps, sont une terrible défense dont les nègres tirent un grand parti : si cette maudite invention n'arrête pas les patrouilles, au moins elle les force à marcher avec précaution, et met ainsi les fugitifs à l'abri d'une attaque subite. Un homme, un blanc qui porte un fusil sur son épaule, être mis hors de combat pour quelques lignes d'un morceau de bois qu'il s'enfonce dans le talon !… quelquefois même rester infirme pour toute sa vie, traîner le pied devant ses esclaves qui rient en cachette et ont l'air de dire : « Quand je me sauverai à mon tour, ce ne sera pas toi qui viendras me prendre ! » c'est bien humiliant !

Ma blessure saignait beaucoup ; je la liai avec un mouchoir, après m'être frotté d'eau-de-vie tout le genou, et je n'avançai pas davantage ; j'aurais même donné quelque chose pour avoir fait un pas de moins. Puis, je ne sais si les oreilles me tintaient par l'effet de la douleur, mais il me sembla entendre rire à mes côtés. J'écoutai avec attention ; une voix qui ne m'était pas tout à fait inconnue parlait en s'éloignant… J'arme mon fusil, j'essuie la pierre, je la rafraîchis en frappant dessus avec mon couteau, et je me hasarde sur la lisière du bois. Ce que j'aperçus dans la plaine, messieurs, j'aurais cru le voir en rêve, si le soleil qui étincelait de toutes parts ne m'eût forcé de reconnaître que j'avais bien les yeux ouverts. Figurez-vous une trentaine de noirs groupés çà et là au pied des palmistes, les uns tout nus, les autres vêtus d'une couverture nouée sur les épaules, comme les Hottentots du Cap ; ceux-ci coiffés d'un chapeau sans bords et habillés par en haut d'un gilet sans manches, ceux-là serrés dans un pantalon auquel il manquait une jambe. Pour la plupart, ils tenaient à la main des bâtons faits en forme de massue ou armés d'une pointe de fer ; quelques-uns avaient à la ceinture des couteaux bien aiguisés ; ceux que couvraient à demi des lambeaux d'habillement volés dans les habitations paraissaient misérables ; ceux dont la peau reluisait au soleil, librement, à l'état de nature, représentaient au moins l'homme sauvage : le noir est vêtu de sa couleur. Il y en avait là de plusieurs races ; mais le vieux Malgache que je cherchais des yeux ne faisait point partie de la bande.

Il me sembla que les marrons venaient de terminer leur repas ; on voyait des petits tas de cendre sous lesquelles ils avaient fait cuire des bananes et des patates douces, quelques tiges de palmistes effeuillées. La faim me talonnait, et j'aurais volontiers dévoré les pêches à moitié mûres que je portais dans mon sac, mais j'étais en face de l'ennemi. Tous ces esclaves amaigris par la fatigue, réduits à se procurer au prix de mille dangers une nourriture souvent insuffisante, à errer dans les montagnes comme les bêtes malfaisantes qui craignent le fusil du chasseur, à se cacher dans les trous en attendant l'heure du pillage, tous ces esclaves échappés des quatre coins de l'île, après y avoir été jetés de dix endroits différents de la côte d'Afrique, n'avaient pourtant qu'une pensée, et cette pensée leur donnait le courage de continuer cette misérable existence : ils s'étaient affranchis du travail et se trouvaient heureux. Avec cette différence qu'ils n'avaient rien de gracieux et que la cage était ouverte, je me rappelais, en voyant ces vilains noirs campés dans la plaine fermée de rochers, les grandes volières dans lesquelles les planteurs des villages rassemblent des oiseaux de tous pays. J'éprouvais donc quelque envie de les troubler dans leur fainéantise en tirant un coup de fusil au milieu de la bande, mais un sifflement aigu les réveilla comme par enchantement. En une seconde, ils se dressèrent sur leurs pieds, saisirent leurs bâtons, et échangèrent quelques signes avec celui qui venait de donner l'alarme. C'était un Malais, petit, trapu, bon coureur ; je l'ajustai à l'instant où il débouchait sur la plaine, mais il fit un geste pour me narguer ; la balle avait sifflé à ses oreilles sans l'atteindre. Avant que mon fusil fût rechargé, les marrons, en pleine déroute, s'étaient dispersés comme un troupeau de chèvres ; ils couraient, sautaient par-dessus les buissons, se faufilaient à travers les bois, en cherchant à gagner le morne des Palmistes. Les créoles de Saint-Benoît, arrivés à l'instant même par le côté de l'étang, les traquèrent avec vigueur ; mes compagnons s'avancèrent rapidement par l'autre extrémité de la plaine, et quelques traînards de la troupe des marrons furent faits prisonniers. On les confia à un détachement qui devait les emmener à la geôle, et on convint de poursuivre le reste de la bande dans ses derniers retranchements ; j'étais trop animé pour songer à ma blessure et je résolus de faire la campagne jusqu'au bout.

On eut quelque peine à désarmer les captifs qui se défendaient comme les grands singes d'Afrique, avec des pierres et des bâtons. Dans ces cas-là, on est en colère et on ne peut pas trop ménager ses mouvements. « Où est Quinola ? demanda un créole à un vieux noir qui avait reçu au front un coup de crosse. – Je ne sais pas, répondit celui-ci. – Quand l'as-tu vu ? – Il n'y a pas longtemps. » Et comme nous nous regardions avec surprise, il ajouta : « Quinola n'est pas mort ; il ne veut pas mourir dans l'île. »

IV

Quinola était Malgache, continua Maurice en secouant les cendres de sa pipe, et les gens de Madagascar n'aiment pas à mourir loin de leur pays ; mourir, pour eux, c'est une grande affaire qu'ils ne peuvent pas conduire à leur gré hors de chez eux. Dès qu'un malade a fermé les yeux, ses parents entourent la case et tirent des coups de fusil depuis le soir jusqu'au matin pour éloigner les mauvais génies qui voudraient enlever son corps ; le lendemain, on revêt le cadavre de ses plus beaux vêtements, on l'enferme dans un cercueil tout comme un chrétien, et on va l'enterrer hors du village. S'il est riche, on le conduit en grande pompe auprès de ses aïeux, qui l'attendent dans un tombeau particulier rangés dans des bières d'un bois précieux ; s'il n'appartient pas à une famille distinguée, on construit une case sur le lieu même de sa sépulture, et, devant cette case, on suspend à une perche les cornes des bœufs qui ont été immolés pendant sa maladie pour obtenir sa guérison et à l'occasion même de sa mort. Ils prétendent que le défunt peut prendre la forme d'un mauvais génie, apparaître à ceux qui l'ont connu et leur parler en songe. Nous avons des esclaves de Madagascar qui entretiennent des relations suivies avec les gens de l'autre monde, et ces apparitions, si elles se renouvellent souvent, sont cause que le chagrin s'empare d'eux, la maladie du pays les prend, ils meurent avec l'espoir de retourner près de ceux qui les appellent. Enfin, ils croient aussi qu'un mort recommence quelquefois à vivre sous la forme d'un animal, d'une plante ; ce qu'il y a de certain, c'est qu'on a vu des serpents sur la tombe d'un chef célèbre par ses cruautés, et tous les traitants vous diront que dans la baie d'Antongil, près du port Choiseul, au pays des Antavarts, il a poussé, sur le lieu même où fut enseveli un autre chef renommé par ses vertus et sa bienfaisance un magnifique badamier. Vous savez bien, messieurs, que le badamier donne de bons petits fruits en abondance et qu'il étend ses branches comme les bras d'un prêtre qui bénit. Il y a bien des choses encore plus extraordinaires dans cette grande île, où l'on trouve plus de vingt peuples différents, les uns bruts et sauvages, les autres intelligents et susceptibles d'être instruits, ceux-ci crépus comme des Cafres, ceux-là coiffés de longs cheveux comme les Hindous de Pondichéry. Quel dommage qu'il soit si difficile de s'y acclimater ! Mais le pays des noirs ne peut convenir aux blancs, et vous voyez que les noirs ne s'accoutument guère à vivre chez nous, puisqu'ils aiment tant à prendre le chemin de la montagne. À force de courir dans les hauts de l'île, ils découvrent à la vérité de jolis endroits, et cette Plaine aux Palmistes d'où nous venions de les déloger serait devenue pour eux un paradis, si on les y eût laissés vivre en paix. Chassés de cette première station, ils se replièrent sur une autre plus élevée, mieux défendue, se promettant sans doute de prolonger notre course de manière à nous ôter le goût de ces expéditions. Tandis qu'ils fuyaient de tous côtés, nous les poursuivions tranquillement, avec ordre, développés sur une ligne battant les buissons, sondant le creux des rochers. La végétation devenait plus rare, le pays plus sauvage. Nous ne rencontrions déjà plus de *bois de pomme* ; autour des rochers qui s'élèvent en pain de sucre, les *bois noirs* groupés en touffes serrées, répandaient une ombre abondante ; ces arbres-là poussent toujours de compagnie, même au milieu des pierres. Quand on les voit au flanc des montagnes du fond de la plaine, on les prendrait pour des petites plantes pareilles à celles qui tapissent le devant de cette grotte.

– Comme tous ceux de cette famille si variée et si gracieuse, dis-je au créole, ils se plaisent dans les terres légères ; remarquez comme les feuilles de ce bois noir (qui n'est autre chose que la *mimeuse hétérophylle*), aussi finement découpées que celles du mimosa de l'Inde, tremblent à la moindre brise. Un vent trop vif les dessécherait ; voilà pourquoi elles s'abritent les unes les autres en formant des berceaux naturels. – Et ce *bois de pomme*, que vous me permettrez de nommer *tambourissa quadrifida*, reprit le docteur, offre un singulier phénomène de fructification. La fleur qui se développe sur le vieux bois, sur le tronc même de l'arbre, a la forme d'un grain de raisin ; elle se partage en quatre divisions qui présentent elles-mêmes une foule de fleurs partielles, se referme un peu après l'épanouissement, s'accroît, et se change en une grosse pomme qui n'est jamais complètement fermée.

– C'est bien possible, dit Maurice, et avec les petites graines, pareilles à des amandes, on fait une jolie teinture rouge. Au-dessus de cet arbre-là, on trouve encore celui que vous venez de nommer qui a la feuille si délicate, et dont les chèvres sauvages aiment à brouter les jeunes pousses. Les noirs marrons se cachent volontiers sous leur ombre, et, pour peu qu'ils eussent des armes à feu, je vous demande comment on pourrait les en déloger ? Avec cela, le terrain est souvent coupé de torrents, embarrassé de quartiers de rocs ; l'herbe cache des trous profonds dans lesquels on tombe tout de son long sur des pierres, le fusil d'un côté, le chapeau de l'autre. Pendant ce temps, le noir que vous poursuivez vous allonge un coup de bâton, ou tout au moins s'esquive.

– Nous avions cerné un de ces bois où les fugitifs venaient de se rallier ; ils nous y glissèrent entre les mains, descendirent un coteau à pic, au fond duquel coule une rivière, et, sans savoir où irait aboutir cette battue, nous les suivîmes au pas de charge. À mesure que nous avancions, la colère nous donnait des forces, et moins nous avions de chances d'arrêter les déserteurs, plus il devenait probable que nous finirions par en tuer quelques-uns à coups de fusil. Le Malais qui avait donné l'alarme au camp de la plaine courait surtout grand risque de recevoir une balle. Dans l'île entière, on le redoutait à cause de la férocité assez naturelle à sa race et de ses méfaits particuliers : convaincu de meurtre, il s'était enfui de la prison et se conduisait en vrai bandit qui n'a plus rien à ménager. Amené jeune dans la colonie par des négriers de contrebande qu'on soupçonnait de piraterie, il y jetait le désordre et la confusion par ses vengeances hardies. Avec de pareils esclaves, on ne pourrait jamais vivre en sûreté. Dieu merci ! ils sont peu nombreux. La couleur du Malais, moins foncée que celle de ses compagnons, le trahissait même dans l'ombre qui cachait les autres, mais l'incroyable agilité de ses mouvements, la rapidité de sa course, le mettaient à l'abri des dangers auxquels il s'exposait comme à plaisir.

– Dans cette retraite précipitée, les noirs paraissaient se réunir sur un seul point, pour franchir le torrent avant que nous pussions leur barrer le chemin. Un vieil arbre jeté en travers sur le ravin leur servait de pont ; mais comme cet arbre était vermoulu, il fallait qu'ils passassent l'un après l'autre, sous peine de le rompre. Sur les deux rives, de hautes fougères tapissaient le sol ; l'humidité des eaux, qui forment des cascades au fond du précipice, entretient presque jusqu'au sommet de l'escarpement une végétation vigoureuse. Au milieu de ces masses de bois, les nègres couraient, disparaissaient à nos yeux, et nous avions bien du mal à nous guider vers un point qu'il n'était pas toujours possible de découvrir. Arrivé le premier sur la rive opposée, le Malais, au lieu de continuer sa course, sembla attendre ses compagnons ; ceux-ci filaient lestement, empressés de se jeter dans les halliers où ils espéraient se disséminer afin de se soustraire à nos recherches, et avoir ainsi le temps de gagner, par-delà les montagnes voisines, d'autres camps inaccessibles. À mesure que l'un d'eux posait le pied sur l'autre bord du ravin, on eût dit qu'il retrouvait une vigueur nouvelle ; tous ces coteaux abrupts, sauvages, couverts de broussailles au-dessus desquelles de gros arbres dressent leurs branches à moitié mortes, représentaient pour la bande en déroute le vrai pays de l'indépendance vagabonde. Une fois là, les marrons se sentaient chez eux. Nous faisions feu, quoique de bien loin, et, au bruit de la détonation doublé par les échos des roches escarpées, nous voyions frissonner et chanceler celui qui se trouvait suspendu sur l'abîme ; mais l'oiseau que l'on tire au vol, à une trop grande distance, secoue ses ailes par un saisissement de frayeur, puis il plane de nouveau et s'éloigne, sans même laisser tomber une plume.

Pendant que les uns envoyaient d'en haut des balles perdues, les autres marchaient le plus vite possible à travers les branches, et le retard causé par le passage du pont nous avait rapprochés des fuyards. Chacun d'eux, ignorant s'il ne se trouvait pas derrière lui un camarade attardé, et talonné d'ailleurs par notre mousqueterie, se lançait dans les bois en poussant des cris sans regarder en arrière ; ce qui fit que le pont ne fut pas rompu. Au moment de le franchir nous-mêmes, nous réglâmes l'ordre de la marche ; celui qui passa le premier, ce fut un vieux créole, grand chasseur, qui connaissait mieux que personne les sentiers de la montagne. Il en voulait particulièrement à ce démon de Malais qu'il accusait d'avoir coupé ses girofliers par le pied, et nous ne lui contestâmes point le droit de se venger lui-même, s'il en trouvait l'occasion.

Les hurlements des noirs retentissaient encore ; mais on n'en voyait plus un seul. Le vieux chasseur s'élança hardiment sur le pont en se servant de son fusil comme d'un balancier ; il arpentait avec ses longues jambes ce tronc d'arbre pourri par les eaux et déjà un de mes compagnons allait le suivre, quand une secousse violente imprimée à ce pont fragile le fit rouler au fond de l'abîme avec un fracas épouvantable : le Malais, embusqué dans les fougères, l'avait frappé d'un vigoureux coup de talon, mais un peu trop tard, car le créole put franchir l'espace qui le séparait de la rive, à l'instant où l'arbre manquait sous lui. En sautant à terre, il saisit le Malais, et une lutte s'engagea entre eux, un véritable combat corps à corps. « Tirez, tirez, vous autres, criait le créole, je suis dessous ! » Le torrent, qui roulait à grand bruit nous empêchait d'entendre distinctement ses paroles, et dans les hautes herbes nous ne démêlions rien autre chose que les mouvements désespérés des deux adversaires. Sur ce groupe de deux hommes, l'un ami, l'autre ennemi, qui cherchaient à s'arracher la vie si près de nous, nous hésitions à faire feu ; chacun disait à son voisin de tirer, et personne n'osait prendre ce parti extrême. Enfin il nous arriva un cri si perçant, que mon père se décida à ajuster la tête du Malais dès qu'il la distingua nettement. Deux fois il redressa le canon de son fusil ; deux fois, pâle et tremblant, il l'abaissa dans la direction que suivaient nos regards. Le coup partit, et un rugissement hideux qui en fut la réponse nous fit frissonner. Sans aucun doute le Malais était blessé ; nous le vîmes bondir et saisir avec ses dents le bras de son adversaire qui lui serrait la gorge, enlacer ses jambes dans les siennes et l'entraîner au bord du précipice. Mon père brisa son fusil avec rage, et à ce moment-là je fermai les yeux.

Quand je les rouvris, je vis tous mes compagnons qui se penchaient sur le torrent sans prononcer un seul mot ; j'allongeai la tête, et je ne distinguai rien que l'écume de l'eau qui bouillonnait, je n'entendis rien que le bruit des cascades, qui montait d'en bas. Nous restâmes là quelque temps encore, comme pour dire adieu à notre compagnon et puis nous reprîmes la route de nos quartiers. Nous traversâmes tristement les plaines, les ravins, les sentiers pénibles que nous avions parcourus les jours précédents avec une joyeuse ardeur. Celui que nous venions de perdre dans la campagne ne laissait point de famille après lui ; mais c'était un bon compagnon, un de ces anciens créoles des hauts de Saint-Benoît qui aiment à se plonger dans les parties solitaires de l'île, qui s'entendent à pêcher dans les baies, dans les bassins profonds des rivières, aussi bien qu'à dépister les chèvres sur les mornes.

À mesure que nous descendions vers le village, chacun se séparait pour regagner son toit. Mon genou enflait à vue d'œil, et cependant, comme je touchais au terme de ma course, la douleur et la fatigue ne m'empêchaient point de hâter le pas. Pour nous, messieurs, qui ne faisions jamais de grands voyages, une expédition de quelques jours dans le creux de ces montagnes inhabitées équivaut presque à une campagne lointaine ; l'absence nous semble longue. Quand j'aperçus les cases du hameau disséminées sous les arbres, à travers les jardins, sous un beau soleil, à mi-côte, en face d'une mer étincelante, je sentis mon cœur se gonfler. Puis, il me vint à l'esprit que bien des choses avaient dû se passer pendant cet intervalle, et à la joie du retour se mêla une inquiétude que je ne pouvais surmonter. À une demi-lieue du village, nous rencontrâmes un de nos voisins qui aborda mon père ; ils causèrent ensemble, et je profitai de cet instant pour aller cueillir de jolies fleurs qui croissaient dans la mousse, à l'ombre des haies. J'en fis un bouquet que je cachai sous ma veste.

Ici le créole caressa son chien d'un air pensif, comme un homme rejeté tout à coup vers des souvenirs d'un autre âge. – Pourquoi cachiez-vous ces fleurs, Maurice ; lui demandai-je sans affectation, mais en le regardant pour découvrir les traces d'un sentiment plus doux qui se trahissait à demi sous sa peau bronzée.

– Je les cachais, répondit-il, parce que je ne voulais pas qu'elles fussent vues d'une autre personne que celle à qui je les destinais ; j'y voulais joindre de ces belles roses de Bengale qui fleurissent ici autour des habitations, le long des chemins, et puis le soir même je serais allé les porter chez un voisin, un planteur de café qui avait six noirs, un grand terrain et une fille de quatorze ans, blanche et blonde… Mon père devinait peut-être ce que je faisais dans le bois, mais il n'eut pas l'air d'y prendre garde. Quand je revins près de lui, il me dit d'une voix assez triste : « Mon garçon, tu sais bien le Malgache que notre ami a acheté à bord de *la Diane* ? – Oui, un camarade des nôtres ! – Eh bien ! il est *parti marron*, et je parierais que mon ouvrier l'a suivi ! »

Nous hâtâmes le pas ; quand on se doute d'un malheur, on est pressé de savoir la vérité. La porte de la case était fermée ; nous appelâmes César, notre Malgache ; César ne répondit pas. Nous courûmes autour du jardin, mais tout paraissait si tranquille et si désert, qu'on eût dit une habitation abandonnée depuis un mois. Mon père alla au village prendre des informations, et moi, sans trop savoir ce que je faisais, je me mis à descendre sur la plage. Je m'assis au fond de l'anse où *la Diane* avait mouillé pour débarquer ses noirs, et je jetai mon bouquet dans la mer en pleurant… César venait d'emporter ma dot avec lui dans les mornes !

V

J'étais ruiné, continua Maurice, et, ce qu'il y a de pis, ruiné avant d'avoir eu le plaisir d'être riche. Il fallut se résigner à regarder comme perdus les esclaves fugitifs dont on ne recevait plus aucune nouvelle ; les marrons, si rudement chassés dans la dernière campagne, se tenaient tranquilles sur tous les points. Établis par petits camps distincts, ils demeuraient cantonnés au cœur de l'île, dans ces régions sauvages qui se composent d'escarpements à pic, entièrement couverts de bois, de précipices, de torrents tour à tour desséchés et remplis, enfin de plaines étagées à diverses hauteurs, les unes suspendues comme des terrasses au-dessus de vallées profondes, les autres hérissées de ces plantes que nous appelons calumets. On dit que des flibustiers d'Amérique ont apporté de leurs colonies ce mot par lequel nous désignons un roseau dix à douze fois plus long que ma carabine, entouré à chaque nœud d'une double feuille sans cesse agitée par le vent, terminé par ces tiges vertes et solides qui nous servent à garnir le tuyau de nos pipes. Ces calumets ne poussent qu'à une grande élévation ; les Noirs qui manquent d'armes dans la montagne, percent ces roseaux comme un canon de fusil et y introduisent des graines sauvages qu'ils lancent contre les petits oiseaux pour les tuer.

Un jour que je travaillais à terminer une pirogue commencée par César, une jolie embarcation capable de porter la voile, mon père me demanda si j'avais remarqué sur la poitrine de ce noir une toute petite cicatrice. Je me le rappelais parfaitement. – Eh bien ! ajouta mon père, l'autre Malgache en avait une toute pareille ; voilà pourquoi ils sont partis ensemble ; ils ont *fait frères* ! Et il m'expliqua cette coutume de Madagascar, ce serment du sang, cette alliance contractée entre deux personnes qui s'obligent à se secourir mutuellement jusqu'à la mort. Quand deux amis veulent s'unir de cette façon indissoluble, ils se font au creux de l'estomac une petite blessure et imbibent avec le sang qui en découle deux morceaux de gingembre ; l'un mange le morceau teint du sang de l'autre. Les témoins pratiquent encore diverses cérémonies ; le plus âgé frappe les deux nouveaux frères avec une sagaie et leur fait répéter un serment terrible dont la dernière phrase est ainsi conçue : « Que le premier de nous qui violera sa promesse soit écrasé par le tonnerre ; que la mère qui l'a mis au monde soit dévorée par les chiens ! » Il y a des Blancs qui ont ainsi *fait frères* avec les chefs de l'île, et cette alliance leur a, dans plus d'une circonstance, sauvé la vie…

J'essayai de faire comprendre au Créole que l'histoire de la Chine offre de ces beaux exemples de fraternité, que la Grèce antique avait honoré ces dévouements sublimes dont les poètes nous ont transmis le souvenir, et qu'enfin l'échange des noms en usage à Tahiti représentait assez bien cette union intime entre deux personnes qui se lient volontairement dans le but de se défendre et de se soutenir ; mais, comme tous les gens de peu d'éducation, l'honnête Maurice recevait difficilement les impressions qu'on essayait de lui communiquer en dehors du cercle fort limité de ses connaissances. Pareil au ruisseau qui court trop vite pour remplir ses bords et passe à peine visible au fond du ravin, son esprit rapide et pour ainsi dire concassé franchissait d'un bond les idées qui, en le modérant un peu, l'eussent contraint à monter.

– Cela se peut bien, me répondit-il avec naïveté, et il reprit vivement la suite de son récit. – Ce noir intelligent, rusé, alerte, n'aurait-il point la fantaisie de s'emparer d'une chaloupe sur la côte et de chercher à s'enfuir vers sa grande île de Madagascar ? Nous le craignions dans notre village, et si une bande hardie se joignait à lui pour tenter l'entreprise, ne viendrait-il pas à l'idée de ces brigands, de brûler les habitations pour nous empêcher de les poursuivre ? Ces inquiétudes nous tenaient dans de continuelles alarmes ; chaque jour, nous nous attendions à voir reparaître ces marrons devenus invisibles. Tandis que nous dormions à peine dans nos maisons, le Malgache César et son frère adoptif vivaient paisiblement ici même, dans cette grotte. Personne ne la connaissait alors : bien des fois on s'en était approché en faisant des battues ; mais les marrons qui l'habitaient, au lieu de l'aborder par le côté et de se trahir en foulant l'herbe tout à l'entour, y arrivaient au moyen d'une grosse liane. Ils se suspendaient à cette corde naturelle, à cette tige qui avait poussé là exprès pour eux, se laissaient glisser le soir au fond du ravin et rentraient au matin de la même façon, dès que la dernière étoile s'éteignait au sommet des mornes. Sur les rochers, leurs pieds ne laissaient pas la moindre empreinte. Celui qui leur avait indiqué cette retraite si sûre, c'était le vieux Quinola, le Malgache à cheveux blancs qu'on ne savait où prendre. Après s'y être caché lui-même pendant bien des années, sans amener à sa suite aucun Noir des bandes, il y avait appelé César, parce que celui-là appartenait à la même famille que lui, et le frère adoptif de César, l'autre Malgache, trouvait de droit un asile auprès d'eux.

Je ne sais au juste si Quinola était un sorcier, comme le disaient les esclaves de son pays ; mais il avait juré de ne pas mourir dans l'île. Quand la saison des pluies commença à accumuler des nuages autour des mornes, et à rendre les sentiers plus difficiles, il conduisit les deux jeunes noirs au fond d'un ravin boisé, au centre des montagnes, à peu près à l'endroit où les malades vont aujourd'hui boire les eaux de la source des Salazes. Là, il leur montra un gros arbre, d'une belle venue, d'une écorce lisse et fine, sans mousse, qui croissait au bord du précipice ; il leur mit en tête d'en faire une pirogue. « Avec cela, leur disait-il, nous voguerons vers notre pays natal. Nous sortirons de cette île, dans laquelle on nous traque comme des chacals ; je suis bien vieux, mes enfants, et je vous conduirai. Les étoiles qui tournent autour des mornes éclairent aussi nos cabanes ; elles nous guideront. Je suis venu de Madagascar ici en trois jours !... À trois jours de cette prison, de ces bois d'où nous ne pouvons sortir, de cette petite île où nous n'avons pas une nuit de paix, à trois jours d'ici, la grande île avec nos familles ! Pour vous, une femme et des enfants ; pour moi, une place auprès de mes ancêtres, qui étaient riches et vénérés !... »

Il parlait mieux que cela, le vieux noir ; c'était un savant de son pays ; avant de partir dans les mornes, il composait des chansons que les esclaves malgaches chantent toujours en coupant les cannes à sucre. Les deux frères ne répondirent rien, et ils obéirent. Au milieu du fracas de la mousson, qui amène le tonnerre avec les pluies, ils abattirent le grand arbre, le dégagèrent de ses branches, mesurèrent la longueur d'une pirogue à trois personnes, et se mirent à creuser courageusement. C'était une rude besogne. Réduits à camper loin de cette grotte, qui leur eût offert un abri contre la mauvaise saison, tantôt sous des roches humides, tantôt dans les herbes imprégnées d'eau ; contraints de se tenir en garde contre toute surprise le jour et la nuit, de se cacher aux regards des traîtres et des espions, à ceux de leurs camarades établis çà et là dans les montagnes, ils se hâtaient. César taillait l'esquif à grands coups de hache, son frère en creusait l'intérieur avec du feu, et le vieillard les animait par ses récits. L'âge commençait à le faire radoter ; il y avait un peu de folie dans ses discours, dans ses chansons, qu'il répétait la nuit, tandis que les deux jeunes gens changeaient ce gros arbre encore vert en un petit bateau qui devait les transporter tous dans leur pays natal ; mais ils l'honoraient comme un père. Ils l'écoutaient avec respect, ils le couvraient de leur vêtement, de peur qu'il n'eût froid, et souffraient volontiers pour lui. Au fond, ils ne croyaient peut-être pas à la réussite de leur entreprise. Dites-moi, messieurs, si César n'aurait pas été plus agréablement avec nous ? Nous le traitions bien ; au bout de quelques années, il aurait pu se racheter, travailler à son compte ; il finissait par être libre, et moi je commençais à être heureux !

La pirogue s'acheva en peu de temps ; elle n'était pas faite à point comme les nôtres, mais dégrossie et assez bien tournée pour flotter. D'ailleurs il fallait qu'ils ne perdissent pas de temps ; Quinola se sentait faiblir, et il leur disait : « Courage, mes enfants ; vous ne me laisserez pas mourir ici ! » Lorsque l'esquif fut prêt, il s'agit de le transporter jusqu'à l'endroit où la rivière commence à être navigable, et cela la nuit, par des sentiers boueux, par des fondrières, à travers les halliers. Les deux jeunes noirs faisaient là de rudes corvées ; mais quand on travaille pour soi, on ne se plaint jamais : le nègre, si paresseux de sa nature, qui s'endort sous les girofliers dont il cueille le fruit, au milieu des cannes qu'il coupe, ne plaint pas sa peine quand il a dit adieu au maître et au commandeur. Pas à pas, à petites journées, les Malgaches descendirent le long du torrent, traînant leur pirogue à terre, la portant sur leurs épaules, la renversant au milieu des fougères pour s'en faire un abri ; ils guidaient par la main le vieux sorcier, qui se voyait déjà en route pour Madagascar, et la tête lui tournait. Il chantait comme un enfant, si bien que les deux frères lui disaient quelquefois : « Pas si haut, père, pas si haut ; nous approchons d'un village d'un village, les chiens jappent. »

Enfin César lança son bateau sur la rivière en tremblant ; il l'essaya, le fit aller et venir avec l'aviron ; l'eau portait bien la pirogue de bois vert. Quinola s'assit à l'une des extrémités, notre ancien esclave prit place à la proue et rama tout doucement ; l'autre noir les suivait en marchant à terre, et il regardait avec une grande joie passer derrière les joncs, comme une ombre, ce petit bateau qui, à la rigueur, eût été bon pour voguer sur ces paisibles ruisseaux. Ennuyé lui-même de courir sur le bord, il se jeta à l'eau, et accompagna, en nageant à grandes brasses, le jeune Malgache qui maniait vigoureusement ses avirons, le vieillard à tête blanche qui regardait le ciel sans rien dire.

Le courant, assez rapide, fit arriver bientôt la pirogue à la barre de cailloux que la mer, avec son reflux, pousse vers l'entrée de la rivière. Il était environ minuit ; les fugitifs avaient évité un premier danger en glissant avec adresse au milieu des roches qui encombrent çà et là le lit du torrent. Les nuages, enroulés autour des mornes comme une fumée, laissaient à découvert une partie du ciel ; il y avait assez de clarté sur les eaux pour qu'un rameur pût se guider, et aussi assez d'ombre à terre pour qu'il s'y cachât quelque piège. Si un pêcheur s'était trouvé là, jetant ses lignes par cette nuit orageuse ! Déjà la mer, en murmurant sur la plage, disait aux Malgaches qu'ils allaient libres.

Avant d'aborder les *grandes eaux*, les deux jeunes gens accomplirent une cérémonie de leur pays ; le pilote, c'est-à-dire César, prit de l'eau dans une feuille de *ravenala*, se mit dans la mer jusqu'aux genoux, aspergea les bords de la pirogue et supplia les vagues, à mains jointes, de les porter sans accident jusqu'à leur île, de les protéger contre les négriers, contre les écueils, contre les monstres de l'Océan. Cela fait, il courut enterrer sous le sable la feuille dont il s'était servi, et poussa au large avec son aviron. Ce *ravenala*, qu'on appelle ici l'arbre du voyageur, est comme sacré aux yeux des Malgaches, parce qu'il contient une grande quantité d'eau excellente à boire, même quand il croît dans des terrains marécageux à moitié salins.

– C'est un *musa*, dit le docteur, qui semblait sommeiller depuis quelque temps, c'est un *musa* ; réunissant au plus haut degré deux caractères du genre, il est essentiellement *aquosus* et *fongosus*.

– Une pirogue est bien basse sur l'eau, reprit Maurice ; il suffisait aux trois Malgaches d'avoir mis quelques milles entre eux et la côte pour être sauvés. Quand le soleil parut, l'île se montrait à eux comme une seule montagne, verte aux pieds, grise à la cime, entourée sur la rive d'une ceinture d'écume, avec un dais de nuages au-dessus de ses mornes. Les marrons des hautes plaines causaient peut-être à ce moment-là du vieux sorcier, tout en regardant sur l'eau ce point noir qui s'éloignait ; mais si on s'occupait encore de Quinola dans les habitations où il s'était fait craindre et aux camps des noirs où il apparaissait de temps à autre comme un homme extraordinaire, lui, il ne disait plus un seul mot depuis le moment où César l'avait assis dans la pirogue.

Naviguer dans la mauvaise saison autour de notre île n'est pas toujours chose facile pour les grands bâtiments ; comment une petite pirogue, à peine ébauchée, aurait-elle pu résister à la lame ? Bientôt les deux rameurs s'aperçurent que le bois vert, trop pesant, s'enfonçait de plus en plus. À la première brise qui vint à souffler, l'eau salée mouilla leurs provisions. Ne sachant plus vers quel point de l'horizon diriger leur course, ils se laissèrent entraîner sous le vent de l'île ; ce n'était point la route pour aller à Madagascar ! Le petit esquif flottait si peu après un jour de navigation, que les jeunes Malgaches, craignant de le voir sombrer, le suivirent à la nage l'un après l'autre. Leurs forces s'épuisèrent, la bourrasque les chassait au hasard, les torrents de pluie tombaient sur eux du haut du ciel ; la mer les battait comme des algues que le flux promène au fond des baies. Peu de temps après leur départ, un navire les rencontra : celui qui était dans la pirogue ne ramait plus ; l'autre, accroché à la poupe, levait péniblement la tête au-dessus des eaux. Quand on les héla, ils semblèrent se réveiller ; on les vit se serrer la main, puis plonger ; les matelots du navire s'attendaient à les voir bientôt reparaître, mais ils ne revinrent point à la surface des vagues.

Le vieux Quinola restait seul sur la pirogue ; le capitaine du navire envoya un canot vers lui, parce qu'il ne répondait point à ceux qui l'appelaient, et ils l'auraient appelé longtemps. Si les autres avaient plongé, c'est que Quinola était mort, bien mort, non pas à Madagascar comme il l'espérait, mais enfin hors de l'île, comme il le voulait à toute force.

– Et qui vous a raconté cette dernière partie de l'histoire ? demandai-je au créole.

– Un noir marron, qui avait rendu quelques services à Quinola ; celui-ci, en partant, lui légua sa grotte. Depuis bien des années, ce nègre déserteur hante la montagne et les mornes ; son maître n'existe plus, on le laisse vagabonder en paix. D'ailleurs, il ne se montre que quand il veut ; lorsque nous chassons là-haut, il nous aborde quelquefois, en offrant de nous servir de guide. C'est lui sans doute que nous avons mis en fuite ce soir, voilà pourquoi j'ai tiré en l'air ; mais il était plus prudent de faire feu, car il y en a d'autres par ici.

– Dans votre île, la Providence n'a mis ni reptiles, ni bêtes féroces, répliqua le docteur ; il était réservé aux Européens d'y donner naissance à une variété de l'espèce humaine que j'appellerais volontiers l'homme des bois.

LECONTE DE LISLE

SACATOVE

(1846)

SACATOVE

Il n'appartient qu'aux œuvres vraiment belles de donner lieu aux imitations heureuses ou maladroites. Ce sont autant d'hommages indirects rendus au génie, et qui n'ont pas fait défaut au plus gracieux comme au plus émouvant des poèmes, *Paul et Virginie*, que Bernardin de Saint-Pierre appelait modestement une pastorale. Pastorale immortelle à coup sûr, où l'exactitude du paysage et des coutumes créoles ne le cède qu'au charme indicible qui s'en exhale. Les quelques lignes qui suivent n'ont aucun rapport, quant au fond, avec l'histoire touchante des deux Mauriciens. La scène se passe cette fois à Bourbon et l'époque n'est plus la même. Cependant le voisinage des deux Îles, que trente-cinq lieues séparent à peine, amènera entre le poème de Bernardin et ce récit de la mort romanesque d'un Noir célèbre par son adresse, son courage et son originalité, quelques analogies nécessaires de description – sauf les différences du sol, différences souvent essentielles, comme on en peut juger.

L'Île Bourbon est plus grande et plus élevée que l'Île Maurice. Ses cimes extrêmes sont de dix-sept à dix-huit cents toises au-dessus du niveau de la mer ; et les hauteurs environnantes sont encore couvertes de forêts vierges où le pied de l'homme a bien rarement pénétré. L'Île est comme un cône immense dont la base est entourée de villes et d'établissements plus ou moins considérables. On en compte à peu près quatorze, tous baptisés de noms de saints et de saintes, selon la pieuse coutume des premiers colons. Quelques autres parties de la côte et de la montagne portent aussi certaines dénominations étranges aux oreilles européennes, mais qu'elles aiment à la folie : *l'Étang salé, – les Trois Bassins, – le Boucan Canot, – l'Îlette aux Martins – la Ravine à malheur, – le Bassin bleu, – la plaine des Cafres*, etc. Il est rare de rencontrer entre la montagne et la mer une largeur de plus de deux lieues, si ce n'est à la *savane des Galets,* et du côté de la rivière Saint-Jean, l'une sous le vent l'autre au vent de l'Île. Au dire des anciens Créoles, la mer se retirerait insensiblement, et se brisait autrefois contre la montagne elle-même. C'est sur les langues de sable et de terre qu'elle a quittées qu'ont été bâtis les villes et les quartiers. Il n'en est pas de même de Maurice, qui, sauf quelques pics comparativement peu élevés, est basse et aplanie. On n'y trouve point les longues ravines qui fendent

Bourbon des forêts à la mer, dans une profondeur effrayante de mille pieds, et qui, dans la saison des pluies, roulent avec un bruit immense d'irrésistibles torrents et des masses de rochers dont le poids est incalculable. La végétation de Bourbon est aussi plus vigoureuse et plus active, l'aspect général plus grandiose et plus sévère. Le volcan, dont l'éruption est continue, se trouve vers le sud au milieu de mornes désolés, que les Noirs appellent le *Pays brûlé.*

Vers 1820, un négrier de Madagascar débarqua sa cargaison humaine entre Saint-Paul et Saint-Gilles. Les lots furent faits et distribués sur le sable, puis chacun remonta la montagne avec ses nouveaux esclaves. Parmi ceux qui suivirent leur maître sur les bords de la ravine de Bernica, il y avait un jeune Noir qui sera, si le lecteur veut bien le permettre, le héros de cette histoire, pour le moins aussi véridique que les aventures du poème mauricien.

Sacatove était d'un naturel si doux et d'un caractère si gai, il s'habitua à parler créole avec tant de facilité, que son maître le prit en amitié. Durant quatre années entières il ne commit aucune faute qui pût lui mériter un châtiment quelconque. Son dévouement et sa conduite exemplaire devinrent proverbiaux à dix lieues à la ronde. Son maître le fit commandeur malgré son âge, et les Noirs s'accoutumèrent à le considérer comme un supérieur naturel. Tout allait pour le mieux dans l'habitation, quand, un beau jour, Sacatove disparut et ne revint plus. Les recherches les plus actives furent inutiles, et deux mois ne s'étaient pas écoulés, qu'il était oublié.

La famille du Blanc dont il était l'esclave se composait d'un fils et d'une fille, de dix-huit et de seize ans. L'un était dur et cruel, quoique brave, comme la plupart des Créoles ; l'autre était indolente et froide, avec une peau de neige, des yeux bleus et des cheveux blonds. Le frère passait sa vie à chasser dans la montagne et dans les savanes ; la sœur vivait couchée dans sa chambre, inoccupée et paresseuse jusqu'à l'idéal. Quant au père, il fumait de trente à quarante pipes par jour, et buvait du café d'heure en heure. Du reste, il en savait assez sur toutes choses pour apprécier convenablement l'arôme de son tabac et celui de sa liqueur favorite. C'était, à tout prendre, un brave homme ; un peu féroce mais pas trop. La maison qu'ils habitaient sur leur habitation de Bernica était entourée de deux galeries superposées et fermées de persiennes en rotin peint. Il s'y trouvait quelques chambres à coucher, faites exprès pour les grandes chaleurs de janvier. C'était dans l'une d'elles que reposait ordinairement la jeune Créole. Un matin, ses négresses privilégiées, après avoir longtemps attendu le signal accoutumé, inquiètes de ce sommeil prolongé, ouvrirent la porte de l'appartement et n'y trouvèrent personne. Leur maîtresse avait disparu à son tour. La chambre était restée dans le même état que la veille, et rien n'avait été enlevé des objets de luxe qui la décoraient, si ce n'est tout le linge et la toilette de la jeune fille. Ce ne pouvait être qu'un rapt amoureux ; et, quoique le père et le fils ne soupçonnassent qui que ce soit, les aventures de cette sorte étaient trop fréquentes pour négliger les mesures promptes et énergiques.

Il était possible que le ravisseur se fût dirigé sur Maurice. Ils apprirent en effet qu'un navire était parti de Saint-Paul pour cette destination le jour même de l'enlèvement. Ce navire fut immédiatement suivi ; mais il n'avait fait que toucher l'île voisine, en continuant sa route pour l'Inde. Le père et le fils revinrent chez eux et attendirent patiemment que la fugitive leur donnât de ses nouvelles, bonnes ou mauvaises. Le premier n'en fuma pas moins de pipes ; le second n'en tua pas moins de perdrix et de lièvres. Tout marcha comme d'habitude dans la maison ; seulement il y eut une chambre inoccupée. Que le lecteur ne s'étonne pas de cette indifférence, et ne m'accuse point d'exagération. Le Créole a le cœur fort peu expansif et trouve parfaitement ridicule de s'attendrir. Ce n'est pas du stoïcisme, mais bien de l'apathie, et le plus souvent un vide complet sous la mamelle gauche, comme dirait Barbier. Ceci soit dit sans faire tort à l'exception, qui, comme chacun sait, est une irrécusable preuve de la règle générale. Ce fut à peu de temps de là qu'on entendit parler de Sacatove à l'habitation. Un Noir assura l'avoir rencontré dans les bois. Cette nouvelle fut bientôt confirmée d'une façon éclatante. Une bande de Noirs marrons dévasta les habitations situées aux approches de la forêt, et celle du maître de Sacatove ne fut pas épargnée. Une nuit, entre autres, l'appartement de la jeune fille enlevée fut si complètement dévalisé qu'il ne resta que les trois cloisons inamovibles, la persienne de rotin ayant aussi été emportée. Le détachement des *hauts* de Saint-Paul reçut l'ordre de poursuivre les marrons. Notre jeune Créole prit son meilleur fusil de chasse et suivit le détachement en volontaire. Ce que voyant, son père alluma une pipe et but quelques tasses de café en guise d'adieu.

Rien n'est beau comme le lever du jour du haut des mornes du Bernica. On y découvre la plus riche moitié de la partie sous le vent et la mer à trente lieues au large. Sur la droite, au pied de la Montagne-à-Marquet, la savane des Galets s'étend sur une superficie de trois à quatre lieues, hérissée de grandes herbes jaunes que sillonne d'une longue raie noire le torrent qui lui donne son nom. Quand les clartés avantcourrières du soleil luisent derrière la montagne de Saint-Denis, un liseré d'or en fusion couronne les dentelures des pics et se détache vivement sur le bleu sombre de leurs masses lointaines. Puis il se forme tout à coup à l'extrémité de la savane un imperceptible point lumineux qui va s'agrandissant peu à peu, se développe plus rapidement, envahit la savane tout entière ; et, semblable à une marée flamboyante, franchit d'un bond la rivière de Saint-Paul, resplendit sur les toits peints de la ville et ruisselle bientôt sur toute l'Île, au moment où le soleil s'élance glorieusement au-delà des cimes les plus élevées dans l'azur foncé du ciel. C'est un spectacle sublime qu'il m'a été donné d'admirer bien souvent, et c'est aussi celui qui se déroula sous les yeux du détachement quand il fit sa première halte, à six heures du matin, sur le piton rouge du Bernica, à 1 200 toises environ du niveau de la mer. Mais, hélas ! les Créoles prennent volontiers pour devise le *nil admirari* d'Horace[1]. Que leur font les magnificences de la nature ? que leur importe l'éclat de leurs nuits sans pareilles ? Ces choses ne trouvent guère de débouché sur les places commerciales de l'Europe ; un rayon de soleil ne pèse pas une balle de sucre, et les quatre murs d'un entrepôt réjouissent autrement leurs regards que les plus larges horizons. Pauvre nature ! admirable de force et de puissance, qu'importe à tes aveugles enfants ta merveilleuse beauté ? On ne la débite ni en détail ni en gros : tu ne sers à rien. Va ! alimente de rêves creux le cerveau débile des rimeurs et des artistes ; le Créole est un homme grave avant l'âge, qui ne se laisse aller qu'aux profits nets et clairs, au chiffre irréfutable, aux sons harmonieux du métal monnayé. Après cela, tout est vain, – amour, amitié, désir de l'inconnu, intelligence et savoir ; tout cela ne vaut pas un grain de café. Et ceci est encore vrai, ô lecteur, très vrai, et très déplorable ! Les plus froids et les plus apathiques des hommes ont été placés sous le plus splendide et le plus vaste ciel du monde, au sein de l'océan infini, afin qu'il fût bien constaté que l'homme de ce temps-ci est l'être immoral par excellence. Est-il, en effet, une immoralité plus flagrante que l'indifférence et le mépris de la beauté ? Est-il quelque chose de plus odieux que la sécheresse du cœur et l'impuissance de l'esprit en face de la nature éternelle ? J'ai toujours pensé, pour mon propre compte, que l'homme ainsi fait n'était qu'une monstrueuse et haïssable créature. Qui donc en délivrera le monde ?

Le détachement pénétra dans les bois. Eux aussi sont pleins d'un charme austère. La forêt de Bernica, alors comme aujourd'hui, était

---

[1] [Rien à admirer.]

dans toute l'abondance de sa féconde virginité. Gonflée de chants d'oiseaux et des mélodies de la brise, dorée par-ci par-là des rayons multipliés qui filtraient au travers des feuilles, enlacée de lianes brillantes aux mille fleurs incessamment variées de forme et de couleur, et qui se berçaient capricieusement les cimes hardies des *nates* et des *bois-roses* aux tubes arrondis des *papayers-lustres* ; on eût dit le jardin d'Arménie aux premiers jours du monde, la retraite embaumée d'Ève et des anges amis qui venaient l'y visiter. Mille bruits divers, mille soupirs, mille rires se croisaient à l'infini sous les vastes ombres des arbres, et toutes ces harmonies s'unissaient et se confondaient parfois de telle sorte que la forêt semblait s'en former une voix magnifique et puissante.

Le détachement passa silencieux, et le pas des chasseurs se perdit bientôt dans les profondeurs solitaires du bois. À une lieue de là environ, au milieu d'un inextricable réseau de lianes et d'arbres, la ravine de Bernica, gonflée par les pluies, roulait sourdement à travers son lit de roches éparses. Deux parois perpendiculaires, de 4 à 500 pieds, s'élevaient des deux côtés de la ravine Ces parois, tapissées en quelques parties de petits arbustes grimpants et d'herbes sauvages, étaient généralement nues et laissaient le soleil chauffer outre mesure la pierre déjà calcinée par les anciennes laves dont l'Île a gardé l'ineffaçable empreinte. Si le lecteur veut s'arrêter un moment sur la rive gauche de la ravine, il apercevra au milieu de la rare végétation dont je viens de parler une ouverture d'une médiocre grandeur, à peu près à la moitié du rempart. Avec un peu plus d'attention, ses regards découvriront une grosse liane noueuse qui descend le long du rocher jusqu'à cette ouverture, que ses racines solides ont fixée plus haut dans les crevasses de la pierre autour du tronc des arbres.

Il y avait là une grande caverne divisée en deux parties naturelles, dont la première était beaucoup plus vaste que la seconde, et à demi éclairée par quelques fentes de la voûte. L'ouverture était à peine franchie que la courbe du roc s'élançait à une hauteur triple de la largeur de cet asile, alors inconnu des Noirs marrons. Trois d'entre eux étaient assis dans un coin, et fumaient silencieusement.

Au hasard, pêle-mêle, accrochés ou roulant à terre, des fusils, des couteaux à cannes, des barils de lard salé, des sacs de riz, de sucre et de café, des vêtements de toutes sortes, des marmites et des casseroles, encombraient cette antichambre ou plutôt ce corps de garde de la caverne. En tournant un peu sur la droite et en soulevant une tenture de soie jaune de l'Inde, on pénétrait dans l'autre partie. Là brûlaient cinq ou six grandes torches de bois d'olive, dont les reflets rouges jouaient bizarrement sur les étoffes de couleur dont on avait tendu les parois du rocher. Chaises, fauteuils et divans meublaient cet étrange salon ; et, nonchalamment courbée, au fond, sur une riche *causeuse* bleue, vêtue de mousseline, calme et immobile, quoiqu'un peu pâle, dormait ou feignait de dormir une jeune fille blanche. À quelques pas d'elle, appuyé sur un long bâton ferré, Sacatove la contemplait avec sa physionomie insouciante et douce, en cambrant son beau torse nu.

La jeune fille fit un mouvement et ouvrit de grands yeux bleus. Sacatove s'approcha sans bruit et, se mettant à genoux devant elle, lui dit avec un accent de tendresse craintive :

– Pardon, maîtresse !

Elle ne répondit pas, et lui jeta un regard froid et méprisant.

– Pardon ! je vous aimais tant ! Je ne pouvais plus vivre dans les bois. Si je ne vous avais pas trouvée à la grande case, je serais plutôt revenu à la chaîne que de courir le risque de ne plus vous voir. Pardon !

– Il fallait revenir en effet, répondit la jeune fille. N'étais-tu pas le mieux traité de tous nos Noirs ? Pourquoi es-tu parti marron ?

– Ah ! dit Sacatove en riant naïvement, c'est que je voulais être un peu libre aussi, maîtresse ! Et puis, j'avais le dessein de vous emporter là-bas ; et quand Sacatove a un désir, il y a là deux cents bons bras qui obéissent. Je vous aime, maîtresse ; ne m'aimerez-vous jamais ?

– Va ! laisse-moi ; tu es fou, misérable esclave ! Sors d'ici ; mais non, écoute ! Ramène-moi à l'habitation, je ne dirai rien et demanderai ta grâce.

– Sacatove n'a besoin de la grâce de personne, maîtresse ; c'est lui qui fait grâce maintenant. Allons, soyez bonne, maîtresse, dit-il, en voulant entourer de ses bras le corps de la jeune fille.

Mais, à ce geste, celle-ci poussa un cri de dégoût invincible et se renversa si violemment en arrière que son front heurta le rocher. Elle pâlit et tomba sans connaissance. À ce cri perçant plusieurs négresses entrèrent à la hâte et la ramenèrent à la vie ; puis elles sortirent.

– N'ayez plus peur de moi, dit Sacatove à sa maîtresse ; demain soir vous serez à l'habitation.

– C'est bien, murmura-t-elle froidement ; je tiendrai ma parole et j'aurai ta grâce.

Sacatove sourit tristement et sortit. À peine avait-il franchi l'étroit sentier qui séparait les deux portes de la caverne, que les jambes nues d'un Noir parurent à l'ouverture de celle-ci et furent suivies du corps tout entier.

– Commandeur, cria-t-il aussitôt avec terreur, les Blancs ! les Blancs ! Alors, de tous les coins sombres de la caverne sortit, comme par enchantement, une centaine de Noirs, qui s'armèrent à la hâte.

– T'ont-ils vu ? demanda Sacatove au nouveau venu.

– Non, non, commandeur ; mais ils viennent par ici.

– Alors, silence ! ils ne trouveront rien.

On entendit en effet bientôt des pas nombreux au-dessus de la caverne, accompagnés de jurements et de malédictions ; puis, le bruit décrût et mourut entièrement.

– Pauvres Blancs ! dit Sacatove avec un mépris inexprimable.

Les Noirs poussèrent de grands éclats de rire à cette exclamation de leur chef.

– Demain, continua celui-ci, demain soir, entendez-vous, mademoiselle Maria, ma maîtresse, avec ses meubles et ses habits, sera de retour à son habitation.

Les Noirs firent des signes muets d'assentiment ; et Sacatove, approchant de l'ouverture de la caverne, prit son bâton entre ses dents, et disparut en gravissant le tronc noueux de la liane.

Le détachement descendait la montagne une heure après cette scène. Le frère de Maria s'était attardé de quelques pas pour abattre un beau piéjaune qu'il se baissait pour ramasser, quand il se sentit renversé sur le ventre par une force bien supérieure à la sienne, et il entendit une voix bien connue lui dire en créole :

– Bonjour, maître ! Mademoiselle Maria se porte bien et vous la reverrez bientôt. Ne vous étonnez pas, maître, c'est moi, Sacatove. Mes compliments au vieux Blanc. Adieu, maître !

Le jeune Créole, rendu à la liberté de ses mouvements, se releva vivement et plein de rage, mais le Noir était déjà à trente pas, et quand il voulut le poursuivre, l'autre disparut dans le bois.

Le lendemain du jour fixé pour le retour de Maria, comme son père et son frère passaient sous sa fenêtre en fumant leurs pipes, ils l'y aperçurent tout à coup, et le premier s'écria :

– Comment ! c'est toi, Maria ! Et d'où viens-tu ?

– Plus bas ! répondit la jeune fille en se penchant en dehors de la fenêtre. J'ai été emmenée dans les bois par Sacatove, mais je lui ai promis sa grâce, qu'il faut lui accorder, de peur qu'il ne parle.

– Qu'il revienne ou que je le rencontre, dit le jeune homme, il ne parlera jamais.

Il ne comprit pas en effet ce qu'il avait fallu à Sacatove de force d'âme et de générosité pour se dessaisir d'une femme que nul au monde ne pouvait lui ravir. Il ne se souvint que du double outrage de son esclave et jura de lui en infliger le châtiment de ses propres mains. Il n'attendit pas longtemps. Un matin qu'il chassait sur les limites du bois, et au moment où il mettait en joue, Sacatove se présenta devant lui. Il était nu comme toujours, sans armes et les mains croisées derrière le dos.

– Bonjour, maître, dit-il, mademoiselle Maria se porte-t-elle bien ?

– Ah ! chien ! s'écria le Créole, et il lâcha le coup de fusil.

La balle effleura l'épaule du Noir qui bondit en avant, et saisissant le jeune homme par le milieu du corps, l'éleva au-dessus de sa tête comme pour le briser sur le sol. Mais ce moment de colère ne dura pas. Il le déposa sur les pieds et lui dit avec calme :

– Recommencez, maître ; Sacatove est malheureux maintenant ; il n'aime plus les bois, et veut aller au grand pays du bon Dieu, où les Blancs et les Noirs sont frères !

Le Créole ramassa froidement son arme, la chargea de même et le tua à bout portant. Ainsi mourut Sacatove, le célèbre marron. Sa jeune maîtresse se maria peu de temps après à Saint-Paul et l'on ne dit pas que son premier-né ait eu la peau moins blanche qu'elle.

EUGENE DAYOT

BOURBON PITTORESQUE

(1848)

AVANT-PROPOS

LA CHAPELLE EXPIATOIRE

Quel est celui dont le cœur, quelque mort qu'il soit aux douces affections d'ici-bas, quelque meurtri et déchiré qu'il fût par les déceptions et les douleurs de la vie, n'a pas conservé au milieu de son deuil et de sa solitude, comme une fleur toujours fraîche et parfumée, ce saint et pur sentiment, – l'amour du pays ?

Quel est celui qui en attendant le jour du retour, n'a pas laissé tomber sur la terre étrangère une larme de regret à la pensée de son clocher ? Quel est celui qui, après les longues années d'exil, ne s'est senti profondément ému en renvoyant la terre où il essaya ses premiers pas ?

Ô noble et puissant amour qui ne s'éteint jamais ! C'est vous qui faites battre mon cœur, c'est vous qui m'inspirez !

La Patrie !... Douce et sainte chose qui a un nom dans toutes les langues et dont la vue, comme le souvenir, chez tous les êtres heureux et malheureux, éveille les plus vives sensations.

Le Lapon même, cette créature déshéritée des dons du ciel, contemple avec bonheur son océan de glace, ses neiges éternelles sur lesquelles se sont ouverts ses premiers regards. Où ne regretterait-il pas ses traîneaux emportés par le renne agile ? Quels plaisirs lui offrirait l'attrait irrésistible de ses périlleuses chasses à l'ours et au loup terribles ? Quels palais aux lambris dorés remplaceraient pour lui la hutte froide et enfumée où sa mère le berçait de son chant monotone dans une peau d'élan ?

Le Kalmouck échangerait-il pour l'abondance et le sybarisme des peuples civilisés les vicissitudes de sa vie aventureuse ? Abandonnerait-il sans pleurs sa tente nomade, ses steppes arides et désolées, et ne rêverait-il pas sous un autre climat les fatigues de ses courses lointaines, les dangers de ses expéditions guerrières, les chants et le repos qui l'attendent à son retour dans la tribu ?

Le Cafre, cet Ismaël de la grande famille humaine, que la nature a fait naître sous un soleil de feu, sur des plages désertes et stériles, oublie-t-il jamais, même au sein du bien-être que, sous un autre ciel, le travail lui procure, les jours de labeur et d'oisiveté, de besoins et de satiété qu'il a comportés dans la patrie ? Oublie-t-il jamais ses hautes et noires montagnes où il disputait au tigre et à la panthère sa nourriture de chaque jour ?

Quelle autre musique que celle de ses instruments grossiers et barbares charmerait ses oreilles ? Ses chants et sa danse ne lui rappellent-ils pas sa terre lointaine ? Ne songe-t-il pas sans cesse aux fêtes de ses cabanes, aux délicieux ombrages du baobab, sous lesquels s'écoulaient ses longues heures d'indolence, la voluptueuse torpeur de la fumée du samba, le joyeux enivrement de son pétillant vin de palmier, l'horrible et sublime poésie de ses ouragans ?

On aime son pays comme l'on aime sa mère : pour nous il n'eut jamais ni torts, ni ennui, ni laideur ; qu'on l'outrage en lui jetant le mépris ou la moquerie, notre cœur en est triste et blessé. Ah ! c'est qu'un lien intime et fort nous unit au sol qui nous a vu naître, et ce n'est pas impunément que nous sommes fils de telle ou telle patrie ! Notre terre natale nous appartient comme nous lui appartenons ; c'est le passé et l'avenir, c'est la famille, c'est le toit paternel qui abrita notre enfance, où silencieux et recueillis, l'âme en proie à un vague sentiment de mélancolie, nous avons écouté parfois les longs sifflements du vent, la voix sourde ou éclatante de l'orage, le grondement imposant de l'Océan, le bruit monotone d'une pluie d'été ; c'est à elle que nous avons confié les ardentes pensées de nos jeunes amours ; c'est elle qui recouvre les restes chéris et vénérés de ceux qui sont allés avec nous ; c'est elle qui fut témoin de nos premières joies, la confidente de nos premières douleurs.

Tout y est ami, tout y est animé pour qui se souvient. Le grand arbre qui couvrit nos yeux de son ombre séculaire semble nous reconnaître et saluer notre retour d'un sourire affectueux.

Les ruisseaux semblent nous accueillir avec de doux et joyeux murmures.

L'église, cette vieille et intime amie de notre passé, nous reparaît avec sa physionomie grave et solennelle, comme celle du vieux curé dont nous aimions à entendre la douce et salutaire morale.

C'est dans sa nef, vaste et silencieuse, que nous retrouvons écrit le souvenir de chacun de nos jours de chrétien ; c'est là, dans un angle sombre, dont la quasi-obscurité rappelle les ténèbres de l'âme, que nous avons lavé par les eaux du baptême la tache originelle ; c'est ici qu'à genoux et repentant nous avons en tremblant fait l'aveu de nos premières fautes, et qu'heureux et purs nous en avons obtenu le pardon ; c'est plus loin, sur ces degrés respectés, l'âme inondée de foi et de béatitude, que nous avons été pour la première fois convives du banquet rédempteur ; c'est aux pieds de ces mêmes autels que nous avons devant Dieu associé à notre vie la vierge pure et bien-aimée, qui si longtemps dans nos songes venait nous parler d'amour, de bonheur, et d'avenir ; c'est encore là, dans ce triste espace, que nous avons mêlé nos prières et nos pleurs aux chants funèbres qui endormaient du sommeil éternel un ami, un parent adoré, et d'où nous sommes sortis avec un espoir de moins et un deuil de plus au cœur.

Enfin, tout dans la patrie nous parle d'autrefois, tout est plein des choses qui nous furent chères.

Et moi aussi je l'aime, ô mon île indienne ! Toi que la main de Dieu a jetée au milieu des immenses déserts de son Océan, comme une oasis où le pèlerin fatigué peut se reposer sous d'éternels et frais ombrages.

Je t'aime de l'amour d'un fils pieux et reconnaissant pour qui tu fus toujours riche d'attraits et de charmes, et dont l'orgueil ou l'ambition n'a jamais demandé une mère ni plus tendre ni plus belle ; je t'aime, parce que, toujours bonne et prodigue de tes dons, la tendresse inépuisable ne s'est jamais souvenue de l'ingratitude de beaucoup de ses enfants. Pauvre mère délaissée, tu as bercé leur enfance avec sollicitude, tu as nourri et satisfait leur insatiable avidité, et après avoir épuisé et desséché ton sein généreux, souvent ils te renient et t'abandonnent ; ils fuient loin de toi, te jetant pour adieu le dédain et l'oubli.

Je t'aime avec ton ciel opulent d'azur et d'étoiles, dont la splendeur n'a rien à envier à celle qu'offre le ciel si vanté de la poétique Italie.

Je t'aime avec ton tiède climat et tes brises embaumées, ton soleil éclatant, tes aurores fraîches et limpides, tes crépuscules doux et lumineux, ton atmosphère large et libre où la poitrine respire à l'aise l'air de l'espace, les jours purs et brillants où la vie se meut exempte des tortures du froid et de la faim ; tes nuits qu'éclairent des astres sans nombre et où le travail, que ne tourmente point la cupidité, trouve un sommeil paisible et réparateur.

Je t'aime avec l'âpre et imposante beauté des sommets grisâtres qui te couronnent ainsi qu'un casque de fer et dominent orgueilleusement tes nues argentées ; je t'aime avec ta forêt circulaire où s'élance l'élégant palmier, où le Natte superbe étend son ombre royale, où le Fanjan suspend son coquet diadème, et où le calumet flexible livre aux caresses de la brise sa tige ondoyante et gracieuse, immense et luxueuse guirlande dont la nature a ceint ton front, comme si elle avait voulu en adoucir l'austère et sauvage majesté.

Je t'aime avec tes eaux thermales, trésors si longtemps cachés au fond des bois, mais autour desquels se groupent aujourd'hui de jolis hameaux que peuplent des cultivateurs heureux.

Je t'aime avec tes cratères éteints, embrasures humides et béantes que tapissent le hoffe, la fougère et le framboisier, et d'où s'échappent en cascades bondissantes tes rivières rapides et torrentueuses ; je t'aime avec la grande et majestueuse harmonie des mille cataractes qui grondent en chœur au fond de tes abîmes ; avec l'aridité de tes savanes brûlées, avec le luxe verdoyant de tes plaines fertiles ; avec tes mornes tristes et dépouillés que le volcan lança et dispersa dans ses fureurs convulsives et qui, loin les uns des autres, semblent autant de vieux rois sombres, nus et rasés qui se dressent par-dessus les bois et se mesurent avec fierté.

Je t'aime avec la mer bleue qui t'embrasse amoureusement et dont la vague voyageuse de bien loin vient soupirer et mourir à tes pieds.

Je t'aime, enfin, avec ta ceinture de grandes et de petites villes qui, malgré la différence de leur position et de leur richesse, s'entraident et se donnent la main. Parmi ces sœurs presque jumelles dont la chaîne anime et réjouit tes rives charmantes, il en est une qui m'a vu naître ; elle est belle et douce à voir ; c'est elle que préfèrent mes yeux et mon cœur, c'est de sa vie facile et paisible que je voudrais vivre toujours ; c'est sous son toit heureux et tranquille que je voudrais mourir.

N'ai-je pas raison, jugez-en, vous qui voyagez non pas pour affaire, j'aime à le penser, mais qui faites le tour de notre île pour enrichir votre album de sites pittoresques et d'observations intéressantes?...

Étourdis de bruit et de mouvement, ennuyés d'entendre bourdonner à vos oreilles ces causeries mercantiles, ce langage si peu réjouissant et si peu harmonieux des marchands, vous fuyez Saint-Denis, vaste bazar où se remue et s'active une population nombreuse et intelligente, où le commerce et l'industrie depuis longtemps implantés, centralisant toutes ressources, grandissent chaque jour leur action et leur importance; Saint-Denis, riche et belle ville, dont l'amphithéâtre étale avec orgueil ses maisons coquettes et parées, ses délicieux jardins, ses fastueux édifices publics, et domine une rade superbe mais tourmentée, où les bâtiments qui y viennent en foule semblent, à les voir à l'ancre, des chevaux impatients, se cabrant et piétinant dans la vague, Saint-Denis, capitale, fière d'être le siège du gouvernement et de réunir dans son sein toutes les administrations supérieures de la colonie, avantage qu'elle n'a certainement pas obtenu par droit de naissance, mais par un droit de conquête que le temps lui assure néanmoins aujourd'hui.

Vous aurez laissé derrière vous le Butor et ses sables. Au grand trot de la diligence, vous parcourez l'espace qui vous sépare de Sainte-Marie. Là, c'est presque la campagne, c'est un bosquet planté au bord de la mer, qui respire la paix et le bien-être.

Après elle vous comptez quelques hospitalières et gracieuses villas avec leurs verdoyantes plaines de cannes, le chant de leurs cultivateurs, la fumée et le bruit de leurs usines, et vous apercevez aussitôt Sainte-Suzanne, charmant village dont on se prend à considérer avec plaisir l'élégante et blanche église assise au milieu d'un bois de filaos.

Vous regrettez de ne pouvoir arrêter plus longtemps votre attention sur ces riants coteaux, sur ces verts plateaux du quartier Français, jadis couverts de blés, aujourd'hui envahis par la canne, mais dont la fertilité reste toujours sans rivale.

Jetez un coup d'œil ravi à ces riches plaines de Champ-Borne et descendez à Saint-André. Hélas ! que sont devenues ces forêts de girofliers qui embaumaient et embellissaient son séjour ! Triste maintenant, et dédaignant de s'aligner comme un marchand aux bords de la route nouvelle qui le traverse, Saint-André est resté au fond de ses canneliers, de ses letchis et de quelques arbres antiques échappés à la hache d'un cupide vandalisme. C'est là qu'il faut aller le voir ; mais dans sa course, la voiture vous emporte.

Déjà vous roulez en tremblant sur le demi-pont suspendu de la rivière du Mât. Jetez un regard sur ses ondes qui coulent resserrées entre deux remparts escarpés : elles sont claires et paisibles à cette heure, mais viennent les pluies de mars, elles descendront troubles et furieuses du sommet des Salazes, charroyant à la mer, comme si elles tentaient de la combler, des arbres séculaires, des fragments de rochers que sa violence arrache à ses rives.

Souriez en passant au paysage du Bras-Panon, traversez la rivière des Roches sur son beau pont et saluez Saint-Benoît, cette jolie petite ville si fraîche et si parfumée, qu'on la prendrait pour une corbeille de fruits et de fleurs. Acceptez le cordial et joyeux accueil de ses habitants, entrez par une de ses allées de rosiers fleuris et d'arbustes odorants : reposez-vous un instant dans un de ces pavillons élégants et commodes qu'entourent les palmiers, les muscadiers et les mangoustans. N'y restez pas trop longtemps, vous aimeriez à vous y oublier.

Il faut d'ailleurs que vous passiez la rivière de l'Est avant la chute du jour ; ce n'est pourtant pas que vous ayez encore à craindre la rapidité et la perfidie de ces eaux redoutées des plus hardis passeurs. Admirez son pont, le plus beau de la colonie, et arrivez à Sainte-Rose, commune si ombragée autrefois, mais dépouillée aujourd'hui des nombreux caféiers qui faisaient sa richesse et sa prospérité[1].

Au lever de l'aurore, vite un bon cheval dont les pieds soient ferrés et sûrs, car vous allez parcourir un chemin difficile et rocailleux. Prenez garde, tenez votre coursier en bride ; descendez doucement la rampe raide et sinueuse de la montagne du Bois-Blanc ; à ses pieds commence le Brûlé.

Qu'elle est lugubre et désolée, cette Thébaïde de lave ! que l'âme se sent triste et recueillie devant ces remparts semblables à des ruines, ces mornes gigantesques, ces mamelons au sommet bleuâtre, cette fumée épaisse et grise qui s'élève du cratère et cet océan de pierres qui s'étend jusqu'à la mer, dont le froid a saisi chaque îlot dans son tournoiement, chaque houle dans son ondulation.

Reposez vos yeux affligés sur ce bouquet d'arbres dont le riant aspect vient de s'offrir à vous, c'est Saint-Philippe ; c'est là que, chassé de toutes parts, s'est réfugié le malheureux giroflier, royauté déchue de notre culture, c'est là que, poursuivi encore par son ennemie, il dispute, ainsi que le caféier et beaucoup d'autres arbres, une terre féconde à la lave depuis longtemps refroidie ; c'est là dans les espaces que lui a laissés le volcan qu'il groupe ses pyramides végétales et parfume les airs de ses plus suaves senteurs.

Continuez votre route et arrêtez-vous à Saint-Joseph, quartier si prospère jadis, mais où la canne a porté la déception et la ruine. Arrêtez-vous-y quelques minutes seulement, ne serait-ce que pour prendre un verre de cette eau de la rivière du Rempart, justement réputée pour sa fraîcheur et sa limpidité, ne serait-ce que pour visiter ce joli pont naturel, chef-d'œuvre du volcan. On dirait à le voir que la lave bouillonnante, arrêtée dans sa course par les eaux de la rivière, se serait redressée furieuse de l'obstacle qu'elle rencontrait et aurait franchi d'un bond la distance qui la séparait de l'autre rive, laissant derrière elle une arche large et élevée sous laquelle coule aujourd'hui l'onde vaincue et emprisonnée.

Parcourez au pas de course ces campagnes toutes couvertes de cannes fières et empanachées, pareilles à une armée de guerriers innombrables marchant à la conquête d'un autre empire.

C'est Saint-Pierre qui termine aujourd'hui votre route ; la brise contrarie votre curiosité. Demandez l'hospitalité à une de ces maisons

---

[1] Ce pont, qu'on voyait encore naguère, a été lézardé par quelque tremblement de terre et emporté par les dernières inondations. On n'en voit plus que quelques fragments.

que vous voyez : leur porte est toujours ouverte à l'étranger. Demain, quand vous vous lèverez, l'air sera doux et calme : allez alors au rivage ; considérez ce petit bassin au-dessus duquel se trouve comme une écluse de chasse une profonde ravine au torrent impétueux. Voyez quelle animation lui donnent ces canots, ces bateaux, ce travail actif et bruyant du commerce et de l'industrie, et vous vous demanderez s'il n'est pas à regretter que cette anse, pour qui la nature a tant fait, ne soit pas au moins élargie et creusée.

Pénétrez maintenant dans l'intérieur de la ville : que ces rues sont fraîches, aérées et agréables à voir avec leurs eaux murmurantes, dérobées à la rivière Saint-Étienne ! Que ces habitations en pierre ou en bois sont belles ! Il n'en est pas une qui n'ait ses ruisseaux, ses ombrages et ses fleurs.

Vous avez pris congé de vos hôtes bienveillants, et au milieu de grosses pierres qui gênent votre marche dans la rivière Saint-Étienne, vous songez qu'il en est de même de celle des Galets, et qu'aucune de ces filles terribles des Salazes n'est encore pontée. Vos réflexions s'interrompent à Saint-Louis. Quelque attrait qu'il ait pour vous, quelque vivant qu'il vous paraisse avec ses canaux, quittez ses jardins qui semblent n'en former qu'un seul, et venez coucher à Saint-Leu.

La nuit douce et silencieuse viendra merveilleusement en aide aux pensées mélancoliques que vous inspirera ce quartier. N'est-ce pas qu'en vous promenant dans sa rue longue, plantée d'arbres que n'agite aucun souffle, bordée d'emplacements richement et systématiquement bâtis, vous vous êtes dit que Laleu qui, le premier, construisit sa cabane dans cette vallée, devait aimer la pureté du ciel, la paix et le grondement monotone de la mer qui se brise sur les récifs. Saint-Leu ne vous semble-t-il pas un religieux jeune et opulent, mais triste et solitaire, aimant le calme, le recueillement et se plaisant à écouter en silence la vague qui chante et broie incessamment le corail dont les débris blanchissent la plage ?

Ah ! vous voici en face de Saint-Paul, ma ville bien-aimée ! Vous êtes ennuyé, peut-être même de mauvaise humeur, d'avoir, pendant quatre longues heures suivi cette route qui se déroule ainsi qu'un serpent aux replis infinis ; mais que cela ne vous rende pas injuste.

Quel beau panorama s'offre à vos regards !… Existe-t-il un paysage auquel le Créateur ait prodigué plus d'ombres et de lumières, plus d'ondes vives et pures, plus de riants points de vue, plus d'imposants et majestueux aspects ? Admirez avec moi ce riche tapis qui s'étend au loin, pareil à une vaste palette nuancée des plus brillantes couleurs ; et ces eaux paisibles du Bernica, dans lesquelles se mirent les arbres centenaires de notre longue chaussée, serpentant lentement comme si elles regrettaient de quitter ces bords charmants pour se jeter à la mer ; et cet ensemble de maisons variées dans leur peinture, leur forme, leur physionomie, que l'on prendrait pour un bocage habité, avec ces bassins, ces tonnelles de vignes, ces rideaux de filaos, ces touffes de bananiers, ces bouquets de dattiers et de cocotiers qui se balancent mollement.

Contemplez cette baie spacieuse et tranquille où se reflète l'azur d'un ciel toujours pur ; ce croissant de noirs rochers ouvert çà et là par des gorges profondes, et dont les extrémités s'abaissant et s'arrondissant jusqu'au-delà du rivage, semblent deux bras jaloux qui pressent la ville et la protègent contre le vent et l'orage. Au bas de ce circulaire amphithéâtre, suivez cette bordure de jardins où vieillissent sans crainte les arbres les plus précieux des tropiques et dont les ombrages épais, la verdure éternelle, les fruits savoureux feraient penser qu'ils n'ont jamais eu d'autre patrie, magnifiques bas-reliefs qui encadrent si bien le fond du tableau.

Ne croyez-vous pas, comme moi, que l'on y doit couler des jours de joie et de paix, que l'on y doit vivre heureux ?

Regardez maintenant là-bas ces deux tamariniers qui s'élèvent majestueusement devant vous : ce sont deux arbres jumeaux qui comptent plus d'un siècle et auxquels se rattachent de sanglants souvenirs. C'est à leurs branches qu'on suspendait autrefois les mains coupées des nègres marrons qui avaient péri dans leurs luttes terribles avec les anciens colons. Et plus loin, à l'angle de cette place publique, voyez-vous ce petit bâtiment de pierres noircies, sous son toit de bardeaux moussus. Il est aussi plein du passé ; c'est la dernière page d'une histoire de dévouement et d'héroïsme, c'est la dernière heure d'une vie longue, traversée de fatigues et de dangers, noblement remplie par d'utiles services : c'est *la chapelle expiatoire de François Mussard*[1].

Mussard naquit à Saint-Paul, sur les hauteurs fertiles du Bernica. C'était l'époque difficile où la colonie naissait à peine et ne pouvait recueillir tous les fruits de ses travaux. Elle subissait bien des privations,

[1] Dayot confond ici François Mussard père et François Mussard fils. Le père était parmi les premiers colons venus de Fort Dauphin où il s'était marié. C'est le fils qui est le héros du *Bourbon pittoresque*, mais c'est le père qui construisit la chapelle. Dans l'esprit de Dayot, elle est « expiatoire » pour le fils ; mais le père ne devait pas non plus être sans péché… [Éd. de 1977.]

bien des misères, à cette époque pénible et dangereuse où, incessamment tourmentée par un brigandage audacieux et puissant, le colon marchait la hache de défrichement d'une main et la carabine de l'autre.

Nature ardente et sauvage, esprit entreprenant et aventureux, poussant la bravoure jusqu'à la témérité, Mussard se mit à la tête des détachements que le gouvernement organisait alors, et commença, à travers mille périls, cette chasse sanglante des nègres marrons qui avaient établi leur camp dans l'intérieur de l'île, et qui, descendant en troupes nombreuses, venaient désoler par le pillage, le meurtre et l'incendie, les habitations naissantes des blancs. Il passa plus de vingt ans de sa vie à poursuivre ces loups avides jusque dans leur repaire ; les traqua jusqu'au fond des abîmes, les fit reculer jusqu'aux sommets les plus élevés, et ne déposa les armes que lorsqu'il eut purgé tout le pays de ces bandits redoutables.

Connu à Maurice pour son courage et son habileté, il y fut appelé pour attaquer et détruire une bande de noirs qui, là aussi, ravageaient et désolaient les campagnes. Il s'y rendit avec plusieurs de ses compagnons ; au bout de quelques jours, il termina son expédition, heureux et fier d'avoir pleinement rempli sa mission, en rendant à Maurice l'ordre et la sécurité. Un fusil d'honneur lui fut remis au nom du roi, par le gouverneur, pour le récompenser des services qu'au péril de ses jours il avait rendus aux deux îles sœurs.

Soixante-dix ans se sont écoulés depuis que Mussard, vieux déjà et brisé par une maladie cruelle, saisi des terreurs d'un autre monde, fit poser la première pierre de ce simple et modeste monument que le repentir de son âme honnête, mais devenue craintive, élevait à Dieu, pour qu'il lui pardonnât d'avoir ôté la vie à tant de ses semblables. Bien que la nécessité l'y eût forcé, il regrettait d'avoir versé le sang humain, et ne trouvait pas, au fond de sa conscience, que cette nécessité l'acquittât complètement ni le dispensât de toute expiation.

Soixante-dix ans se sont écoulés depuis que le terrible nom de Mussard n'effraie plus l'écho de nos bois, de nos montagnes ; il repose maintenant dans cette chapelle qu'il éleva sur une place d'armes. On eût dit qu'avec ses instincts belliqueux le suivant au-delà de la vie, il voulut quelquefois encore se sentir réjouir l'âme par le bruit et le mouvement des armes.

Il repose maintenant sous ces froides dalles qui résonnent rarement sous les pas de la foule. Seulement aux jours de fête, une pension se dirige vers l'autel solitaire de la chapelle : alors sa petite cloche chante de sa voix argentine, les portes s'ouvrent à la population qui envahit l'enceinte, silencieuse, mais indifférente ; elle ne donne ni une pensée ni une prière à celui qui, mourant, voulut qu'on implorât Dieu pour lui.

Nul ne songe aujourd'hui aux importants services que Mussard rendit à son pays ; nul ne dit ce qu'il eut de bravoure et de dévouement, nul ne sait combien sa vie de peine et de combats fut rude et périlleuse.

Nous tâcherons de payer cette dette à sa mémoire trop longtemps oubliée.

CHAPITRE I

LA SAINT-FRANÇOIS

C'était en 1748. La France, oubliée par Louis XV, obéissait à la marquise de Pompadour. Les colonies, fort indifférentes pour le comte de Maurepas, subissaient le joug de la Compagnie des Indes Orientales. La métropole était l'esclave des caprices d'une favorite trop aimée, les colonies étaient les vassales opprimées d'un privilège exclusif et sordide.

Jetée en pâture à des directeurs de cette Compagnie qui, dans leurs vues étroites et intéressées, insoucieux de la grandeur nationale, étrangers à toute idée de gloire, de justice et d'humanité, s'inquiétaient peu du présent et de l'avenir des malheureux colons, les traitaient en vassaux taillables et corvéables à merci, la naissante colonie de Bourbon, riche des trésors d'une terre nouvelle, languissait et marchait péniblement sous le poids des charges que lui imposait l'insatiable avidité de ses seigneurs suzerains. Elle vivait misérablement au milieu des privations et du découragement ; elle vivait au jour le jour d'une vie sans bien-être et sans espérance, car le sol, cette propriété sur laquelle le travail de l'homme fonde l'avenir, n'était pour ainsi dire concédé aux travailleurs qu'à titre de ferme et qu'à des conditions de redevances onéreuses et d'obligations pesantes.

Aussi le commerce était-il presque nul, et l'agriculture sans impulsion ; entravée par les exigences les plus contraires au progrès, la culture faisait défaut à la fertilité de la terre et ne tendait à aucun accroissement. Soumise à un monopole qui, embrassant également l'importation et l'exportation, vendait et achetait au gré de sa capacité, la production se bornait à suffire aux besoins du consommateur, peu désireuse qu'elle était d'amasser un superflu dont la valeur ne l'aurait pas indemnisée du surcroît de ses labeurs.

Grâce à M. de La Bourdonnais, à cet homme à la hauteur duquel de simples spéculateurs ne pouvaient s'élever, et dont ils ne pouvaient comprendre ni les sentiments généreux ni le noble caractère, pas plus qu'ils ne pouvaient apprécier son âme philanthropique et son intelligence politique ; à cet homme que la calomnie et la perfidie arrachèrent trop tôt à son œuvre de colonisation et qui, succombant sous la puissance de ses ennemis, au lieu des honneurs que méritaient sa conduite et ses services, ne trouva dans sa patrie que la captivité et les tourments qui l'accompagnent ; grâce à cet honorable administrateur, la Compagnie des Indes avait, il est vrai, accordé aux colonies le droit de commercer librement. Elle l'avait fait d'autant plus volontiers que n'ayant pas retiré de ses établissements d'outre-mer tous les bénéfices qu'elle s'en était promis, elle commençait déjà à les considérer comme une mauvaise affaire, et n'y tenait plus aussi fortement.

Pendant quelques années, Bourbon avait donc joui de cette liberté si précieuse ; ses échanges avec la France, l'Inde et la Chine lui avaient fait la vie facile et prospère ; le prix qu'il retirait de ses produits, comme celui auquel il obtenait les objets de sa consommation, lui permettant de se créer une position, le colon s'était animé de l'ardeur que lui donnait l'espoir de recueillir le fruit de ses peines, et avait demandé au sol tout ce que son travail pouvait en attendre. À l'apathie et à l'inaction avaient succédé le courage et l'activité ; le défrichement avait ouvert dans les forêts vierges de vastes champs qui s'étaient promptement couverts de blés, de cotonniers, de caféiers ; la colonie s'était mise en plein travail, et encore quelques années d'une administration paternelle et intelligente, elle allait acquérir quelque importance. Longtemps les colons, gardant le souvenir de cette époque, en parlèrent à ceux qui venaient après eux et l'appelèrent le *Bon Temps*.

Mais cet heureux état de choses même avait réveillé la cupidité de la Compagnie indocile aux leçons d'une malheureuse expérience, et le monopole n'avait pas tardé à reparaître, entravant de nouveau le commerce et l'industrie, les tyrannisant et les pressurant comme par le passé.

Du côté de l'ordre et de la tranquillité, les colons n'avaient guère plus de sujets de satisfaction. Loin de là ! ils vivaient dans de continuelles alarmes. Plusieurs chefs de noirs marrons, déjà célèbres par leurs méfaits, avaient réuni des bandes nombreuses dans l'intérieur de l'île, et s'étaient rangés sous le commandement du plus habile et du plus audacieux d'entre eux[1]. Les vols, les meurtres, les incendies se multipliaient chaque jour et les habitants des campagnes, livrés à leurs propres forces, étaient obligés d'abandonner leurs travaux, leurs familles, pour repousser et poursuivre ces ennemis redoutables, qui menaçaient incessamment leurs biens et leur existence.

---

[1] Leur nombre maximum se situait entre 1 et 2 milliers. [Éd. de 1977.]

C'est à cette époque et dans ces tristes circonstances que commence notre histoire.

À une lieue de la charmante vallée de Saint-Paul, où déjà s'élevait une petite ville, sur la rive gauche de la rivière profonde du Bernica, une jolie habitation se cachait pittoresquement au milieu d'un bois de palmiers, de nattes et d'oliviers sauvages.

Le soleil du 29 janvier, dégagé des nuages qui pendant deux heures l'avaient obscurci, s'élançait radieux au-dessus des pics salaziens et l'inondait avec amour des Ilots de sa lumière douce et brillante; ses rayons vivifiants, pénétrant à travers le feuillage touffu et perlé de mille gouttes de rosée, venaient éclairer et réjouir un tableau déjà plein d'une vive animation, car, à cette heure, tout était joie et mouvement dans ce frais séjour.

À voir l'air heureux et empressé, la mise endimanchée et la bruyante activité de quelques esclaves des deux sexes, qui allaient et venaient dans la maison, on eût facilement deviné qu'il y avait fête chez le maître.

Sous l'abri d'un manguier qui, bien qu'étranger au sol, n'en avait pas moins à l'aise étendu son épais ombrage, des marmites, des grils, des poêlons, ayant déserté la cuisine devenue trop étroite ce jour-là, semblaient attendre le moment de payer aussi de leur personne.

Aux branches de l'arbre pendaient, à éveiller l'appétit le plus paresseux, rougets et gris-de-fond ; anguilles et homards, pintades, oies et chapons.

Sur une longue table, chargée de bananes, d'ananas, de palmistes et de pâtisseries, une belle et brune fille, coquettement parée, les manches retroussées avec soin, mettait la dernière main à un énorme pâté qu'elle ornait avec complaisance de fleurons et de broderies. Au bout opposé, un jeune noir achevait de découper et de préparer un superbe cabri sauvage ; tout à côté, sur une natte, des jeunes enfants folâtrant et s'animant les uns les autres, prenaient leur part du travail général, entouraient un monceau de merles et les plumant à qui mieux mieux, rivalisaient de vitesse, d'habileté, et se jetaient les plumes au visage avec de fous rires.

Plus loin, une vieille noire, dont la robe de toile bleue et le paliacat étaient vierges de tout lavage et resplendissants de leur lustre primitif, glissait avec peine et précaution, par la gueule assez large d'un four, la volumineuse carapace d'une tortue.

À cette scène, si joyeusement animée, présidait une jeune femme, dont les cheveux noirs et les yeux bleus, l'éclatante blancheur et la taille gracieuse, révélaient assez l'heureux mélange de la race créole et de la race bretonne. Entourée de quatre enfants qui se disputaient ses caresses et tout en souriant au plus petit qu'elle tenait sur ses genoux, elle stimulait ses domestiques du geste et de la voix, et tournait de temps en temps la tête du côté de la maison principale, grand bâtiment fait de gros madriers, qui, à quelques pas de là, s'élevait cuirassé de bardeaux des pieds à la tête.

Une porte solide et percée de meurtrières s'ouvrit au même instant, et un homme d'environ trente ans en sortit et apparut bruyamment, tenant une carabine à la main. Il était brun, grand et bien fait ; sa physionomie était franche et ouverte, son allure vive et gaie. Ses traits mâles et fortement prononcés, ses membres souples et puissants, annonçaient une force peu commune. Son regard, quoique ardent, avait une expression de bonheur qui faisait deviner un cœur bon et loyal. De sa tête tombait en boucles épaisses, sur ses larges épaules, une chevelure d'ébène. Une chemise bien blanche, un pantalon de nankin que retenait un madras roulé autour de ses reins, formaient toute sa toilette. La jeune femme et les enfants accoururent au-devant de lui :

– Bonjour, Marie ! bonjour, marmots ! Eh bien ! femme, où en es-tu ? Tout va-t-il à ton gré ?

– Certainement, mon ami ; mais, en vérité, tu as été peu matinal aujourd'hui ; je croyais que tu n'allais plus te réveiller.

– C'est vrai ! j'ai dormi plus tard que de coutume ; mais tu sais que j'ai passé presque toute la nuit à poursuivre ce coquin de noir qui nous a pillés hier soir effrontément. Encore, si j'avais pu le prendre ! Mais patience, je le retrouverai et réglerai son compte assez sévèrement. Allons, Marie, si le soleil ne me trompe pas, – ajouta Mussard en considérant l'ombre décroissante des arbres, – il est bientôt neuf heures ; retourne à ton ménage et presse-toi ; tu sais que tu as affaire au père Touchard, à Champagne et à Robert, et que ce sont de terribles mangeurs. Que tout soit prêt à midi juste ; je vais à leur rencontre.

Et, jetant sa carabine sur son épaule, il descendit lestement les degrés de la terrasse.

En passant près d'un groupe de cases, dont les toitures en lataniers, couvertes de calebasses, s'abaissaient à un pied du sol, il s'arrêta :

– Eh ! vous autres ! est-ce que vous êtes malades aujourd'hui ? comment ! ni tamtam, ni bobre !... Le cochon que madame vous a donné n'est-il pas assez gras, et n'êtes-vous pas contents ?...

– Si fait, maître, si fait ! crièrent de derrière les cases une trentaine de voix ; nous sommes à le partager, et tout à l'heure nous allons commencer le bal.

– À la bonne heure ! à la bonne heure ! Chantez, dansez, amusez-vous ; il n'y a pas de travail aujourd'hui. Joie et bombance pour vous et pour moi.

Et, reprenant le sentier qu'il avait suivi, il continua sa route en sifflotant. Cheminant à travers une plantation de caféiers dont les longues branches, chargées de fruits, obstruaient son passage, il s'arrêtait de distance en distance, écartant doucement chaque branche, les examinant avec intérêt et comptant avec bonheur leurs grains pressés et nourris.

– Trois cents… Trois cent cinquante… quatre cent trente grains !… C'est magnifique ! M. Parat a-t-il eu une bien bonne idée d'aller chercher ce café-là en Arabie ! Oh ! s'il n'y avait pas de coups de vent, malgré les malices de cette damnée Compagnie, je pourrais bien acheter quelques barriques de bordeaux et enrichir la garde-robe et le ménage de ma chère Marie.

Il sortit enfin et comme à regret de ce champ qui lui offrait tant d'heureuses espérances, et entra dans une large clairière qu'il considéra d'un œil également satisfait. Là, de jeunes et vigoureux maïs déroulaient à plaisir leurs vertes palmes et promettaient une récolte abondante.

Tout y était désert et silencieux. Seulement au bout de la forêt, quelques merles téméraires chantaient, suspendus à la tige flexible d'un bois de gaulette ; une cognée solitaire réveillait les échos de ses coups lents et mesurés, et quelques gros troncs d'arbres que le feu achevait de consumer élevaient çà et là, dans l'atmosphère tranquille, leurs petites et blanches colonnes de fumée.

Après avoir délicieusement contemplé la fertilité de ce champ, il prit un chemin de traverse et se rendit au bord de la ravine, où, s'asseyant sur une pierre, son fusil entre les jambes, il attacha ses regards sur l'autre rive et attendit, en caressant un beau griffon à l'œil intelligent, qui s'était couché à ses pieds.

L'air était pur et doux ; les fleurs des bois l'embaumaient de mille parfums qui apportaient avec eux la force et la santé. Le torrent du Bernica, qu'une averse dans les montagnes avait quelque peu grossi pendant la nuit, tombant de cascade en cascade, chantait d'une voix grave et monotone.

Tout à coup le chien se leva, regarda autour de lui d'un air inquiet, fit deux ou trois fois, le nez au vent, le tour de la pierre sur laquelle était assis son maître, et, lui mettant les deux pattes sur l'épaule, gronda sourdement.

– À bas ! Souque, à bas ! Eh bien ! vieille bête, quelle mouche t'a donc piquée ? Penses-tu que les marrons osent venir jusqu'ici ? L'huile de fouquet dont ces brigands se frottent se sent de bien loin, il est vrai ; mais je te défie bien, malgré ton flair, de la sentir des pitons de la rivière des Galets. Prends patience, mon brave, dans quelques jours nous irons visiter ce bandit de Bâlle, et tu pourras alors, tout à l'aise, exercer tes jambes et tes dents.

Le chien parut comprendre cette observation et, baissant les oreilles, reprit sa première place.

Quelques minutes ne s'étaient pas écoulées, qu'une détonation de plusieurs coups de fusil partit de l'autre côté de la ravine ; Souque s'élança d'un bond, courant aboyant, et semblant demander à son maître s'il devait se mettre en chasse.

Celui-ci se leva vivement, répondit en déchargeant son arme à la mousqueterie qu'il venait d'entendre, et rappela son chien d'un coup de sifflet impératif.

– Ah ça ! décidément, Souque, tu deviens fou ! Tout à l'heure tu flairais nos amis ni plus ni moins que si c'était des noirs ou des cabris, et voilà maintenant que tu ne reconnais même pas le tromblon de Touchard ! Il a tonné terriblement pourtant, et je suis bien sûr que le vieux farceur y a mis à mon intention ce qu'il appelle sa charge de guerre.

– Deux fautes aussi grossières, Souque ! c'est une honte pour un chien bien appris comme toi ! Gare à la troisième !…

Il avait à peine achevé cette réprimande, moitié affectueuse, moitié sévère, qu'un groupe d'individus sortant du bois se montra sur le versant opposé, agitant en l'air de gros bouquets et poussant des cris qui se perdaient dans l'espace.

Le colon, souriant de contentement, salua les nouveaux venus de la main et, se parlant à lui-même !

– Ah ! voilà Touchard et son fils Beautemps, Champagne-Vavangue et Jean-Baptiste Lebreton, mon beau-frère Elzard, Lauret, Robert, Grosset et Bellon-Taille-Vent.

Ceux-ci sautant, plutôt que descendant la pente de la ravine, traversèrent à gué les eaux troubles mais paisibles du torrent, et arrivèrent sur le plateau, ayant à leur tête un beau vieillard, tout habillé de toile bleue et dont un mouchoir de la même couleur, tombant en queue de pigeon, couvrait la tête blanche et vénérable.

– Bonjour, Mussard ! bonjour, François ! dirent-ils tous à la fois :

– Nous te souhaitons une bonne fête.

– Beaucoup de Saint-François aussi heureuses que celle-ci.

– Que ton patron te bénisse et te protège longtemps !

Et chacun de lui serrer la main et de l'embrasser avec cordialité.

– Merci, vieux Raz-de-Marée, merci mes bons amis ! Vous avez bien fait de venir de bonne heure. Mais où sont donc les autres camarades ; est-ce qu'ils ne seront pas des nôtres ?

– Mille tonnerres, répondit le vieillard, ce sont des fainéants !... Ces jeunes gens d'aujourd'hui sont de véritables *tectecs*. Ils craignent la fatigue et le mauvais temps. Mais tant pis pour eux, je me suis levé dispos, j'ai bien fait ma prière ce matin, la journée sera excellente.

– C'est tout de même contrariant, répliqua Mussard ; le jour de ma fête, j'aime à voir mes amis réunis, et je suis triste de compter les places vides à ma table ; en outre, j'aurais été bien aise de vous voir tous aujourd'hui, car j'ai à vous communiquer des choses importantes. Mais n'y pensons plus : vive la joie ! mettez-vous en tête du peloton, père Touchard, et en avant, marche !... À propos, continua-t-il, en s'enfonçant dans un étroit sentier et s'adressant à son compagnon : il paraît, mon cher Touchard, si j'en juge par le coup de tromblon de tout à l'heure, que les marchands de la Compagnie vous ont pris en amitié et vous vendent leur poudre bon marché.

– Non, non, non, Mussard, ces gueux-là sont incapables d'une pareille politesse, et ils continuent de nous céder à prix d'or les marchandises que seuls ils ont privilège d'apporter dans le pays. Mais ne me parle pas de cette maudite engeance, cela me met le sang en mouvement; après tout, je n'ai ajouté qu'une bagatelle à la charge ordinaire de mon mousqueton, et j'ai à peine senti sa caresse habituelle sur ma joue.

– Excusez !... s'écria en riant un des jeunes gens de la troupe !... Le père Raz-de-Marée appelle cela une bagatelle ! Son coup de tromblon m'a rendu sourd et l'a fait reculer de deux pas ; peu s'en est fallu qu'il ne s'assît violemment sur un chicot de palmiste qui borde là-bas le sentier.

– Ce n'est pas vrai ! mille tonnerres !... Je n'ai pas bougé de place, mon arme n'a pas plus repoussé qu'un pistolet de poche, et je ne vois pas pourquoi vous vous obstinez à l'appeler un tromblon ! Nommez-moi Raz-de-Marée tant que vous voudrez, mais ne débaptisez pas mon fusil ; je l'aime, je l'estime, moi, ce vieil ami, continua le père Touchard, en caressant avec amour son arme de la main gauche, et il ne me convient pas que vous lui donniez cet humiliant sobriquet de tromblon !… Un tromblon !… Un tromblon !… Je vous demande un peu ce que cela veut dire !…

– Mais ce n'est pas un fusil que cela, père Touchard, observa Champagne…

– Qu'est-ce que c'est donc alors ? mille tonnerres !

– Dame ! C'est tout ce que l'on veut ; c'est une pièce de campagne, un pierrier, une espingole, qui pèse trente livres quand il est à jeun, et trente et une quand il a avalé sa pitance.

Un éclat de rire général accueillit cette plaisanterie, et la mauvaise humeur de Touchard s'en augmenta.

– Vous en avez mille fois menti ! s'écria-t-il, avec une voix de stentor, et il n'y a que la méchanceté et la jalousie qui puissent vous faire dire d'aussi stupides impertinences. Vous avez belle grâce, ma foi, de vous moquer de mon mousqueton, vous dont les fusils de femme entament à peine la peau d'un vieux bouc à deux cents pas. Moi, au moins, quand je tire un cabri à quelque portée que ce soit, il reste sur la place, et il n'en est pas un qui puisse se vanter d'avoir essuyé impunément mon feu.

– C'est la vérité, dit Robert, mais avoue, Raz-de-Marée, que tu charges à mitraille et que, quand tu tires une bête de la montagne, elle tombe d'un côté, le fusil de l'autre, et que la plupart du temps tu en fais autant.

– C'est une infâme calomnie ! Je ne suis tombé qu'une fois, et encore, parce que j'étais sur la pente glissante d'un *plumé* couvert de neige. Quant à la charge dont je me sers, c'est mon goût, ma manière à moi ; si je tirais avec vos joujoux, bons tout au plus à tuer des merles, je croirais ne brûler que l'amorce. Mais, assez de bêtises comme ça, et trêve de plaisanteries et de sobriquets. Mon fusil me plaît tel qu'il est : s'il est lourd et fort, cela ne regarde personne.

– Mais mon père, dit Touchard fils, d'un ton doux et calme, qu'est-ce que cela vous fait qu'on nomme votre fusil un tromblon ou autre chose ?

– Cela me fait beaucoup, tortue que vous êtes ; c'est une bonne arme qui a presque mon âge, qui ne m'a jamais fait défaut, et à laquelle je suis attaché. Le premier qui l'insultera désormais, retenez bien ceci, recevra quelques bons coups de sa crosse, ma parole d'honneur !…

– Hum ! Hum ! fit Bellon : ça chauffe, le Raz-de-Marée grossit.

– Allons, allons, ne vous fâchez pas, mon brave Touchard ; ne voyez-vous pas que ces jeunes gens veulent rire ; et vous autres, ayez un peu plus de respect pour le fusil du père Raz-de-Marée : c'est réellement un vieil et fidèle ami qui nous a déjà rendu bien des services, qui nous en rendra bientôt encore, et sur lequel nous pouvons toujours compter.

Ces mots flatteurs de Mussard apaisèrent aussitôt le vieux Touchard, et il s'écria :

– Voilà qui est bien parlé ! Mussard est un homme d'esprit et de justice ; vous autres, vous n'êtes que des goguenards, et moi, je gronde toujours comme un vieux Raz-de-Marée que je suis tout de bon.

Tout en devisant ainsi, Mussard et ses compagnons arrivèrent à quelques pas du logis. Une fumée épaisse, couronnant le manguier dont nous avons parlé, apparaissait comme l'enseigne du festin.

– Mille tonnerres, François ! avec une fumée comme celle-là, nous n'avions pas besoin de connaître la route : nous aurions toujours trouvé ton habitation et découvert le camp des marmites et des broches.

À l'arrivée des convives, la cuisine en plein air était en grande activité: tout mitonnait, fumait et rôtissait. L'odeur appétissante qui s'exhalait de ce large foyer, le bruissement strident des poêles à frire, le joyeux pétillement de la braise et même jusqu'à la figure jubilante des négrillons tournebroches, tout offrait à l'odorat et à la vue l'aspect le plus réjouissant pour des hommes dont un trajet assez long, l'air vif et frais de la forêt avaient aiguisé la faim, et qui, d'ailleurs, en toute circonstance dans leur vie active, n'avaient jamais envisagé un repas sous le simple point de vue des agréments de la réunion ou de la conversation.

Le vieux Raz-de-Marée ne pouvait en détacher ses regards : planté debout, les yeux élargis de plaisir, les narines se dilatant et humant à longs traits, la bouche entrouverte d'une impatiente gourmandise, il oubliait un tison sur sa pipe, et se plongeait à cœur joie dans la plus voluptueuse extase.

– Eh, l'ancien !... lui cria Mussard, vous n'allez donc pas voir Marie et embrasser Françoise ?

– J'y vais, j'y vais, mon ami ; j'admirais ton dîner ; il n'y a réellement que toi pour fêter tes amis ainsi... Dieu de Dieu, ce cabri-là est-il gras !

– Le reconnaissez-vous, Père Touchard ?

– Comment veux-tu que je le reconnaisse, embroché comme il est ?

– C'est pourtant un des plus terribles adversaires que vous ayez trouvés dans les bois et qui a valu à votre dos une fameuse contre-danse.

– Quoi ! c'est le bouc que je t'ai donné il y a un an ? Ah, le coquin ! Je lui ai gardé rancune, et il me paiera tout à l'heure l'insolence de son troupeau.

– Vous étiez dans une bien triste position ce jour-là, allez ! Mais je vous dirai franchement qu'après le danger passé, j'ai ri pendant vingt-quatre heures au souvenir de vos cris et de vos vociférations.

– Parbleu ! j'aurais bien voulu l'y voir ! couché ventre à terre sur le *serré* d'un rempart escarpé, les jambes pendantes au-dessus d'un précipice de plus de cinq cents toises ; d'une main tenant une touffe d'ambaville, qui craquait à me faire dresser les cheveux sur la tête, de l'autre, la patte de ce gaillard dont chaque élan me soulevait de terre ; pour compléter l'agrément de la situation, le piétinement d'une centaine de cabris qui me passaient au galop sur le dos. Ah ! mille millions de tonnerres ! il aurait fallu être un saint pour ne pas jurer et enrager !...

– Mais, que diable, aussi !... à votre place, j'aurais dix fois lâché l'animal.

– Non, non, non, pas si bête ! et puis, j'en avais promis un vivant à Marie.

En ce moment, les deux femmes de la maison arrivèrent au milieu des causeurs.

– Vous êtes bien peu galant aujourd'hui, Monsieur Touchard, et c'est bien mal à vous de n'être pas venu nous voir encore.

– Mille pardons, Marie ! répondit Touchard à madame Mussard ; tu ne m'aurais pas devancé si ton mari ne m'avait fait causer ; tu sais que c'est un peu mon faible. Puis s'adressant à la jeune fille :

– Bonjour, mon bon vieux père, lui dit Françoise, en lui passant les bras autour du cou.

– Mille pardons, Marie ! répondit Touchard à madame Mussard ; tu ne m'aurais pas devancé si ton mari ne m'avait fait causer ; tu sais que c'est un peu mon faible. Puis s'adressant à la jeune fille :

– Bonjour, Françoise, bonjour, mon enfant ; et lui prenant la tête dans ses mains larges et calleuses, il la baisa au front. Que tu es fraîche et gentille !... Que tu as bonne mine aujourd'hui, lui dit-il, en l'enveloppant d'un regard plein de tendresse et de bonheur. Je gage que ton parrain et ta marraine te gâtent toujours. Mais voyez donc ces mains, comme elles sont blanches et potelées ! Et il les prenait dans les siennes, et les pressait doucement. Hum, Françoise ! voilà des mains qui ne m'ont pas l'air de travailler beaucoup ; j'aimerais mieux te les voir un peu rudes. Des mains aussi douces et aussi soignées que celles-là sont signe d'oisiveté chez une femme de ménage, comme des pantalons serrés, des souliers clairs et étroits annoncent la paresse chez l'homme, ajouta-t-il en regardant furtivement Jean-Baptiste Lebreton.

Celui-ci jeta un coup d'œil sur sa chaussure, ramena brusquement ses pieds sous sa chaise, et sourit avec embarras.

À voir le doux et long regard qu'il échangea avec la jeune fille, à voir la rougeur qui colora subitement leurs joues, comme si l'observation malicieuse de Touchard, effleurant en passant un même sentiment, avait fait naître en leur âme une même pensée, un observateur attentif n'aurait pas eu peine à comprendre que ces deux jeunes gens s'entendaient par le cœur, qu'une tendre et secrète affection les unissait depuis longtemps d'un lien sympathique, et qu'ils n'en étaient pas au premier mot de ce langage des yeux qu'un premier amour sait rendre si suave et si éloquent. Il eût aussi remarqué qu'une jolie petite fleur bleue, avec laquelle Jean-Baptiste était arrivé, avait déserté la boutonnière de son gilet blanc, et était allée se poser au milieu de la chevelure noire et soyeuse de Françoise.

– Eh bien, Marie ! maintenant que tu m'as grondé, ne m'offriras-tu rien pour me consoler ? Est-ce que Mussard n'aurait plus de ce cognac qu'il a acheté dans le bon temps ? Il faut venir ici, à la Saint-François, pour s'en réchauffer le cœur, car, grâce à cette chère Compagnie, nous ne pouvons plus nous permettre d'en user que par ordonnance de médecin et en cas de rhumatismes.

– Certainement, père Touchard ; j'avais déjà pensé à vous pour cela, et vais vous en faire servir.

– Ah ! bravo, Marie ! C'est que, vois-tu, tous ces mauvais sujets m'ont fait endêver pendant la route et m'ont tellement mis en colère, que j'en ai le gosier sec comme un vieux *tonde*[1] ; eh bien, envoie-nous-en une paire de bouteilles, nous en prendrons quelques bonnes rincelettes, pour faire passer le temps et nous mettre en appétit.

Les convives allèrent s'asseoir sous un badamier, dont l'épais et vaste parasol abritait une demi-douzaine de lits de corde, rangés circulairement avec leurs fraîches nattes de vacoua, et qui semblaient n'attendre que l'animation d'une gaie causerie.

Un seul manquait au cercle : Jean-Baptiste avait suivi Françoise et Marie dans la maison.

---

[1] Tube en bambou rempli d'une substance combustible que les noirs enflamment au moyen d'un briquet.

– Mais, où donc est Jean-Baptiste, demanda Touchard ; je parie qu'il est allé dans la case ; c'est un vrai merle que ce garçon-là ; il est toujours à chanter partout où il y a des femmes.

– Holà, Jean-Baptiste ! cria-t-il de toute la force de ses poumons, que diable fais-tu donc là-bas ? Viens ici ; ce n'est pas avec les femmes que tu apprendras ton métier de *détachement* et de colon.

– Je viens, je viens, père Touchard, répondit le jeune homme ; je débouchais le cognac et vous l'apportais.

– C'est bon, c'est bon ; tu es un gaillard qui ne manque jamais d'excellentes raisons.

– Bah ! fit Mussard, laissez donc ces jeunes gens se faire l'amour, vieux Raz-de-Marée ; ils s'aiment ; il faut bien qu'ils se le disent.

– Non, non, non, mille tonnerres, Mussard ! Jean-Baptiste est un brave et honnête jeune homme pour lequel j'ai de l'amitié et auquel je donnerai volontiers Françoise ; mais ils n'ont rien ni l'un ni l'autre, et je ne veux pas que le lendemain de leurs noces mon gendre aille lui-même couper son bois et ma fille chercher l'eau dans les bassins de la Ravine. Grâce à Dieu, ce n'est pas la terre qui manque à Bourbon ; mais le café et le coton n'y viennent pas tout seuls. Nous avons des milliers de noirs qui sont sans maître dans l'intérieur de l'île ; que Jean Baptiste en capture quelques-uns, et alors je les marierai ; en attendant, je ne veux ni causettes ni amourettes ; cela dérange les jeunes gens de leur travail ; d'ailleurs, ils sont très jeunes tous les deux et peuvent bien prendre patience.

Jean-Baptiste arriva aussitôt, apportant le cognac et enchanté d'avoir une telle excuse à présenter.

CHAPITRE II

PROFILS ET GRIMACES

Pendant que les hôtes des Mussard jasent, fument et boivent comme des gens heureux du présent que Dieu leur a donné, nous allons faire faire au lecteur une plus ample connaissance avec quelques-uns d'entre eux.

Nous commencerons par le vieux Touchard qui, sans s'être complètement dessiné dans nos premières pages, a dû laisser pourtant pressentir en lui cette nature franche, libre et véhémente de nos premiers colons.

Il avait soixante ans ; sa figure était austère et la gaieté tellement étrangère à sa physionomie, que ses compagnons prétendaient qu'il n'avait jamais souri plus de trois ou quatre fois dans sa vie, et dataient de son rare sourire comme on date d'un événement heureux.

Aux rides profondes qui sillonnaient son front, à l'affaissement de sa charpente large et osseuse, aux muscles saillants de ses membres rudes et amaigris, on devinait que l'âme et le corps de cet homme avaient eu à supporter bien des fatigues, bien des peines, mais que sa force morale et physique avait victorieusement lutté contre les douleurs de la vie.

La brusquerie habituelle de ses paroles, ses emportements continuels, son humeur toujours irritable et grondeuse, lui avaient fait donner le surnom de Raz-de-Marée, surnom par lequel on l'appelait généralement ; mais sensible et généreux, fidèle et dévoué, comme le sont tous les cœurs ardents, il pouvait compter sur l'estime et l'affection de ses amis, comme ceux-ci pouvaient compter sur les sentiments qu'il leur avait voués.

Honnête et loyal jusqu'au scrupule, pieux de cette piété qui donne l'instinct du bien et que fortifient les croyances du catholicisme, superstitieux à l'excès, par suite de son ignorance autant que par l'éducation qui l'avait habitué à croire à tout ce que son esprit ne pouvait raisonner, Touchard-Raz-de-Marée, qui dormait du sommeil du juste après avoir envoyé une balle bénite au front d'un noir marron, ne manquait jamais de remplir ses devoirs religieux, croyait aux revenants et aux sorciers, serait mort de faim le vendredi et le samedi plutôt que de pécher contre les commandements de l'Église, se serait cru damné s'il avait menti ou volé, et n'aurait jamais commencé une expédition dans les forêts sans avoir obtenu l'entière absolution de ses péchés.

Malgré son extrême dévotion et la bonté native de son cœur, le juron, ainsi qu'on a pu le voir, se mêlait à tous ses discours, comme l'irritation accompagnait toutes ses actions, même les plus bienveillantes. On eût dit en vérité que chez lui la joie même était de mauvaise humeur.

Embarqué fort jeune à bord des vaisseaux de la Compagnie, il y avait subi les misères et les tourments qui sont toujours la part des novices, que leur inexpérience et leur simplicité recommandent aux malices des matelots. Bouc émissaire, chargé de toutes les fautes de l'équipage, il avait tous les jours à se justifier auprès des officiers des accusations mensongères qu'on élevait contre lui. Aussi disait-il, qu'obligé dix fois par jour de nier les faits dont on le chargeait, son caractère s'en était aigri, et qu'il avait contracté l'habitude de maugréer et de commencer toutes ses phrases par une négation plus ou moins répétée, selon la gravité des circonstances.

Dégoûté de la vie de marin, il s'était fait cultivateur, n'ayant pour toute fortune que l'amour du travail, la force de la jeunesse, et ce fusil que nos lecteurs connaissent déjà, seul bien qu'il eût recueilli de ses voyages maritimes et qui, malgré sa susceptibilité, lui valait de temps en temps les railleries de ses amis. Il l'aimait comme un héros aime le souvenir qui lui rappelle ses exploits ; il était fier de sa force et de sa pesanteur, et il lui arrivait souvent de dire avec orgueil que ce fusil, qui n'avait pas son pareil dans la colonie, était plusieurs fois tombé à plus de cent toises sans jamais avoir souffert le plus petit dommage ; cela se comprendra, si l'on songe que cette arme de Touchard était un gros mousquet d'abordage tellement grossier que le bruit de son ressort s'entendait à vingt pas, et que son chien muni d'une pierre, quelque grosse qu'elle fût, semblait un bouledogue tenant une dragée entre ses dents.

À quarante ans, Touchard se maria à Marguerite Lautret, connue depuis, par une légende dont nous aurons occasion de parler. Constamment poursuivi par ce mauvais destin dont la haine accable souvent toute une existence, il eut à pleurer sa femme qui mourut en donnant le jour à Françoise.

Sa position de fortune, son isolement dans une campagne éloignée, sa profession de *détachement* qui l'obligeait d'abandonner sa demeure pendant des semaines entières, ne lui permettant pas de prendre soin de sa fille, dernier fruit d'une trop courte union, il la confia à la sollicitude de Mussard et de son épouse ; il adorait cette enfant, et semblait en raison de sa malheureuse position d'orpheline, avoir concentré sur elle ses plus vives affections et ses plus chères espérances. Aussi, son visage âpre et sévère s'adoucis-sait-il en la voyant, et prenait-il l'aspect d'un vieux rocher que les pluies bienfaisantes de décembre ont rajeuni de vertes mousses et de riantes fleurs.

Enfin, pour ajouter un dernier coup de pinceau à ce portrait, Touchard était un de ces vieillards vigoureux encore, essentiellement bons, mais bourrus et mécontents par habitude et qui, dans les temps les plus heureux, trouvent toujours une raison de regretter le passé, de maudire le présent, et de douter de l'avenir.

Jamais sobriquet n'avait été mieux mérité et plus dignement porté que celui de *Beautemps*, sous lequel on connaissait Touchard fils ; il lui avait été donné autant à cause du contraste frappant qui existait entre son père et lui que parce qu'il peignait admirablement ses allures et son caractère.

Gras, frais et joufflu, toujours satisfait, toujours souriant, Beautemps respirait la paix, le bonheur, et avait ce parfum de quiétude et de contentement parfait, dont l'heureuse influence agissait sur ceux qui l'approchaient. C'était un de ces êtres qui sont toujours les bienvenus partout, qu'on a même besoin de voir, dont la figure rayonnante, semblable au matin d'un jour doux et pur, vous rafraîchit l'esprit et vous fait bien au cœur ; un de ces êtres qui ne gênent jamais et manquent souvent ; avec lesquels, sans s'ennuyer et sans échanger un mot, seulement charmé de les regarder, on passe les heures les plus agréables.

Sa mise soignée portait, comme tout ce qui lui appartenait, son cachet : soit dans le bois où il suivait Mussard, soit dans les parties de plaisir, auxquelles il se gardait bien de manquer, il s'arrangeait toujours de manière à avoir la meilleure place et souvent le meilleur morceau, bien qu'à la moindre observation il s'empressât d'offrir, tout en la gardant, la part qu'il avait choisie. Quelque temps qu'il fît, sa toilette était irréprochable ; là où d'autres se seraient laissé mouiller jusqu'aux os, lui trouvait toujours le moyen de se garantir de la pluie par les sentiers les plus boueux, sur les rochers les plus aigus, les plus glissants, il conduisait ses souliers avec la même adresse, avec le même bonheur.

Il ne faudrait pas en conclure pourtant que Touchard fils craignait la fatigue et le danger. Brave et robuste, il affrontait l'une et l'autre avec cette tranquille gaîté qu'il apportait en tout ; jamais, par exemple, il ne se serait donné une peine inutile et ne se serait exposé gratuitement à un péril. Il remplissait consciencieusement ses devoirs de *détachement*, mais aussitôt l'expédition finie, il déposait sa carabine après l'avoir frottée, huilée, bouchée, et reprenait la délicieuse paix de sa vie ordinaire.

Qui eût entendu appeler Champagne du nom de *Vavangue* eût compris parfaitement pourquoi on le désignait ainsi, tant sa peau fortement basanée, sa tête petite, ronde et rasée, offraient de ressemblance avec ce fruit, le seul dont M. Billard ait bien voulu accorder l'indigénité à Bourbon. Et, en effet, à voir Champagne enfoncé dans le col de sa chemise blanche, il n'est personne qui ne l'eût comparé à une vavangue dans un cornet de papier. De quelques années plus âgé que Mussard, il possédait comme ce dernier le courage et la ruse, mais avant en outre, le calme et le sang-froid qui manquaient quelquefois au tempérament ardent de son chef. Ces qualités ne l'abandonnaient jamais, même dans les positions les plus critiques, lui laissaient toujours sa présence d'esprit et toute la plénitude de sa raison ; aussi Mussard le consultait-il avec confiance, et s'en rapportait-il souvent aux conseils de son jugement. Rien ne se voyait à travers ses yeux, dont nul n'aurait pu dire la couleur ; aucun des muscles de son visage de parchemin n'avait trahi ses pensées ou ses sentiments ; l'étonnement, comme l'effroi, lui étaient étrangers ; la réflexion bridait toujours ses premiers élans et précédait toutes ses actions. Cette faculté était tellement grande chez lui que, tombant même du sommet des Salazes, il aurait, pendant sa chute, pris le temps de penser aux dangers de sa situation, et aurait cherché le moyen de tomber le moins mal possible.

Grand, sec, efflanqué, toujours volant plutôt que marchant, et agitant des bras d'une envergure démesurée, Bellon n'avait pas moins mérité que ses compagnons l'épithète qu'on avait ajoutée à son nom. L'appeler *Taille-Vent*, c'était peindre sa nature physique et rappeler en même temps son goût dominant pour la pêche. Bellon-Taille-Vent était vieux, brave et honnête. Deux occupations absorbaient toute sa vie : la chasse et la pêche ; deux instruments partageaient toutes ses affections : le fusil et la ligne. Tantôt dans les bois, sa balle poursuivait noirs ou cabris ; tantôt sur la mer ou dans les rivières, son hameçon prenait carangues ou rougets, chittes ou massiacs. Silencieux, tenant peu de place, causant peu d'embarras, il n'avait que des amis et avait gagné leur attachement par sa bonté et sa loyauté.

Quant à nos autres personnages, bien qu'ils joueront un rôle actif dans les événements qui vont suivre, rien ne les distinguait particulièrement. Ils se dessineront eux-mêmes, au fur et à mesure qu'on les rencontrera soit dans les bois, soit dans les sentiers de la montagne, soit assis en rond sous l'ombre séculaire des tamariniers, s'abandonnant à la causerie et jouissant de ce délicieux farniente dont les créoles, comme les Napolitains, sont amateurs passionnés. Cependant, il faut mentionner le vieux Robert qui, aussi âgé que Raz-de-Marée, était fier d'avoir servie sous M. de La Bourdonnais, dans son expédition maritime contre les Anglais, et ne manquait jamais, à chaque fois qu'on pressait le ressort de sa vanité, de raconter avec complaisance la défaite de l'amiral Peyton, à laquelle il avait pris part dans les mers de l'Inde.

Tous ces hommes, voués à la fatigue et aux dangers, par le besoin, acceptaient leur existence comme des hommes forts, patients et courageux. La vie n'était pas pour eux qu'une succession de luttes pénibles ou sanglantes, une incessante bataille, dont l'amour ou l'amitié venait parfois égayer les armistices.

Jean-Baptiste et Françoise étaient deux jeunes gens également beaux et intéressants, vivant l'un pour l'autre et l'un par l'autre. Françoise entrait dans cette époque de la vie si sauve de sentiment, si fleurie d'espérances. Jean-Baptiste allait entreprendre sa première campagne, et caressait sa carabine comme une amie qui lui promettait la réalisation de ses rêves d'amour et la possession de cette fortune par laquelle il devait mériter la main de celle qui, pour lui, était le bonheur.

Au risque de fatiguer nos lecteurs, et, en ce cas, nous nous adresserions à nos lectrices, nous ajouterons un mot sur l'épouse de Mussard. Marie était une belle et bonne créole : c'est assez dire que, riche des facultés les plus aimantes portant le dévouement jusqu'à l'abnégation, elle était mère dans toute la force et la sainteté de ce sentiment dont Dieu a doté le cœur de la femme ; qu'elle était épouse fidèle et passionnée, vivant de la vie de ses enfants, de son mari, et bornant le monde au cercle de sa famille.

Maintenant, laissons là nos acteurs et poursuivons le récit de notre histoire qui ne tardera pas à se dérouler avec tout l'intérêt de ses drames.

Depuis un bon quart d'heure au moins, le vieux Touchard ne portait aucune attention à la conversation dont il avait été d'abord le principal héros. Tantôt regardant le soleil avec impatience, comme s'il l'accusait de ralentir sa marche ou comme s'il doutait de sa position perpendiculaire ; tantôt prêtant l'oreille aux bruits qui venaient de la maison, comme s'il attendait un heureux signal, il s'agitait et se démenait sur son siège, fronçait les sourcils, ne répondait à personne, et entretenait à peine le feu de sa pipe. La force et la voix allaient lui manquer ; des bâillements désespérés annonçaient la position cruelle dans laquelle l'exercice et l'eau-de-vie avaient mis son estomac, quand un petit noir, qu'il aurait volontiers embrassé, vint annoncer que le dîner était servi. Sans regarder derrière lui, sans attendre le maître de la maison, Raz-de-Marée se leva d'un bond, fit trois ou quatre enjambées et se trouva dans la salle à manger.

Mussard et ses autres compagnons ne tardèrent pas à l'y suivre.

CHAPITRE III

LE REPAS

Trop large et trop sans façon pour perdre son temps en politesses superflues, Mussard ne fit aucune de ces cérémonies préliminaires qui ont pour but d'assigner des places d'honneur et pour résultat de faire des mécontents. Il se mit en face de sa femme, et chacun de ses convives se rangea à son gré autour d'une table garnie avec la profusion qui caractérisait les festins de cette époque.

Un rôti, qu'Agamemnon n'aurait pas dédaigné, se posait royalement au centre de la table ; à droite, la tortue, bouillant encore dans sa carapace, exhalait sa saveur exquise ; à gauche, sur un plat qui serait une énormité dans nos banquets d'aujourd'hui, s'élevait le pilau créole odorant de poivre, de safran et de ravin-Sara.

Tandis que Marie et Françoise s'occupaient à servir les convives, Mussard, toujours joyeux et bruyant, signalait à chacun d'eux son plat favori et les stimulait en défiant leur appétit ; mais le vieux Touchard, qui s'était placé en face du pilau, n'y pouvait plus tenir. Avant même que tout le monde fût assis, il fit une large trouée dans cette pyramide de riz et l'engloutit avec une telle voracité que, lorsque vint son tour, il put présenter à Marie son assiette aussi propre que si elle était restée inoccupée.

Ce premier coup de fourchette, comme on appelle vulgairement le premier moment du repas, fut rude et silencieux. C'était une attaque sourde et sans merci, où les vainqueurs ne faisaient pas plus de bruit que les vaincus et où l'on n'entendait que le cliquetis des armes. Lorsque la faim de l'estomac, aidée du bordeaux généreux, s'exprima par quelques paroles qu'on échangea çà et là entre voisins. Raz-de-Marée fut le premier qui commanda ce temps d'arrêt : deux ou trois aspirations puissantes annoncèrent le bien-être de ses organes digestifs en même temps que le besoin qu'il avait de reprendre haleine.

– Non, non, non, Mussard ; cette tortue est assez grasse pour le temps dans lequel nous vivons ; mais elle ne vaut pas celles que nous mangions chez feu Athanase, mon père, le conseiller provincial.

– Allons donc, Raz-de-Marée, répondit Robert : le compère Athanase, que j'ai connu parfaitement, était sans doute un homme d'un jugement sûr, d'une instruction grande, et dont la justice et le bon sens étaient tels que, dans le conseil, chacun se rangeait à son avis ; mais, que diable ! le bon homme n'a pas emporté avec lui la recette pour engraisser les tortues.

– Non, non, non, non, mille tonnerres ! Tu es une vieille chauve-souris, Robert ; tu n'as rien vu, rien observé, et tu ne t'es pas aperçu que tout a dégénéré dans le pays ; il n'y a que les femmes qui soient toujours les mêmes. Marie est aussi bonne, aussi jolie que sa mère, et Françoise est le portrait frappant de ma chère Marguerite. Oh ! c'était là une femme !... parole d'honneur, elle était plus capable que moi ; aussi, c'est à elle que feu mon père est venu de l'autre monde confier un petit besoin dans lequel il se trouvait ; c'est à elle que le pauvre vieux a demandé les trois messes qui lui manquaient pour achever son compte de purgatoire. J'étais de ce temps-là, moi ; j'ai vu tout cela ; je me rappelle encore l'épouvante de ma femme quand mon père lui apparut. Elle était au milieu de nous ; nous ne vîmes rien, seulement nous entendîmes Marguerite, pâle et tremblante, crier ces mots : « – Je vous le promets, mon père, vous aurez vos trois messes et je chercherai à dénouer le nœud de ruban que vous me donnez ; si je n'y réussis pas, j'en ferai, selon vos vœux, présent à l'autel de la Vierge. »

Marguerite perdit connaissance, et quand elle reprit ses sens, elle nous raconta que notre père venait de la prier de lui faire dire trois messes, dans trois quartiers différents, à la même heure, et qu'il lui avait laissé un nœud de ruban qu'elle nous montra. Les trois messes furent dites à Saint-Paul, à Saint-Denis, à Sainte-Marie, et personne n'ayant pu défaire le ruban, il fut passé au bras de l'Enfant-Jésus, où on peut le voir encore.

La voix de Touchard trahissait l'émotion que lui causait ce souvenir.

– Tout cela est très vrai, mon cher Touchard : j'ai vu plus d'une fois le nœud du ruban, et je sais aussi que, transportée en songe, ta femme assista aux trois messes qui furent dites la nuit, à l'heure de l'apparition ; mais pourquoi parler aujourd'hui de choses aussi tristes ? Elles te causent de la peine, et nous ne devons pas en avoir ici ; parlons plutôt du gibier d'autrefois. Au moins nous pourrons te faire enrager et rire. – Ainsi donc, tu crois, vieux Raz-de-Marée, que depuis soixante ans, tout maigrit, tout dépérit ; cependant, aux bouchées que tu faisais tout à l'heure, il ne paraissant pas que tu trouvasses trop maigre le cabri de Mussard.

– Non, non, non, parbleu ! Il est très beau ; mais il a été engraissé au parc pendant un an ; les cabris d'autrefois n'avaient pas besoin de cette préparation.

– Ah ! dit Touchard fils en riant, ne dites pas cela, mon père ; vous ne vous rappelez donc pas la chèvre que vous avez trouvée si bonne, dans la caverne de Maïdo, et que vous avez mangée presque à vous seul ?

– La belle raison, burgau que vous êtes ; il y avait dix-huit heures que j'étais à jeun, et j'aurais dévoré le premier bouc du pays, quand même il fût mort de vieillesse et d'étisie. Me soutiendrez-vous que les tortues du Portail et de l'Étang-Salé soient aussi bonnes maintenant que jadis ? Encore ne peut-on plus en trouver que quelques-unes !...

– Elles sont réellement devenues rares, répondit Bellon, mais c'est grâce à vous autres anciens ; si j'avais été à la place du Père Hyacinthe, qui gouvernait alors, quiconque eût été pris à ouvrir une centaine de tortues pour en choisir les plus grasses, ou à faire sa provision d'huile avec leurs foies, aurait été condamné à rester douze heures à genoux sur la place d'Armes, avec une pierre de trente livres sur la tête.

Bellon avait raison. Il faut bien le dire, le colon, insoucieux du lendemain, par cela même que la mer et la terre lui donnaient tout en abondance, détruisait tout à plaisir, sans penser à l'avenir. Hélas ! sommes-nous en cela différents de nos devanciers, et chaque jour n'appauvrissons-nous pas le sol en le dépouillant de ses bois, en lui imposant une culture qu'il refuse, en le forçant pour ainsi dire de produire contre nature ? C'est une triste vérité ; mais il faut l'avouer, le créole est gaspilleur, il est dans son essence de sacrifier l'avenir au présent ; il escompte tout ; il escompterait son bonheur éternel, s'il en avait la faculté.

Le fumet savoureux des viandes, la chaleur bienfaisante du vin avaient animé les convives et la conversation était devenue vive et générale.

– C'est bon, c'est bon, dit Mussard ; je ne sais pas ce que vous avez aujourd'hui, mais vous êtes tristes comme des fouquets. Laissez là toutes vos choses de l'ancien temps, buvons à la santé du vieux Raz-de-Marée.

– Non, non, non, mille tonnerres ! nous devons d'abord boire à toi et à ton patron ; ainsi, mes amis, remplissez vos verres à rasade et buvons à Mussard et à Saint-François.

– Eh bien, soit ! répondit Mussard.

Et tous les convives se levèrent pour choquer plus facilement leurs verres et trinquèrent avec cette joie, cet entrain qu'on n'a plus aujourd'hui dans nos repas, et que remplace un signe de tête comiquement sérieux et presque maçonnique.

– Ah ça ! reprit Mussard, en se rasseyant et s'essuyant les lèvres du revers de la main, avez-vous bien nettoyé et soufflé vos fusils, mes amis ; avez-vous acheté votre poudre, fondu vos balles et préparé tout ce qu'il vous faut pour la campagne que nous allons entreprendre ? Elle sera longue et rude, car nous aurons affaire à des coquins braves et nombreux. Leur nombre s'augmente tous les jours. M. de Saint-Martin m'a envoyé avant-hier l'ordre de réunir tous mes *détachements* et de pousser jusqu'au cirque de la rivière des Galets. Il paraît que Bâlle, qui a succédé au vieux Pitre dans le commandement des noirs marrons, a fait quelques mauvaises plaisanteries à la Possession et à Saint-Leu.

– Qu'est-il arrivé ? dit Grosset.

– Voici ce que j'ai appris : Bâlle, à la tête de deux cent quatre-vingts hommes, a fait une descente à Saint-Leu, il y a quelques jours, a pillé, assassiné, incendié et forcé les malheureux habitants de s'embarquer en toute hâte dans leurs pirogues encore : Diampare, ce Cafre féroce que nous avons vainement poursuivi jusqu'à présent, a envahi la nuit avec sa bande l'habitation du vieux Schmit. Après l'avoir tué ainsi que ses deux esclaves, les scélérats lui ont coupé les mains, les oreilles et ont fait main basse sur tout ce qu'il possédait. Poussant la cruauté jusqu'au sacrilège, ils l'ont pendu au milieu de sa porte, les deux poignets cloués aux montants, comme s'il s'y appuyait ; de telle sorte que ses amis, venant le visiter deux jours après crurent qu'il prenait le frais, le saluèrent gaiement de loin, et lui demandèrent de ses nouvelles.

– Non, non, non, c'est une abomination ! Et si jamais je rencontre ce mécréant de Diampare, je l'écorcherai tout vif ; il faut être un damné de Cafre pour imaginer de ces farces-là.

– Pitre est donc mort ? demanda Jean-Baptiste. Est-ce bien certain ?

– Oui, répondit Mussard ; chargé d'années et plus encore d'infirmités, n'osant pas se fier à ses jambes ; il se faisait porter dans l'écaille d'une énorme tortue ; et il paraît qu'il y a un mois environ, traversant un des passages dangereux d'Orère, cette grande îlette au-dessus du ravin de Bémald, ses porteurs glissèrent et tombèrent avec lui dans le précipice. Il venait de s'entendre avec cet effronté Malgache, autre chef d'une bande indomptable, qui s'est baptisé lui-même Cimandef, et qui habite la montagne voisine d'Orère.

– Et que signifie, dit Touchard, ce nom de baptême de Cimandef ? Connais pas ce nom de saint-là ; c'est sans doute du calendrier madécasse.

– Quoi, mon vieux, lui répondit Mussard, depuis que tu te frottes aux malgaches, tu ne connais pas encore les moindres mots de leur idiome ?... Cimandef vient de deux mots malgaches (tsi, non pas, mandevi, esclave). Ce bandit-là a la prétention de n'être esclave de personne, pas même noir du roi. Il se dit chef de la Grande-Terre, et il commande comme tel sur la montagne où il s'est perché.

– Ah ! ah !... ricana Touchard, que je te rencontre, ma très-chère majesté Sakalave, et nous verrons un peu !... Et tout de même, continua-t-il, c'est fâcheux que ce coquin de Pitre soit mort c'était un honnête gueux qui menait bien ses gens, cultivait le maïs, les pommes de terre, et ne s'attaquait qu'aux cabris, aux fouquets et aux *andettes*. Puis je l'aimais parce qu'il avait été baptisé, pas par lui-même celui-là, par le Père Hyacinthe qui plus est.

– D'autant plus fâcheux, Père Raz-de-Marée, qu'il a été remplacé par un bandit malheureusement célèbre par son habilité, sa force et son audace. Pharla, le dernier noir que j'ai capturé aux environs du grand Bénard, m'a raconté qu'aussitôt après la mort de Pitre, profitant des dissensions qui régnaient entre les lieutenants de ce dernier, Bâlle se fit appeler le grand roi de l'intérieur, s'empara de l'autorité militaire et judiciaire, institua des lois sévères contre la trahison et la désertion, établit quelques cérémonies religieuses, et divisa son empire en plusieurs départements.

Il n'a pas moins de cinq cents hommes sous ses ordres, et a désigné à chacun des chefs qui lui ont juré foi et obéissance, le poste qu'il doit occuper.

Il a choisi pour capitale Cilaos, dans la rivière Saint-Étienne, s'y est retranché avec sa bande, dont un grand nombre se trouvent armés des fusils qu'ils ont volés ; a confié à Diampare le Bonnet de Prêtre ; à Phaonce, le grand Bénard ; a assigne à Fatie, qu'on appelle le roi des Nuages, le Piton des Neiges ; a donné à Mafat, le grand sorcier, le versant au pied duquel coulent les eaux sulfureuses de la rivière des Galets, et au farouche Sakalave Sanson, l'ami de Cimandef, l'îlette aux Lataniers ; il a placé le rusé Matouté et sa femme Simangavole dans une caverne profonde des Salazes, et le colossal Sankouto, aux bords brûlés de la Fournaise.

Pharla m'a appris de plus que Bâlle s'arroge droit de vie et de mort sur ses sujets, qui le redoutent plus qu'ils ne l'aiment ; qu'il a une meute de trente chiens qu'il dresse à dévorer les blancs en leur jetant en pâture, après les avoir affamés, les cadavres des *détachements* qui tombent sous ses coups ; qu'il voyage et passe ses revues monté sur un bouc robuste qu'il dirige au moyen de ses longues cornes.

– Un bouc ! s'exclamèrent tous les convives.

– Le noir Pharla m'a dit cela, répliqua Mussard, mais ce Pharla est un cafre peu ferré sur les différentes races d'animaux. Ce bouc doit être tout uniquement un de ces cerfs que les Portugais lâchèrent dans l'île à leur départ, et qui ont peuplé dans nos montagnes. On leur a fait une rude guerre, à ces pauvres bêtes ; c'est à peine s'il en reste, et ce doit être un de ces animaux que Bâlle aura transformé en cheval de parade.

– Eh bien, mille millions de tonnerres ! hurla Touchard en frappant du poing sur la table, je veux être le premier à trouver ce coquin sur son cheval à cornes ; je chargerai ma balle d'aller lui demander quels sont les titres de concession que la Compagnie lui a donnés. Mais comprenez-vous une pareille impertinence ? Faire des lois, des cérémonies, s'appeler le grand roi de l'intérieur ! Oh ! mon roi malgache !… nous vous arrêterons avant que vous n'ayez détruit tous les cabris et coupé la tête de tous les blancs, ce que vous désirez tant faire… Ah ! ah !… nous verrons un peu ce gaillard-là !…

– Mon Dieu ! dit Marie d'une voix émue ; je frémis, Mussard, quand je songe que tu vas recommencer bientôt cette guerre terrible ! Quand donc cesseras-tu, mon ami, de courir ainsi dans les bois et de t'exposer à tant de dangers ? Songe à nous, regarde ces petits êtres ; que deviendraient-ils sans toi, s'il t'arrivait quelque malheur ?

Sa voix tremblait et du geste elle désigna ses trois jeunes enfants placés au bout de la table et que trois vieilles noires serraient attentivement.

L'aînée était une fille de douze ans environ, qui portait le nom de sa mère, Marie. C'était tout ce qu'elle avait pris d'elle. Sa constitution, sa physionomie, son œil noir et plein d'éclairs, tout annonçait la fille de Mussard. Les deux autres enfants étaient deux garçons, dont l'aîné pouvait avoir une dizaine d'années.

Celui-ci releva la tête à cette dernière parole de sa mère, se dressa debout, et dit d'une voix argentine, mais ferme et vibrante :

– Alors, mère, je ferai comme mon père, la guerre, toujours la guerre, à ces chiens de noirs qui l'auront tué… Je suis un homme, je vous défendrai vous et ma grande sœur, ajouta-t-il, en jetant sur cette dernière un regard de protection.

– Bravo ! Bravo !… le mioche, dit le père Touchard, voilà ce qui s'appelle bien causer… C'est le sang qui parle, Marie, dit-il en se tournant vers Mme Mussard… Avance, moutard, qu'on t'embrasse.

Le petit garçon se leva avec une certaine dignité, passa près du vieux Touchard et lui tendit sa joue rose et veloutée comme une pêche. Le bonhomme le mangea de caresses.

– Et moi ? dit Mussard… Rien !…

L'enfant courut à son père, qui le souleva de terre d'une de ses mains, le mit assis sur la table en face de lui :

– Tu parles comme un homme, mon fils, embrasse ton père…

L'enfant passa ses deux petits bras autour du cou athlétique de Mussard. Les deux têtes de l'enfant et du père se rapprochèrent pour s'unir par un baiser plein de douceur : la chevelure noire du père ombrageait le frais visage et les boucles blondes de l'enfant ; pendant ce temps, la pauvre mère, le cœur agité de terreur et de plaisir à la fois, contemplait d'un œil joyeux et plein de larmes ce groupe si cher à son cœur.

– Tu vois, femme, lui dit Mussard, en déposant son fils par terre, tu as des terreurs que ton fils même ne partage pas. Sois tranquille, je veille et sur moi et sur vous.

– À quoi bon tous ces combats sur les montagnes de l'île ? laisse ces noirs vivre là-bas où ils sont. N'as-tu pas assez de fortune pour rester tranquille et heureux chez toi et pour épargner à ta femme le chagrin et l'inquiétude qui l'assiègent pendant tes absences ?…

– Rassure-toi, Marie ; tu sais que la balle d'un noir ne peut m'atteindre et que ma peau serait un peu rude pour leurs sagaies ; quant au poignet, je défie Sankouto même de lutter avec moi. Ce n'est pas, tu le sais, le profit qui me tente, bien que le gouvernement nous donne tête pour tête, mains pour mains ; mais c'est un devoir qu'il faut que je remplisse dans l'intérêt de tous ; si nous nous endormions aujourd'hui, demain nous serions égorgés jusqu'au dernier.

– À quel jour fixes-tu le départ, demanda Champagne.

– Mais nous partirons après-demain, répondit Mussard ; faites savoir cela aux autres *détachements*, l'ordre du gouverneur est positif et pressant.

– Non, non, non, non, Mussard !… après-demain c'est trop tôt ; j'ai quelques affaires à régler avant de commencer cette chasse de laquelle je ne reviendrai peut-être pas.

– Je parie que Raz-de-Marée a besoin d'aller dire un mot à l'abbé Desnoyelles, observa Robert ; c'est une de ses bonnes habitudes.

– Oui, parbleu ! Et tu es un pervers de ne pas le faire ; quand on est vieux comme nous Robert, il faut toujours être paré, équipé pour l'autre monde, car le pied peut manquer, une liane peut se rompre dans la main, et une chute dans les remparts ne laisse guère le temps de demander pardon à Dieu ; en outre, ces enragés noirs ne tirent pas trop mal, et ne vendent pas leur vie à bon marché. Une balle dans la tête, un coup de lance dans la poitrine, sont de tristes moyens pour entrer en état de grâce ; quant à moi, je le déclare bien, je ne mettrai le pied ni dans la forêt, ni sur la montagne, sans avoir obtenu l'absolution. Non, non, non, non, je n'oserais même pas aller dénicher un fouquet ; vous ne vous figurez pas combien ces diables de péchés vous pèsent dans la bretelle, quand on monte ou que l'on descend un rempart ; et puis on dirait que tout vous tourne à guignon ; le fusil rate, la pipe se casse, les cabris et les marrons semblent vous rire au nez.

– Allons, puisque vous le voulez, père Raz-de-Marée, je vous donne deux jours de plus, mais dépêchez-vous, je ne puis vous attendre davantage.

– D'honneur ! mon cher Touchard, ajouta Robert, tu prêches aussi bien que le Père Hyacinthe, et ce n'est pas peu dire, car c'était un gaillard qui ne s'en tirait pas mal. Je ne t'ai jamais vu aussi chaud et aussi bon chrétien qu'aujourd'hui ; il doit y avoir quelque chose au fond de ton sac de pêcheur qui te pèse plus que tes jurements, les murmures, les coups de colère, qui composent ordinairement ton paquet. Je gage ma première capture que c'est ce malheureux coup de fusil, qui a avancé le dernier quart d'heure du vieil Anchaing, qui te tourmente et donne à ta langue tant de piété et d'éloquence.

– Tu as deviné juste, et je l'avoue franchement : la balle malencontreuse que j'ai envoyée à ce pauvre diable est un terrible plomb que j'ai sur la conscience. Pourtant, Dieu m'est témoin que ce n'était qu'une simple plaisanterie : mais c'est égal, cela me ravage d'avoir tué ce vieillard qui vivait tranquillement de sa vie de marron et n'avait jamais fait de mal à personne. C'est bien assez, mille tonnerres !… que, pour nous défendre, nous soyons souvent obligés d'ôter la vie à des créatures humaines, sans que nous ayons encore à nous reprocher d'avoir versé gratuitement le sang que nous aurions pu épargner et dont Dieu demande toujours un compte sévère.

– Mon père, observa Françoise, comment avez-vous fait une pareille chose !… Je ne connais pas cette histoire.

– Non, non, non, mon enfant. Ce fut un de ces coups de malheur qui n'arrivent qu'à moi ; aussi, je dois le dire, il y avait de ma faute ; j'avais juré plus que de coutume, j'avais mis dans la même poche mon chapelet et ma pipe. J'avais dit ma prière de mauvaise humeur ; le diable s'est emparé de moi et m'a fait faire une mauvaise action. Figure-toi que j'étais en chasse avec Hoarau et Técher, et que nous avions établi notre camp dans une vallée de la rivière du Mât ; je savais qu'Anchaing était dans ces environs, et je désirais reconnaître son habitation, sans la moindre envie de lui faire du mal, car j'en aurais eu l'envie qu'il m'eût été impossible de monter lui rendre visite s'il ne le veut pas. Pour lors donc, je me levai de bon matin, et me mis en marche pour satisfaire ma curiosité. Je m'arrêtai en face d'un magnifique piton isolé, qui s'élevait assez haut dans l'air. J'étais à une assez grande distance, car le piton me semblait bleuâtre et vaporeux ; maintenant cette couleur était peut-être aussi la toilette du matin que le soleil donne à ces belles montagnes de l'intérieur. Tout ce que je sais, c'est que je n'avais pas traversé le cours d'eau de la ravine des Trois-Bras qui passe à ses pieds. J'étais sur l'autre rive, – donc j'étais loin ; – je vis debout, tout à fait à son sommet, un noir dont je distinguais à peine la tête et les vêtements de peau de cabris ; il semblait ne pas s'apercevoir de ma présence ou peut-être la dédaignait-il et tenait-il à la braver, sûr qu'il était d'être dans un lieu inaccessible. Le vieux noir semblait absorbé par la contemplation du majestueux Piton des Neiges qui se dressait devant lui dans toute son imposante hauteur. Il semblait considérer un signal qu'il attendait de là-haut et prendre en même temps sa part de cette bienfaisante influence qu'apporte avec lui le lever d'un beau jour, et réchauffer ses membres aux premiers rayons du soleil tiède et pur qu'on voit toujours se lever avec plaisir sur ces froides hauteurs. Je reconnus Anchaing, et la mauvaise idée de l'effrayer me vint à l'esprit. Je l'ajustai comme par habitude ne pensant pas que ma balle pût aller si loin, et je fis feu en accompagnant de la voix le bruit de la détonation : Anchaing agita ses bras en l'air, s'affaissa tout à coup et disparut. Je m'aperçus que mon mousquet avait mal compris mes intentions et avait pris ma plaisanterie au sérieux ; mais j'en jure par toi, Françoise, je ne voulais que rire de la peur du coquin.

– Peut-être mon père, n'est-il pas mort de ce coup de fusil ? répondit Françoise.

– Non, non, non, ce n'est hélas que trop vrai !... je l'ai appris de la bouche même de deux marrons que les *détachements* de la partie du vent ont arrêtés à la mare à Poule d'Eau, et qu'ils ont conduits à Saint-Paul au gouverneur il y a quinze jours, tu t'en souviens, Mussard, n'est-ce pas ?...

– Oui, oui, répondit celui-ci, mais le fait est encore à vérifier : est-ce qu'il viendrait toujours vous visiter et causer avec vous pendant votre sommeil ?…

– Mille tonnerres !… il n'y manque pas, et je ne sais plus à quel saint me vouer pour dormir en paix. Je lui ai pourtant fait dire plus de trente messes et ne lui épargne ni les *Pater* ni les *Ave* ; c'est un supplice auquel je ne peux plus tenir, et j'aimerais mieux regarder en face tous les noirs de Bâlle que d'entendre une seule de ces paroles que les morts viennent vous dire à l'oreille !…

– Vous perdrez la tête, vieux Raz-de-Marée, avec vos revenants, répliqua Champagne ; comment un homme de votre âge peut-il croire à de pareilles bêtises ? d'ailleurs Anchaing n'était point baptisé, et ce ne sont ni vos *Ave* ni vos messes qui le tireront de l'endroit où il est.

– Qu'est-ce que cela me fait qu'il n'ait pas été baptisé ? Le curé Desnoyelles m'a assuré que de bonnes prières arrangent toujours les affaires d'un mort et l'aident à vivre dans l'autre monde ; j'en dirai pour le pauvre noir tant qu'il m'en demandera.

– Mais pourquoi ne l'avez-vous pas baptisé aussitôt ? demanda Bellon ; vous auriez trouvé pour cela assez d'eau dans sa calebasse.

– Il faut bien être un Taille-Vent comme toi pour concevoir une idée aussi stupide !… Comment peux-tu penser qu'après avoir tué Anchaing, j'eusse tenté de m'exposer à la vengeance de sa femelle et de ses petits qui n'auraient pas manqué de m'étrangler et de me faire boucaner ? Dans tous les cas, il est impossible de gravir ce rocher sans l'échelle de corde qu'Anchaing ne laissait jamais pendante, et je te défie bien de le faire toi, tout Taille-Vent que tu es.

Anchaing était un des sept premiers esclaves de Bourbon : très jeune encore, arrivé dans l'île, il se sauva dans les montagnes, se fixa sur ce piton, situé entre la rivière du Mât et la ravine des Trois-Bras qui porte aujourd'hui son nom. Depuis quarante ans, à l'époque où se passe cette histoire, il vivait dans la solitude la plus complète sur ce rocher dont il avait été le Robinson. Au bout d'un certain nombre d'années d'une retraite des plus solitaires, un jour il rencontra une jeune noire marronne qui, tombant de faim et de lassitude, épuisait ses dernières forces à couper avec une pierre aiguë le chou d'un palmiste ; c'était une compagne qu'Anchaing avait souvent rêvée ; il la secourut et l'emmena dans sa hutte. Il en eut huit filles, dont l'une, Marianne, était la femme de Cimandef, et l'autre, Simangavole, était, à l'heure où passent ces événements la femme du chef Matouté.

Anchaing ne s'était jamais beaucoup éloigné de sa caverne ; il vivait paisiblement de chasse, de pêche et de racines qu'il cultivait. Le haut de son piton était un observatoire d'où partaient souvent des signaux convenus, pour avertir de l'approche des blancs, Cimandef, Fatie, Diampare, Phaonce, et Bâlle lui-même, le grand roi. Souvent aussi, quand les bandits et leur troupe se trouvaient pris pendant leur chasse aux cabris sauvages par un parti nombreux de *détachements*, le signal de ralliement paraissait au haut du piton. Toute la troupe en silence se dispersait de différents côtés et tous, moitié rampant comme des serpents, moitié bondissant comme des panthères, suivant la conformation du terrain à parcourir, arrivaient à l'unique refuge, la caverne d'Anchaing, cette protectrice de leur liberté. L'échelle en corde restait pendante tant que le dernier de la troupe n'était pas rentré au rendez-vous. Alors elle disparaissait, remontant à la grotte, et là les malheureux, se trouvant libres et forts, attendaient que le danger fût passé.

Le silence avait un instant régné après les dernières paroles de Touchard ; Bellon l'interrompit alors et s'adressant à ce dernier :

– Allons, consolez-vous, mon vieux Touchard, dit-il, quand nous passerons par-là, nous irons planter une croix de bois sur la tombe d'Anchaing ; ça réussira peut-être à le faire tenir en repos. S'il est mort, sa femme et ses enfants ont dû se sauver de la caverne, et l'échelle doit être encore adhérente aux flancs du rocher, car qui aurait pu la faire remonter ?...

– Ah ! parbleu ! c'est une idée, et je m'impose pour punition de faire la croix et de la porter moi-même à la cime du piton !...

– Sans même l'échelle ?

– Est-il bête, ce Taille-Vent !... grommela Touchard en haussant les épaules d'un air de dédain.

La chaleur de la conversation n'avait en rien diminué l'ardeur de l'appétit, mais le festin touchait à son terme.

Chacun se rendait, de guerre lasse ; le vieux Touchard seul tenait encore sa fourchette comme par distraction, ou comme s'il regrettait de l'abandonner.

Mussard se leva enfin, ramena ses amis sous le badamier, où les attendait la sieste habituelle en ces temps-là.

CHAPITRE IV

LA SIESTE

Si vous êtes un vrai fumeur ; si, après un bon et copieux repas, fouillant joyeusement dans votre poche, vous êtes devenu tout à coup triste et morose en trouvant votre pipe cassée sans ressource ; si, comptant trop sur la généreuse prévoyance d'autrui, vous avez retiré douloureusement, pauvre et confuse, la main qui demandait l'aumône d'un cigare, en entendant cette réponse désespérante : « Désolé mon cher, je fume mon dernier » ; ou plutôt, si, plus soigneux et mieux avisé, vous n'avez rien cassé, rien négligé, et que, sortant de table, vous avez pu, comme on le dit encore, charger votre pipe à la riche, enflammer avec précaution la touffe chevelue de tabac qui l'a fait ressembler à un Turc dont le turban s'embrase, et que vous asseyant à l'écart, vous avez suivi avec une attentive sollicitude le progrès lent, mais sûr, de l'incendie que vous avez allumé, que humant et soufflant doucement, pendant de longues minutes, vous avez voluptueusement savouré l'arôme de vos tournoyantes bouffées de fumée, vous vous représenterez l'agréable situation de Mussard et de ses amis, vous comprendrez la délicieuse demi-heure qui va s'écouler pour eux.

Ils étaient tous nonchalamment étendus sur des lits de corde, que les créoles appellent cadres, et recouverts de nattes de Madagascar, les uns s'accoudant mollement la tête dans la main, les autres couchés entièrement sur leurs traversins de plumes ; ceux-ci, assis les pieds pendants, le corps incliné, les coudes sur les genoux ; ceux-là, enfin, ramassés et penchés en arrière, les deux mains croisées sur les jambes.

Les blagues sont déroulées, les pipes sont écurées, le tison ardent pétille ; ils vont se préparer au repos en fumant une bonne pipe de cet excellent tabac de Bourbon qui, alors comme aujourd'hui, ne manquait pas d'appréciateurs.

Touchard avait tiré de la poche de son grand gilet de percale un gros sac fait de la dépouille entière d'un jeune chevreau et que fermait un croc recourbé et poli, dont la longueur et la teinte jaune accusaient la vieillesse du porc qui l'avait eu pour défense.

– Raz-de-Marée, passe-moi ta bombarde, dit Robert, en étendant la main vers lui.

– Bombarde !!… Eh bien ! non, tu n'en auras pas, mauvais plaisant ! Il faut que je te corrige de la manie que tu as d'être le parrain de tout ce qui m'appartient.

Tantôt c'est mon fusil qui est un tromblon, tantôt c'est ma blague qui est une bombarde ; vous êtes pourtant bien heureux de la trouver aussi grosse et aussi pleine quand nous sommes plusieurs jours dans le bois ; car vous êtes des gaillards, vous autres, qui apportez vos pipes, mais qui avez la précaution d'oublier toujours ce qu'il vous faut pour les charger.

– Allons, ne te fâche pas, mon vieux ; mais aussi, comment peux-tu avoir une blague qui ressemble à un cabri empaillé ?

Touchard lui jeta brusquement sa blague.

– Est-ce de votre tabac nouveau que vous fumez-la, père Raz-de-Marée ? Voyons, que je le goûte. Est-il bon ? dit Grosset.

– Parfait !… un peu rétif au feu d'abord, mais quand il est pris il laisse causer.

– Bah ! fit Robert, car il fumait, et les autres en faisaient autant.

Le silence et la tranquillité avaient succédé au bruit et au mouvement de ce premier moment où, pour s'arranger plus commodément, on échange soins et paroles entre soi.

Chacun fumait sans discuter, sans s'agiter, car le plaisir du fumeur est ennemi des gestes trop vifs et des entretiens trop animés ; seulement, un mot par-ci par-là accompagnait parfois un jet de fumée jusqu'au dôme du badamier ; un autre mot y répondait aussi brièvement, et il semblait déjà que le sommeil, les invitant à finir leur pipe, les caressait en leur passant la main sur le front.

Déjà quelques-uns étaient allongés plus à leur aise, les paupières du vieux Touchard s'étaient abaissées peu à peu, et sa pipe était descendue d'un pouce au moins au-dessous de son niveau ordinaire.

– Allons, mes amis, dit Robert : une petite heure d'oreiller, et le premier qui fera du bruit aura un tour de grimpe en plus.

– C'est dit, répondirent les autres, et se couchant tout à fait, ils fermèrent les yeux.

Cinq minutes s'étaient à peine écoulées, que Touchard se mit à ronfler de toute la puissance de ses poumons.

– Eh ! Raz-de-Marée, cria Robert, est-ce que tu comptes changer longtemps sur cet air-là, mon ami ?

Mais Touchard ronflait toujours et son ronflement avait atteint le plus beau développement.

– Veux-tu finir ! continua Robert ; en vérité, cet homme est possédé !... Mais écoutez donc !... a-t-on jamais entendu une personne naturelle ronfler ainsi ? C'est insupportable !...

– Mon père est de l'humeur la plus égale, dit en riant Touchard fils ; il a toujours l'air en colère, même quand il dort !... Et comme ce bruit sera de nature à m'empêcher de fermer l'œil, je vais là-bas sous les caféiers.

Et, joignant l'action à la parole, il partit assez loin de l'arbre qui ombrageait les causeurs, étendre une natte fine et fraîche sous les berceaux des caféiers de Mussard.

– Ah ! vous aurez beau dire et beau faire, ajouta Champagne, vous n'empêcherez pas la musique d'aller son train ; le vieux Raz-de-Marée est un brave homme, mais c'est le camarade de lit le plus fâcheux que je connaisse ; j'aimerais mieux dormir à côté d'un moulin à maïs qu'à côté de lui ; je me rappelle que dans une expédition que nous avons faite ensemble, j'ai été obligé, pour prendre ma part de sommeil, d'établir la condition de dormir chacun à notre tour.

– C'est bel et bon quand on est deux et qu'on a assez de temps pour s'arranger, répliqua Robert ; mais nous n'avons aujourd'hui qu'une heure de méridienne, et il faut que chacun puisse en jouir sans aucun trouble. Attendez ; je trouverai bien le moyen de l'empêcher de souffler comme une *ancive*. Jean-Baptiste, va me chercher à la ravine une cinquantaine de grenouilles !...

– Du tout, du tout, répondit Jean-Baptiste ; je ne veux pas me mêler de tout cela.

– Compris, dit Robert en clignant de l'œil d'un air cherchant à être malin... on n'ose mettre en colère le vieux papa Touchard et pour cause.

– C'est possible... Oui, j'ai mes raisons ; et comme je ne veux même pas, par ma présence, encourir le reproche d'une complicité quelconque dans la niche que vous voulez lui jouer, je me retire et je rejoins ces dames sous la varangue ; bonne chance, Messieurs, et bonne sieste surtout.

Jean-Baptiste s'éloigna.

– Ta, ta, ta, fit Robert ; tu as peur sans motif, mon garçon ; Raz-de-Marée tempête toujours, mais c'est le meilleur homme du monde ; après tout, tu as peut-être raison ; quant à moi, qui ai plus de sommeil que d'amour en tête, je vais risquer sa colère. Holà, Bombétoc. Viens, ici.

Un petit Cafre de douze à treize ans, à l'air éveillé, accourut aussitôt.

– Voilà maître.

– Écoute, singe, je te donne deux belles peaux de cabris pour te faire une *saisie* et par-dessus le marché une belle chemise blanche pour que tu sois faraud quand tu iras au quartier, si dans cinq minutes tu m'apportes quatre douzaines de grenouilles vivantes.

– Oui, maître, dit le petit négrillon en souriant de plaisir et faisant voir une rangée de dents aiguës et blanches comme de l'albâtre, tranchant à vif sur sa peau d'ébène ; oui, maître, tout à l'heure.

En deux bonds il disparut par le sentier tracé au milieu des grands arbres et se rendit à la ravine ; un quart d'heure après, il revint avec une calebasse pleine de grenouilles.

Alors chacun, à l'exception de Jean-Baptiste, se mit à l'œuvre ; les pauvres habitants des marais, étonnés de se trouver à pareille fête, furent liés par une patte et attachés doucement en grappes à chaque doigt des pieds nus de Touchard.

– Ah ! nous verrons maintenant, dit Robert ; si Raz-de-Marée continue à chanter, il faut qu'il ait le diable au corps.

Robert, malgré ses cheveux blancs et son âge avancé, était un boute-en-train aimant toujours à faire aux autres ce que les créoles appelaient des farces ; bon diable au demeurant, supportant assez bien la plupart du temps celles dont il était quelquefois lui-même la victime. Robert n'avait pas mal jugé de l'effet de son procédé car le ronflement de Touchard cessa tout à coup.

Le froid des grenouilles, leur sautillement continuel n'étaient pas assez puissants pour réveiller tout à fait Touchard, mais suffisaient pour le troubler, le distraire et l'empêcher de ronfler, en rendant son sommeil plus léger.

– Eh bien ! qu'est-ce que je vous ai dit ? demanda Robert à voix basse ; notre homme n'est-il pas sourd et muet ? Je vous réponds, ajouta-t-il en criant doucement, que la leçon sera bonne ; et quand il dormira désormais avec nous, la peur des grenouilles ou de toutes autres choses semblables l'inquiétera assez pour ne pas être un Raz-de-Marée la nuit comme le jour.

En vérité, il aurait fallu être la statue de l'ennui ou de la tristesse pour ne pas se tenir les côtes en regardant le pauvre vieux Touchard luttant contre l'influence du sommeil plus pesant et la gêne vague, incessante, que lui causaient ces malheureuses grenouilles qui chatouillaient la plante de ses pieds ou s'introduisaient dans les jambes de son pantalon. Il grimaçait comme un démon ; tous les muscles de son visage étaient en pleine émeute ; à chaque redoublement de danse, ses orteils se heurtaient, se contractaient l'un contre l'autre avec une fureur nerveuse ; on eût dit qu'un rêve affreux l'obsédait en ce moment. Champagne lui-même, malgré son impassibilité ordinaire, riait à en pleurer ; Bellon surtout pour s'exprimer le fou rire dont il était saisi, se livrait avec ses jambes et avec ses bras à une gymnastique effrénée.

Mais, par sa violence même, cette hilarité finit par s'user et les compagnons de Touchard, le laissant vaillamment combattre contre les ennemis de son repos, s'endormirent les uns après les autres.

Une heure se passa ainsi.

Tout le monde reposait ! le silence couvrait encore cet heureux oubli de la vie, quand la voix de Touchard, semblable à un coup de tonnerre au milieu d'un jour de calme, frappa l'oreille des dormeurs et les réveilla en sursaut et simultanément. Mais le souvenir des grenouilles revenant à l'esprit de chacun, personne n'eut garde de bouger, d'ouvrir les yeux, craignant la première colère du vieillard ; seulement, quelques rires, que la crainte refoulait en dedans, se trahissaient par certains mouvements, par certaines respirations entrecoupées.

– Ah ça ! sacrr... mille millions de millions de tonnerres ! malédiction du diable ! me direz-vous qui m'a fait cette farce-là ?... Non, non, non, mille millions ! je le connaîtrai ; et qu'il se prépare, je le démolirai ! A-t-on vu chose pareille ?... Empailler ainsi un chrétien, un homme qui s'approche des sacrements !... Voulez-vous bien répondre !... vingt-cinq millions de tonnerres, ou je vous tombe dessus.

Personne ne remua, personne ne répondit ; cependant Robert, qui connaissait bien Touchard et n'appréhendait nullement son courroux, se leva le premier, en feignant de se réveiller à l'instant même.

– Qu'est-ce que ce bruit ? dit-il ; tiens, c'est toi, mon vieil ami, qui fait tout ce tapage ? As-tu bien dormi ?

– Si j'ai bien dormi !!! mécréants que vous êtes !... Si j'ai bien dormi avec les *gris-gris* que voilà ! Mais rira bien qui rira le dernier, et je vous ferai voir à tous si on peut faire impunément d'Étienne Touchard, le fils du conseiller provincial, une *babane* ou un sorcier.

Allons, allons, Touchard, ne te fâche pas ; tu me fais de la peine et c'est un gros péché pour toi ; ne voilà-t-il pas que pour une innocente plaisanterie, tu deviens furieux et veux démolir d'anciens camarades, absolument comme si c'étaient des Anglais ! Eh bien ! je vais te le dire, c'est moi qui suis le coupable : tu ronflais comme un coup de vent dans le bois, et tu nous empêchais de nous reposer ; comme je sais que les grenouilles sont un remède contre cette infirmité-là, au lieu de te réveiller, j'ai pris la liberté de t'en mettre quelques-unes ; j'espère bien que ces charmantes petites bêtes ne t'ont point mordu, et je ne crois pas que tu en gardes rancune à ton meilleur ami.

Pendant que Robert parlait, il aurait fallu voir le père Touchard, raide sur son séant, rouge et bouffi de colère, les bras croisés et l'œil étincelant, portant alternativement ses regards de ses pieds à Robert, et de Robert à ses pieds, comme s'il se fût consulté en lui-même et qu'il eût cherché un juste milieu entre la gravité du délit et l'importance du délinquant ; il eût vraiment bien posé pour servir de modèle à la fureur en réflexion, ou à la réflexion de la fureur.

Enfin, l'orage creva :

– Monsieur Robert, dit-il, d'une voix sourde et courroucée encore, vous mériteriez qu'on fît de la bourre de fusil avec vos cheveux blancs, pour vous être permis, à votre âge, une sottise aussi indigne. Ah ! je ronflais comme un coup de vent ! Mais mille millions de tonnerres ! Vieille bête que tu es ! Chacun n'a-t-il donc pas le droit, de dormir à sa manière, et était-ce une raison pour accoupler mes orteils avec ces animaux et pour m'arranger absolument comme si vous voulez me faire servir d'appâts aux anguilles du Grand Étang de Saint-Paul ? Oh ! non, non, non, je vous le dis : ne recommencez pas, ou il vous arrivera malheur ; et venez-moi promptement débarrasser mes pieds de ces maudits insectes.

On ne se fit pas dire deux fois, et tous se tenant à quatre pour ne pas éclater, n'osant se regarder les uns les autres de peur de rencontrer un signe provocateur qui eût brisé leur sérieux, vinrent, comme des écoliers fautifs, détacher leur part de grenouilles. Robert seul, ne pouvant y tenir, se redressa au milieu de son opération pour donner essor à un bruyant et fou rire.

– Ah ça ! Raz-de-Marée, je veux bien pour cette fois accomplir la pénitence que tu nous imposes ; mais je te le jure à mon tour, si tu retombes dans ton péché, ce seront des souris ou des crabes dont je me servirai pour t'en corriger.

– Oh ! c'est pour le coup, répondit Touchard, que je t'étranglerai comme un poulet !…

Deux petits noirs, apportant le café fumant dans une marmite, arrivèrent à propos pour calmer le vieux Raz-de-Marée ; il en prit un bol tout plein et, sans tenir compte de sa chaleur, l'avala d'un trait ; son courroux était loin déjà quand Mussard et Jean-Baptiste, sortant de la maison, vinrent les rejoindre.

CHAPITRE V

FRANÇOISE ET JEAN-BAPTISTE

Pendant que Robert et ses autres amis s'amusaient à ces vulgaires plaisanteries de jeunes gens, nous dirons où était allé Jean-Baptiste.

Un pressentiment secret lui avait révélé que Françoise devait l'attendre et le verrait avec plaisir ; il était accouru auprès d'elle. Se voir, se sentir l'un près de l'autre, souvent même ne point se parler, tel est le bonheur quand on s'aime, quand on a vingt ans, qu'on a le cœur vierge et pur. Or, ces deux enfants réunissaient sur leur tête cette double couronne de la jeunesse : pureté et beauté.

Le lecteur appréciera lesquels, de ce jeune homme ou de ces vieillards, savaient faire le meilleur emploi des heures fugitives de leur vie, de ces heures dont Dieu ne nous fait l'aumône que pour les employer à notre bonheur, et dont plus tard, quand la mort arrive, notre cœur nous demande un compte si sévère, pour savoir si nous les avons passées à le rendre heureux ou à nous faire meilleurs.

L'amour, avec son cortège d'illusions charmantes, de tendresses comprimées ou devinées, avec ses douceurs savourées mystérieusement et en silence dans le tête-à-tête d'une intimité que le temps ne fait qu'accroître, parce qu'au bout on croit entrevoir le bonheur que tout homme ici-bas rêve, parce que de lui l'on attend l'oubli des soucis de l'existence que tout homme ici-bas rêve également ; l'amour, ainsi senti et partagé, n'est-il pas ce que la Providence a octroyé à l'humanité de plus divin sur la terre ; la seule chose qui nous fasse rêver des cieux ; la seule qui mérite quelques regrets, quand nous quittons la vie trop jeunes, sans avoir pu éprouver ce bonheur ; la seule enfin qui embellisse le soir de nos vieux jours et la solitude de nos dernières années ? car la fleur suave du souvenir sait toujours en prolonger le parfum sur les froides journées de notre vieillesse.

Le bon Lafontaine, lui-même à près de soixante ans, trouva un jour, dans sa veine plutôt d'ordinaire rabelaisienne et sceptique qu'élégiaque et tendre, cet accent mélancolique et doux qu'a dû lui envier plus d'un poète qui a écrit sur l'amour :

« Hélas ! dit-il, quand reviendront de semblables moments !

Ai-je passé le temps d'aimer !… »

Ce regret douloureux du bon vieillard en dit assez ; et si ce n'était trop de présomption que d'expliquer la pensée du poète en vile prose, nous ajouterions qu'elle contient implicitement ceci : heureux ceux qui ont pu aimer, plus heureux ceux qui aiment, et bien à plaindre ceux qui n'aimeront jamais !…

Maintenant, sans creuser plus profondément cette théorie de l'amour, hâtons-nous de rejoindre nos deux amants.

Jean-Baptiste avait bien deviné : Françoise l'attendait en effet ; elle s'étonnait déjà depuis quelques instants de le voir prolonger si longtemps sa présence au milieu des vieux fumeurs réunis en cercle sous les grands arbres de la cour.

Mme Mussard était avec elle sous la varangue de sa maison, et les deux dames, assises ou plutôt penchées sur des sophas de bambous de Chine, recouverts de nattes de roseaux, s'occupaient, d'un air distrait et nonchalant, à certains travaux d'aiguille qu'elles avaient à la main plutôt pour se donner une certaine contenance. Quatre ou cinq jeunes noires, accroupies autour d'elles sur le plancher, travaillaient également à la couture, et celles-là s'acquittaient sérieusement de leur tâche.

Marie, voyant la distraction et l'embarras de Françoise dont elle s'expliquait parfaitement la cause, de même qu'en sa qualité de femme elle en excusait généreusement le motif, tâcha de la tirer de sa préoccupation en entretenant la conversation sur les thèmes favoris de la jeune fille ; c'est-à-dire sur son union plus ou moins prochaine avec ce Jean-Baptiste Lebreton que nous connaissons déjà et pour lequel nous savons que le vieux Touchard avait la plus grande amitié. Seulement, nous l'avons également dit, le vieillard désirait que la position du jeune homme fût plus assise avant de lui confier les destinées de sa fille.

– Vous êtes sûre, Marie, que mon père serait bien aise de mon mariage ? Il ne m'en a jamais parlé, dit Françoise avec cette inflexion de voix douce et traînante, si particulière aux jeunes filles créoles, et qu'on prendrait pour un soupir articulé.

Les deux femmes, malgré leur différence d'âge, se traitaient comme deux sœurs ; elles en avaient sinon la ressemblance, au moins l'intimité.

– Oui, mon enfant, répondit Mme Mussard, ton père en serait heureux, et il en serait heureux parce qu'il sait que tu as mis dans cette union toutes tes idées de bonheur, tout ton rêve de jeune fille.

Françoise rougit, baissa la tête, et ajouta en tremblant comme une coupable.

– Mais qu'en sait-il ? Comment a-t-il pu le deviner ?

– Rien qu'en te voyant, comme tu es en ce moment, rouge comme une petite pomme dès qu'on te parle de lui !… ajouta en souriant Marie.

Françoise comprit l'excellence de cette raison, releva la tête d'un air qu'elle tâcha de rendre plus calme et plus assuré, puis faisant dévier comme à regret le cours de cette conversation qu'elle eût bien voulu continuer sur le même sujet, elle répliqua :

– Que vous êtes heureuse, Marie ! Vous avez une famille charmante, un mari qui vous adore ; qu'il y a de bonheur pour vous sur la terre !…

– Et pour toi plus tard ! à chacun son tour.

– Mon Dieu ! pourquoi suis-je triste quand je pense à mon avenir ?

– Qu'est-ce qui peut t'attrister ?

– Je ne sais, mais je crains qu'un pareil bonheur ne me soit réservé.

– Pourquoi ?

– Qui peut dire ce que j'éprouve ? J'ai comme le pressentiment d'une grande catastrophe dans mon existence.

– Enfant !… Tu es folle avec toutes tes idées étranges !…

– Folle !… Oh ! je le voudrais bien !… Dieu m'entend, que je voudrais bien me tromper ; mais je ne sais, j'ai là en moi, et elle montra son cœur, un pressentiment affreux !…

– Lequel ?…

– Je ne peux le dire… d'être bien malheureuse un jour !…

– Comment ? Pourquoi ?

– Ne trouvez-vous pas, Marie, que cette vie de périls que mènent mon père et Jean-Baptiste soit faite pour m'effrayer ? Ne trouvez-vous là de quoi justifier toutes mes appréhensions et ma tristesse quand je songe à l'avenir ?

– Sans doute, mon enfant ; mais sous ce rapport, je ne suis pas mieux partagée que toi. Mussard, mon mari, n'est-il pas le chef de ces expéditions dans les montagnes ? Ne suis-je pas tout aussi à plaindre que toi ? Et, cependant tu me vois : je tâche de les détourner de ces luttes sanglantes ; ils ne m'écoutent pas, et quand ils partent, nous restons ici, toi et moi, à prier le Bon Dieu pour eux. La moitié de notre âme est occupée à la prière et l'autre moitié est avec eux. Que veux-tu ? C'est notre vie !… Dieu est bon ; il n'enlèvera pas à l'orpheline son vieux père, ni à ma fille le soutien dont elle a le plus besoin maintenant. Regarde-la, Françoise, dans quelques mois elle va avoir ses treize ans et va être une demoiselle bientôt, cette chère enfant !…

En disant ces mots, Madame Mussard, du bout de ses doigts, releva le frais et beau visage de la petite Marie, qui assise auprès de sa mère et entendant ses dernières paroles, avait, rouge et confuse de plaisir, courbé modestement la tête sur son aiguille. Elle embrassa sa fille au front avec effusion, et la pressa sur son cœur avec cette fiévreuse ardeur que les mères créoles mettent dans leurs caresses maternelles.

– Moi, maman, répondit la petite Mariette, je suis comme mon frère, je n'ai pas peur de ce que tu dis. Je trouve papa si fort, je le vois si grand, si beau, il est si sûr de lui et de sa carabine ! comment veux-tu que je redoute pour lui le bras de n'importe quel noir ?

– Mon enfant, dit Mme Mussard d'un ton de doux reproche, tu es bien la vraie fille de ton père, téméraire et toujours téméraire ; mais quoi, sache donc que la balle d'un fusil ne respecte ni la force, ni la taille, ni la beauté ; les flèches et les sagaies de ces sauvages ne s'arrêtent pas à ces considérations filiales, crois-le bien.

– Ah ! vous avez raison, Marie, grondez-la, cette petite Mariette, elle m'épouvante parfois, cette enfant, avec son caractère d'homme ! Eh, mon Dieu !... ajouta ensuite Françoise, par manière de réflexion, peut-être n'en sera-t-elle que plus heureuse avec une nature pareille !... Elle sera toujours exempte de ces terreurs qui nous assiègent, nous autres, à tous les instincts.

– Peut-être... Son père me dit toujours cela, répondit Mme Mussard.

Les deux femmes en étaient là, quand le bruit sonore de l'ancive annonça à tous les noirs de la maison que le repas des esclaves allait être servi sous le hangar de l'habitation, devant les yeux du commandeur. Les noires, assises sous la varangue, déposèrent leur couture et se retirèrent.

À ce moment, Jean-Baptiste parut. Il prit un fauteuil de rotin qu'il approcha avec une sorte de timidité de celui de Françoise, et s'y assit. Celle-ci continua de travailler sans lever les yeux de dessus sa broderie ; mais pas une de nos lectrices ne s'étonnera, quand on lui aura dit que le moindre des mouvements de Jean-Baptiste n'avait pas échappé à sa clairvoyance, et que ce regard, qu'elle tenait obstinément baissé, n'était qu'une ruse de jeune fille pour voiler discrètement l'éclair du plaisir qui avait illuminé et son cœur et ses yeux, à la vue du jeune homme.

Un silence de quelques secondes régna à la suite de cette entrée.

– On semble bien occupée aujourd'hui, dit Jean-Baptiste en se tournant vers Françoise et mettant dans son intonation un léger accent de reproche, on ne paraît pas me savoir ici.

– Il y a cependant longtemps qu'on vous désire, Monsieur, répondit naïvement Françoise en lançant sur lui un regard plein de caresses. – Pourquoi nous avoir si longtemps laissées toutes les deux seules, ajouta-t-elle, tout en comprenant Madame Mussard dans la raison de ce reproche, comme si cette dernière eût, autant qu'elle et au même titre, désiré la présence du jeune homme.

– Oui, dit Madame Mussard intervenant aussitôt, parce qu'elle comprit immédiatement tout ce qu'il y avait de pudique convenance dans ce double reproche de la jeune fille ; oui, Jean-Baptiste, vous nous avez aujourd'hui délaissées pour les causeries des vieux *détachements*, allons, c'est peu galant !... Réparez-moi le temps perdu auprès de Françoise ; pour moi, je vous pardonne et vous laisse tous deux. Allons, Mariette, dit-elle ensuite à sa fille en se levant, je vais m'étendre un instant dans mon hamac ; suis-moi, viens me lire quelque chose. Dans un moment, il faudra préparer le café pour ces messieurs à leur réveil ; ainsi, viens. Et vous, mes deux jeunes amis, ajouta-t-elle en se tournant vers Françoise et Jean-Baptiste, ne vous boudez pas trop longtemps, heureux enfants !...

Françoise la remercia du regard et du sourire de lui laisser quelques instants de solitude avec son fiancé, et se tournant vers celui-ci :

– Enfin, mon ami, vous voilà, et nous voilà seuls !...

– Oui, seuls !... chacun repose, pas une oreille indiscrète pour surprendre nos épanchements, pas une voix importune pour troubler notre bonheur !

Une volée d'oiseaux jaseurs s'abattit en ce moment sur le magnifique goyavier-fleur dont les branches pénétraient familièrement jusque sous la varangue, et sur lesquelles ils vinrent sautiller et becqueter joyeusement.

– Ceux-là seuls, dit la jeune fille en souriant à ces bruyants visiteurs, nous verront et nous entendront ; mais ce sont des frères pour nous ! Ils s'aiment comme nous nous aimons, et Dieu veille à la fois sur l'oiseau de ces bois et l'orpheline de cette maison.

– Heureux oiseaux ! répliqua le jeune home ; ils s'aiment, ils se le disent, et les ombrages de la forêt abritent leurs amours. Nous autres, nous nous aimons ; ton père le sait ; ma mère en est instruite, Dieu le voit aussi, et nous ne pouvons nous unir encore ! Je ne puis te dire : sois ma compagne, prends ma vie, prends mon âme en échange de la tienne !

– Nos parents ont peut-être raison ; ce qu'ils disent pour excuser leurs lenteurs ne te paraît-il pas sensé ?

– Je ne te dis pas le contraire ; mais que l'homme est malheureux, mon Dieu ! que n'est-il comme l'oiseau qui vit heureux d'un grain de mil et d'un rayon de soleil !

– L'homme est malheureux d'être prévoyant et sage, quelle étrange idée !...

– Peut-être que s'il n'y avait dans le monde ni la prévoyance, ni la sagesse, il y aurait au moins le bonheur.

– Non, je ne crois pas cela, dit la jeune fille, il n'y aurait que la folie !…

– Et qui te dit que la folie ne soit pas le bonheur ? N'as-tu pas vu des hommes ou des femmes que la douleur avait rendus fous ?… Eh bien ! le ciel avait dû les prendre en pitié, ces pauvres êtres. Leur âme, à un moment donné avait dû souffrir mille atroces tortures dont la mort allait être le terme forcé, mais lointain encore, et Dieu leur avait envoyé la folie ; alors dans cet état, cet homme ou cette femme retrouvait le bonheur qui pour eux s'était envolé. L'un revoyait, soit son fils, soit sa mère, trop tôt ravis à sa tendresse ; l'autre, son enfant ou son époux disparu ou brisé par un sort brutal ! Et dans leur folie, ces êtres si chers à leur tendresse n'avaient pas disparu ; ils étaient là, sous leurs yeux auprès d'eux, riaient ou parlaient avec eux. La folie, vois-tu, c'est peut-être le bonheur !…

– Ah ! ne dis pas cela, mon ami. La folie est une affliction ; elle m'effraie. Tu sais que quand mon père me parle de toutes ces apparitions de l'autre monde dont il a été témoin quelque temps avant ma naissance, de toutes ces effrayantes histoires de ce qu'il appelle le bon vieux temps, je m'épouvante, ma tête s'égare ; j'ai d'étranges éblouissements qui me passent sur la vue, des bourdonnements sinistres tintent dans mon cerveau ; je crains de perdre la raison. – Oh !… je n'ai que trop de sujets de tristesse, parlons d'autre chose, mon beau discoureur, lui dit-elle en lui souriant avec tendresse. – Parlons, au lieu de toutes ces chimères, d'une chose que vous avez oubliée aujourd'hui !

– Que j'ai oubliée aujourd'hui !… Quoi donc ?

– Quel jour est-ce ?…

– La Saint-François…

– Comment me nomme-t-on ?

– Ah ! tu veux dire, petite méchante, dit Jean-Baptiste, que j'ai oublié de te souhaiter ta fête !… Il est vrai que je ne me suis pas encore trouvé seul une minute avec toi ; mais ne t'ai-je pas porté ce matin la jolie fleur sauvage que j'ai cueillie à ton intention sur le versant du ravin ? Ne l'as-tu pas mise aussitôt dans tes cheveux ?

– Oui, merci, c'est moi qui oubliais ; tiens, la vois-tu là ? Et détournant un peu la tête, elle lui montra du doigt les nattes épaisses de sa noire chevelure, où se trouvait la petite fleur bleue du matin. Je ne croyais pas que c'était pour ma fête que tu l'apportais, pardon !…

– Eh bien ! que me répondra maintenant ma belle oublieuse, puisque enfin je lui ai, et des premiers sans doute, souhaité sa fête ce matin.

Elle l'avoue.

– Oui, c'est vrai, et ajoutez que vous n'avez point dépensé le moindre mot pour cela !

– Alors ?

– Alors je répondrai à votre galant procédé avec le même mutisme que vous, Monsieur. Je vous remercierai de la même façon.

– Comment ?

Françoise se leva de son siège et, avec une coquetterie charmante, se mit debout devant Jean-Baptiste ; elle lui passa, d'un geste plein de grâce, ses doigts effilés et blancs à travers les longues boucles de ses cheveux, et lui prenant ainsi la tête entre ses deux mains, déposa sur le front de son fiancé un baiser rapide, en lui disant du ton de voix le plus doux :

– Comme cela, Monsieur !

Le jeune homme ardent et impétueux comme on l'est à vingt ans sous ces latitudes de feu, sentit son cœur se gonfler de plaisir dans sa poitrine, et son front brûler au contact de ces lèvres de femme. D'un mouvement prompt comme la pensée, il passa ses deux bras autour de la taille élancée et flexible de la jeune fille ; et la retenant ainsi comme pour contempler plus à loisir cet être adoré, l'œil ardent, la tête renversée en arrière, dans l'attitude extatique du croyant devant sa madone :

– Ah ! s'écria-t-il, en faisant passer toute son âme dans sa voix, que tu me rends heureux !... que tu es bonne ! que je t'aime !...

À un geste que fit Françoise pour se soustraire à cette douce étreinte :

– Quoi ! si tôt, lui dit-il, avec une inflexion de tristesse dans la voix, non... reste !... reste encore, reste toujours !... Encore une caresse !... je ne suis pas toujours heureux ainsi tous les jours !...

– Ma fête n'arrive aussi qu'une fois l'an !... répondit Françoise avec un adorable sourire.

– Ce baiser, tu me l'as fait attendre depuis si longtemps, tu me le devais depuis ce matin... Récompense-moi de ton retard.

Françoise se rendit de bonne grâce et sans fausse honte à la prière de cette voix aimée ; cette fois, son baiser fut moins rapide et les bras du jeune homme ne se détachèrent de sa taille qu'après que cette dernière caresse eut été rendue par lui avec usure à la charmante créole.

Lorsque Françoise se fut replacée à ses côtés, elle avait le front pâle, le cœur ému, et son aiguille tremblait entre ses doigts. La joie est la sœur de la douleur.

– Oh ! que n'ai-je de l'or, dit alors Jean-Baptiste, en se penchant vers elle, pour venir dire à ton père : que votre fille soit à moi !... elle m'aime, je ne veux qu'elle, je n'aime que cette enfant ! et je t'emporterais dans mes bras comme un voleur, comme un jaloux, pour te cacher là-bas, auprès de ma vieille mère, dans cette petite demeure qu'on voit d'ici sur ce mamelon, quand le ciel est bien pur.

– De l'or, fou !... t'en aimerais-je davantage ?

– Non... mais j'aurais plus droit de t'aimer, et ton père ne m'opposerait plus ces sottes lenteurs qui me désespèrent.

– Sottes lenteurs... ? Tu es injuste, dit Françoise, avec un accent de tristesse dans la voix, dis plutôt sages précautions, mon ami, et ne parle pas ainsi, je t'en prie, de mon vieux père. Tu sais comme il t'aime, tu sais qu'en ceci ta mère pense comme lui, tu sais ensuite la vénération que j'ai pour lui ; respecte-le, c'est le père de la fille que tu dis aimer.

– Que je dis tant aimer et que j'aime.

– Écoute alors sa prière...

– Oui... oui, cher ange, pardonne a cette parole irréfléchie que mon cœur désavoue. J'ai de l'amitié pour ton vieux père.

– Aime-le, Jean Baptiste ! moi je n'ai plus que lui au monde. Je n'ai jamais connu ma mère ; Dieu me l'a prise au moment où j'entrais dans la vie ; aussi, tout ce que j'ai de tendresse dans l'âme s'est reporté sur ses cheveux blancs.

– Tout ce que tu as de tendresse est pour lui ; et pour moi, quoi donc ?...

– Ingrat !... lui dit Françoise en souriant avec confusion, tu sais bien, méchant, combien je t'aime !... Souvent je me reproche presque cette affection. Il me semble que je la dérobe à la vieillesse de mon pauvre père ; c'est que tout grondant et maussade qu'il paraît pour les autres, tu ne saurais croire, mon bon ami, ce qu'il a pour moi, pour moi, pour sa petite orpheline comme il m'appelle, d'attentions délicates et féminines.

– Je le sais, je le vois, dit Jean-Baptiste, et tu présumes que cette faiblesse du père Touchard pour toi me laisse indifférent à son égard ! oh ! non, non... Sache donc que j'aime tout ce qui t'aime ; que l'air que tu respires, je l'envie ; que l'objet qui plaît une fois à ta vue, me devient cher aussitôt ; que chacun de tes regards, je les jalouse et ne voudrais les voir se reposer que sur moi seul... Me crois-tu maintenant ?...

– Oui, je te crois, puisque moi je t'aime aussi…

Un silence de quelques moments succéda à cette confidence de deux amants, silence plein de charme dont ceux-là seuls qui ont aimé comprendront la douceur. On se tait, mais l'entretien continue tout bas ; le silence lui-même à sa signification auprès de la femme qu'on aime ; on s'entend, et pourtant on se tait ; la parole pour réveiller l'idée, et l'idée pour piquer l'attention, n'ont plus besoin du vulgaire échange des mots. La confidence alors continue sur les ailes du rêve ; elle est plus intime par un soupir qui part du cœur par un geste silencieux, par un regard trouble, que par tous ces mots humains dont le sens vague et le bruit monotone affecteraient en ces moments désagréablement l'oreille. Quelles paroles assez suaves, passant par des lèvres mortelles, pourraient exprimer jamais cette fleur de poésie qui s'épanouit dans notre âme pour l'embaumer tout entière quand le cœur est trop plein, que le bonheur en déborde, et que l'amour y règne avec ces pieuses extases ou ses rêves divins !

Après ces quelques minutes de leur rêverie solitaire mais à deux, Françoise se tourna brusquement vers son jeune ami, et comme pour donner suite à la série de pensées qui l'avait absorbée pendant ces quelques instants de réflexion mentale :

– Jean-Baptiste, lui dit-elle avec douceur, avant ton arrivée ici, Marie combattait la tristesse qui m'envahit l'âme depuis ce matin. Pourquoi suis-je ainsi ? Pourquoi ne puis-je surmonter ces pressentiments qui me font tant de mal et auxquels je ne puis me soustraire ?

– Encore vos idées sombres qui vous reprennent sans doute, ma jolie rêveuse !…

– Oui, mes idées sombres, reprit Françoise, et mon père lui-même a contribué à me mettre aujourd'hui du noir dans l'âme par cette évocation qu'il a faite pendant le repas, de l'apparition à ma mère de l'ombre de mon grand-père… Tu l'as entendu n'est-ce pas ?…

– Eh bien !…

– Crois-tu que ce soit sans raison que mon grand-père, ce bon vieillard qui nous appelons tous maintenant le compère d'Athanase, soit venu porter d'en haut, de je ne sais où, ce ruban bleu qu'il a remis aux mains de ma mère ? – La pauvre femme a failli en mourir de frayeur !… Mais Dieu ne l'a pas permis ; cependant, dès qu'elle m'a eu mise au monde, elle s'en est allée rejoindre nos vieux parents.

– Ta mère était une sainte et digne femme ! en quoi ces événements peuvent-ils t'effrayer pour elle ?…

– Pour elle, non ; mais pour moi, c'est différent !…

– Comment cela ?… répondit avec vivacité Jean-Baptiste, qui accompagna ces derniers mots d'un malicieux sourire, comme pour lui faire voir le peu de créance que trouvaient auprès de lui ces choses que semblait tant redouter la jeune fille.

– Depuis quelque temps, je n'entends jamais, répondit Françoise, cette histoire de l'apparition de l'âme de mon grand-père sans me rappeler une autre aventure qui m'est arrivée et qui semble en être le complément.

– Comment ne l'ai-je jamais sue ?

– Pardonne-moi, j'ai eu honte de te la confier. J'ai craint tes sourires et ta moquerie.

– Ce doit être bien sensé, bien raisonnable alors ! Allons, dit-il, en se croisant les deux bras sur la poitrine ; – conte-moi cette aventure ; elle va bien m'intéresser. Seulement ménage ma sensibilité, ne me fais pas trop dresser les cheveux sur la tête… ajouta-t-il, en mettant dans ces dernières paroles une certaine pointe d'ironie.

Françoise sourit à cette saillie de son ami, mais n'en continua pas moins d'un ton convaincu :

– Te souviens-tu, dit-elle, de cette famille d'Europe qui passa à Saint-Paul il y a deux ans ? Elle revenait de l'Inde ?…

– Oui, très bien. Je la vis chez Mussard, avec lequel ces gens-là avaient certaines liaisons de parenté.

– Te souviens-tu de la domestique que cette famille ramenait avec elle en Europe ?

– Parfaitement ! Une vieille Indienne, maigre et décharnée, une espèce de sorcière, autant que je puis m'en souvenir. Mais qu'a de commun cette vieille Indienne avec toi ?

– Plus que tu ne le supposes !… Cette femme disait la bonne aventure à tout venant, et elle nous a fait, à Marie et à moi, de sinistres prédictions !

– Ah ! nous y voilà donc enfin ! dit Jean-Baptiste en accueillant ces derniers mots par un bruyant éclat de rire… Mais achève… que vous a-t-elle annoncé la vieille malapprise ?

– À Marie, un grand malheur qui abattrait son cœur de mère, mais dont elle serait consolée au bout de trois jours.

– Ceci n'est pas très-effrayant ! c'est en être quitte à bon marché… Et à toi, que t'a-t-elle dit ?

Françoise continua :

– À moi elle a dit… Pèse bien ces paroles ! je les entends retentir à mon oreille : – Pauvre jeune fille, et elle considérait attentivement les lignes de ma main, ta vie est une faveur du ciel remise par quelqu'un de l'autre monde à ta mère. Comme ce présent d'en-haut tu resteras ici-bas consacrée à la Vierge éternelle. Tu seras malheureuse d'être ainsi sans famille ; mais un jour Dieu prendre en pitié ton âme, et tu n'exhaleras plus tes plaintes, comme l'oiseau des bois, que par des chants joyeux !...

Françoise s'arrêta un instant pensive, puis regardant Jean-Baptiste qui semblait réfléchir à ces dernières paroles, elle reprit :

– De quoi suis-je donc menacée, si je dois mourir sans famille. La mort me doit-elle prendre ? ou toi, dois-tu partir le premier ? L'une ou l'autre de ces deux suppositions détruit tout mon bonheur !... ajouta-t-elle en regardant avec amour son fiancé.

– Veux-tu maintenant, lui répondit-il celui-ci, que je t'explique tous les beaux mystères des prétendues révélations de la vieille Indienne ?

Et voyant Françoise lever avec intérêt les yeux sur lui et attendre son explication avec une fébrile impatience, il continua :

– Et voyant Françoise lever avec intérêt les yeux sur lui et attendre son explication avec une fébrile impatience, il continua :

– Tu sais, Françoise, ce que sont les domestiques et les esclaves entre eux. La première chose que cette Indienne a probablement faite en arrivant chez Mussard a dû être de questionner les esclaves sur les détails qui concernent tous les êtres de la maison. La vieille noire elle-même, qui a pris soin de ton enfance, a dû, en parlant de sa petite maîtresse, la mettre au courant de l'histoire que chacun sait de la vision de ta pauvre mère. Il n'en a pas fallu davantage à ta devineresse. Les esclaves doivent savoir également qu'il a été question entre ton père et ta mère du projet de notre union à tous les deux, et comme ces gens-là, les pauvres diables !... ne comprennent rien à toutes ces belles raisons que nos parents nous donnent pour différer encore notre bonheur, ils se figurent et doivent se figurer que c'est toi qui t'opposes à la réalisation de ce projet de nos deux familles ; que c'est toi seule qui ne désires point te marier... Ils doivent en effet, je le comprends, faire ces suppositions, puisqu'ils voient que ton père et moi nous sommes toujours l'un avec l'autre, unis et liés comme des parents, tandis que nous deux nous ne nous voyons que de loin en loin. Comprends-tu maintenant pourquoi, dans son langage amphigourique, cette femme t'a dit que « tu resteras sans famille et consacrée toujours à la Vierge éternelle ?... » Eh bien ! ne trouves-tu pas mon explication suffisante, complète même ? Dis !...

– D'où vient alors, répondit Françoise, cette crainte vague, indéterminée, qui m'assiège à chaque fois que je pense à toi ?... Je ne crois pas, ami, que nous puissions nous unir jamais !...

– Pourquoi donc ?...

– Je ne m'explique pas cela ! que veux-tu ?... Peut-être aussi ne suis-je de la sorte que parce que je te vois commencer cette vie aventureuse à travers les bois, à poursuivre ces pauvres noirs jusque sur le bord des abîmes, expéditions qui me font frissonner quand j'entends les *détachements* en faire le récit avant moi. – Pourquoi, Jean-Baptiste, résister à ma prière, pourquoi tenter la destinée !...

– Quoi ! c'est toi, cette créature d'un esprit si droit, toi, cette femme d'un jugement si sain et si froid, que souvent ta prévoyance et ta raison me subjuguent et me surprennent à la fois, c'est toi que je trouve, pour une niaise prédiction venue tout à coup l'esclave des préjugés les plus vulgaires et de la superstition la plus grossière !...

– Mon Dieu ! nous autres femmes, nous avons quelquefois des révélations étonnantes des choses de l'autre monde, répondit Françoise avec un accent convaincu. Ah ! crois-moi, renonce à cette vie !...

– Non, non, dit le jeune homme avec fermeté... Ton père m'a dit cent fois que de cette façon seule je viendrai à me réunir un certain noyau d'esclaves qui me permettront d'exploiter les vastes terrains que la Compagnie nous a concédés. Et puis, ma charmante, vous devez bien savoir ce que vous deviendrez alors !...

En disant ces derniers mots, il la regarda en souriant avec bonheur.

– Puisses-tu voir juste !... Puisses-tu dire vrai !... répliqua Françoise... et elle continua après une pause :

– Quand je t'entends, quand je te vois, je reprends courage ; mes sombres pressentiments s'envolent... Je me rattache au bonheur, je m'attache à la vie !... Oh !... mon doux rêve, ne finissez donc jamais !... ajouta-t-elle après un silence, en joignant avec ferveur ses deux mains et en levant ses yeux au ciel, comme si dans sa prière elle y invoquait le secours d'en haut.

Jean-Baptiste lui prit les deux mains, les porta avec transport à ses lèvres, et tout à coup, entendant la voix tonnante du père Touchard, il se leva pour prêter l'oreille à ce bruit et en saisir la cause.

Mussard sortit de sa chambre à ce moment, et tous les deux, entendant les bruyants éclats de rire de Robert, se doutèrent immédiatement d'une partie de la vérité. Françoise, dès l'arrivée de Mussard, s'était levée pour aller rejoindre Marie.

Nous allons suivre Jean-Baptiste et Mussard sous les arbres qui avaient abrité la sieste de nos fumeurs.

CHAPITRE VI

EXERCICES DE DÉTACHEMENTS

– Eh bien ! camarades, dit Mussard en arrivant au milieu du groupe de ses amis, et en se servant comme eux un énorme bol de café amer, allons, il est trois heures, nous avons du temps devant nous ; est-ce que nous ne nous amusons pas à quelque chose en attendant le souper ? La cible est prête, le grand natte est préparé ; par quoi commencerons-nous ? Par la loterie ou la grimpe ?

– Allons à la loterie, dit Champagne, il faut profiter du grand jour.

– Soit ! répliqua Mussard, j'y mets quatre bouteilles de cognac et quatre bouteilles de bordeaux.

– J'y mets une tortue de cent livres.

– Et moi un veau.

– Moi un bouc magnifique.

– Moi dix poissons de fond[1].

– Moi cinq carottes de tabac.

– C'est bon, c'est bon, interrompit Mussard ; vous mettrez l'enjeu que vous voudrez ; partons.

Chacun prit sa carabine et suivit Mussard jusqu'à une clairière qui se trouvait à quelque distance, où se dressait un poteau sur lequel était cloué un petit carré de bois au milieu duquel on voyait seulement un blanc de la largeur d'une pièce de cinq francs.

– Trois cents pas, trois balles, demanda Mussard ; cela vous va-t-il ?

– Oui, oui, oui, c'est entendu !...

– Je vais commencer, dit le vieux Touchard, après avoir administré à son tromblon sa double charge habituelle.

– Laisse donc, ton biscaïen va fendre la cible du premier coup.

Touchard ne fit aucune attention à ce nouveau trait de son ami Robert, et alla se placer. Il avança le pied gauche, le posa solidement et tendit derrière le jarret droit en manière d'arc-boutant, appuya son mousquet contre son épaule, resta immobile une minute et fit feu : un nuage de fumée l'enveloppa.

---

[1] Les créoles appellent poissons de fond ces énormes et délicats poissons que les pêcheurs vont prendre à trois ou quatre lieues au large, par 250 ou 300 brasses de fond. Ce sont les gris, les rouges, les cabots, les ananas, etc, etc.

– Manqué ! s'écria Robert, et tu as bien fait de t'accorer, car la charge sentait un reste de mauvaise humeur.

– Certainement, manqué ! répondit Touchard ; et c'est la maigre charge que vous venez de me donner, ladre que vous êtes, qui est cause que j'ai perdu ce coup !

– Peste de la maigre charge !… il m'a dévalisé !… Dis plutôt que c'est Anchaing qui t'a ensorcelé ; et je t'engage à te confesser au plus tôt, mon vieux, car il ne faudrait pas faire de pareilles plaisanteries à Bâlle ou à Diampare.

En disant ces mots Robert se plaça, à son tour : l'âge n'avait rien ôté à la fermeté de son bras, à la justesse de son coup d'œil ; il visa lentement, tira, et sa balle alla mordre le blanc.

– Pas mal, pas mal, dit Champagne ; voyons maintenant si ma carabine a oublié son métier.

Il prit la cible de bas en haut, lâcha la détente, et alla inscrire un nouveau prétendant autour du point.

– Messieurs, dit-il alors, nous avons tiré à balle à la cible, tirons maintenant au vol et toujours à balle. Voilà nos paille-en-queue qui viennent là-bas, entendez-vous leurs cris aigus ?…

Chacun leva la tête dans la direction qu'indiquait le bras de Mussard et tous répondirent :

– En effet, les voilà !…

À une portée de pistolet environ de l'endroit où s'était passée la scène précédente, on apercevait un gigantesque tronc de palmier sombre et nu, isolé au milieu d'une large clairière. Au-dessus de ce tronc dépouillé de son panache de verdure, Mussard, pour ce genre d'exercice, avait planté un calumet des plus élevés dont la tête flexible semblait monter à plus de deux cents pieds au-dessus du sol. Tout à fait au haut du calumet, et attaché à un fil, devenu invisible à cette distance, se balançait un morceau de toile blanche que la brise faisait osciller mollement tantôt d'un côté, tantôt de l'autre.

Chacun se disposa pour cette distraction nouvelle.

Le paille-en-queue, cet oiseau blanc des tropiques que les navigateurs aperçoivent si loin sur la mer dans les parages de Bourbon, allait pour le quart d'heure servir à exercer l'adresse de nos créoles. Ces oiseaux pêcheurs quittaient en ce moment la haute mer pour retourner vers leurs nids cachés au fond des gorges du Bernica ; d'autres abandonnaient les récifs qui s'étendent dans cette partie de l'île, depuis la pointe La Houssaye jusqu'au-delà de Saint-Leu, et s'envolaient à tire d'aile du côté des gorges de la ravine d'Hibon et vers toutes les fissures des rochers qui forment l'enceinte demi-circulaire de Saint-Paul.

Les pauvres oiseaux voyaient de loin ce blanc signal ; ils arrivaient par bandes, tournoyaient en poussant des cris d'effroi autour du morceau de toile suspendu au gré du vent ; ils partaient, puis revenaient encore, invinciblement attirés par ce charme, comme les phalènes autour de la lumière qui les aveugle et leur brûle les ailes. Nos paille-en-queue s'avançaient par deux, par trois, un à un quelquefois ; tantôt par groupe, mais toujours d'un air défiant, pour examiner cette espèce d'oiseau incompréhensible qu'ils voyaient planer immobile au haut de cette perche.

– Eh ! bien Messieurs, à balle sur ces imbéciles-là, dit Mussard en se mettant à une belle portée. Seulement, que personne ne tire dans les groupes ; qu'on attende le moment où l'oiseau s'approchera seul du mouchoir, alors feu ! À chacun son tour et à chacun six balles.

Ce qui fut dit fut fait, et fait sans le moindre passe-droit, avec toutes chances égales pour tous.

Lorsque les six balles eurent été tirées par chacun d'eux, Mussard avait abattu six oiseaux ; Jean-Baptiste cinq ; Champagne le même nombre ; Elzard et les autres un peu moins, le père Touchard lui-même en avait eu deux, et Robert, par une fatalité incompréhensible, rien.

– Allons, consolez-vous, mes amis, d'avoir perdu contre moi : il faut bien qu'en ma qualité de chef je tire un peu mieux que vous ; mais je ne veux pas profiter de ma supériorité, je donne mon enjeu à Raz-de-Marée, pour l'aider à oublier les mauvaises plaisanteries de notre ami Robert. Quant aux vôtres, vous me les enverrez, et nous en ferons tous ensemble un roque à la fête de la Vierge ; maintenant, allons prendre une rincelette, comme dit le vieux Touchard qui marchait triomphalement devant lui, tenant ses deux pailles-en-queue suspendus au canon de son gros tromblon.

Touchard marchait le pas relevé, la tête haute, heureux de l'échec de son ami et antagoniste le vieux Robert, lequel cheminait à ses côtés. De temps à autre, Touchard, faisant dévier le canon de sa carabine, lui passait ses deux oiseaux devant le visage, en accompagnant à chaque fois ce geste des paroles suivantes, dont il variait plus ou moins le thème fondamental :

– Ah ! monsieur Robert !... non, non, non, vous n'êtes pas de notre force... Dites-moi, s'il vous plaît, vous, monsieur le farceur, vous, monsieur le goguenard ! dites, vieille mazette, connaissez-vous ces oiseaux-là !... Où sont les vôtres !... Pas un !... ah !... ah !... Répondez donc, vieux bavard !... Comment cela s'appelle-t-il ?

Robert ne répondait rien et souriait du bonheur de Touchard, qui trois ou quatre fois avait presque failli rire...

– Tu ne réponds rien !... continua Touchard... Tu fais bien, fais donc une farce de cela. J'espère, mille tonnerres !... que voilà une bonne farce que ton adresse au fusil.

Cette fois le père Touchard, heureux de son jeu de mots, partit d'un bruyant éclat de rire qui souleva l'hilarité générale.

Après avoir rafraîchi ses hôtes, Mussard leur dit :

– Nous verrons à la grimpe si, pendant les cinq ou six mois que nous nous sommes reposés comme des fainéants, le jarret et le poignet ne se sont pas engourdis.

La grimpe était un jeu aussi fatigant que dangereux de nos premiers créoles, mais nécessaires à ces hommes, dont la vie se passait à escalader les remparts les plus élevés, à descendre dans les abîmes les plus profonds. C'était une gymnastique à laquelle ils s'exerçaient, disaient-ils, pour se faire le pied et la main, et se préparer à leurs dangereuses excursions ; sans elle, il n'y avait pas de fête complète ; elle occupait tous les loisirs que leur laissaient la table, la sieste et la causerie.

Elle se divisait en deux espèces : la grimpe sèche et la grimpe chargée.

La grimpe sèche représentait la chasse aux fouquets ; elle consistait à monter jusqu'au haut d'un arbre nu de soixante pieds au moins, au moyen de deux crampons que le joueur posait l'un après l'autre dans des trous faits à inégale distance par lesquels il s'élevait à bout de bras jusqu'à la cime, où il fallait défaire d'une main un fort nœud de vacoua.

La grimpe chargée simulait la chasse aux cabris ou aux noirs. Elle était beaucoup plus pénible, car on devait l'exécuter avec un fourniment complet de chasse et chargé d'un poids de trente livres qui tenait lieu de la bête ou des provisions qu'on portait ordinairement. Ainsi équipé, on devait, pour l'opérer, monter et descendre le même arbre, en se servant de chevilles placées d'avance et de cordes suspendues faisant l'effet de saillies des rochers et des lianes, seules aides que les hardis chasseurs trouvassent aux flancs escarpés des montagnes.

Au signal que donna Mussard pour commencer l'exercice, Touchard fils s'étendit nonchalamment sur une botte de vacoua.

– Comment, tu n'es pas de la partie ! lui demanda son père.

– Pas si bête ; libre à vous autres de vous échiner et de déchirer vos vêtements. Quant à moi, je me repose ; ce sera assez, ma foi, quand il me faudra faire le lézard dans les casse-cou de la rivière des Galets ; je ne veux pas m'user pour rire.

– Non, non, non, non, ma parole d'honneur ! tu as été changé en nourrice ; je n'ai jamais fait une cagne comme toi.

En disant ces mots, le vieux Touchard, toujours le premier en tête, s'avança au pied de l'arbre, ses deux crampons à la main ; il ne mit pas plus de trois minutes pour accomplir l'ascension de la grimpe sèche, à laquelle sa force lui donnait une supériorité incontestable.

– Eh ! Raz-de-Marée, lui cria Robert, lorsque, suspendu d'une main, il dénouait le nœud de vacoua de l'autre ; tu es bien près du purgatoire là ! Prends garde qu'Anchaing ne te fasse des confidences.

– Non, non, non, mille tonnerres ! Veux-tu bien te taire ! Tu vas casser mon crampon avec tes mauvaises plaisanteries.

Et le brave homme, troublé par ce nom qu'il croyait un nom de malheur pour lui, sauta plutôt qu'il ne descendit.

– Non, non, non, mille tonnerres ! mon cher Robert, si tu tiens à ma vie, ne me dis plus de ces choses-là quand je serai en l'air, tu me ferais tomber ; ou bien, mille tonnerres ! je te jetterai des pierres quand ce sera ton tour.

Cet exercice ne dura que quelques instants, et tous s'y livrèrent avec la même facilité et le même succès, car pour ces compagnons robustes et courageux, ce n'était là qu'un jeu d'enfant ; mais vint après la grimpe chargée, qui les intéressait et les stimulait davantage par les difficultés mêmes qu'elle présentait. Comme l'autre fois, Touchard fut le premier qui apparut avec son fusil en bandoulière, sa corne à poudre, son sac à plomb et sa bretelle remplie de pierres ; il avait déjà saisi les cordes et placé le pied sur la première cheville, lorsqu'un rire étouffé de Robert lui fit tourner brusquement la tête.

– Ah ça, Robert ! vas-tu recommencer ? Je ne grimperai pas si tu ne me donnes ta parole de ne rien dire.

– Je te le promets, Raz-de-Marée, sur mon âme !

– Non, non, non, jure là-dessus, dit-il en lui montrant la croix de son chapelet.

Robert fit ce qu'il désirait, et après un autre signe de croix, il se hissa jusqu'au sommet de l'arbre et redescendit avec le même bonheur.

Chacun s'exerça selon sa force ou son adresse, et sans aucune particularité remarquable ; seulement quand vint le tour de Robert, Touchard put s'amuser et rire à ses dépens avec bonheur ; car moins robuste que ce dernier, et ayant voulu porter autant que lui, il ne put aller jusqu'aux deux tiers de l'arbre, fut obligé, suant à grosses gouttes, de dégringoler et de s'avouer vaincu.

– Ah !... ah !... je suis bien aise, dit Touchard en battant du pied... Je suis content ; tout cela nous prouve que tu n'es qu'une vieille femme bavarde, incapable même de soulever une chèvre maigre là-haut !...

Les deux derniers jouteurs furent Mussard et Jean-Baptiste : tous deux, également ardents et lestes, firent trois ascensions, chargés du même poids et dans le même espace de temps. Mussard, plus vigoureux et plus habitué à la fatigue, défia le jeune homme de porter quarante-cinq livres au lieu de trente ; le défi fut accepté, mais la vigueur de Jean-Baptiste, ne répondant pas malheureusement à son courage, il opéra cette dernière grimpe avec plus de peine et de temps que n'en mit son concurrent.

Mussard fut donc encore proclamé vainqueur ; il se sentit heureux et fier de prouver qu'en tout et pour tout il était digne de commander à ses chasseurs.

Le soleil venait de descendre à l'horizon, le crépuscule doux et pur allait s'augmentant derrière les gros nuages que les derniers rayons illuminaient encore.

Nos héros allèrent alors s'asseoir sur la terrasse où Françoise, Marie et ses jeunes enfants les avaient déjà avancés, pour jouir avec délices de l'air frais et embaumé de ce beau soir d'été, dans cette campagne perdue au fond des bois.

L'habitation de Mussard était située, nous l'avons déjà dit, au-dessus de Saint-Paul, sur la rive gauche du Bernica, et dans une de ces localités que dans la colonie on appelle les Hauts. De sa terrasse, et par-dessus la cime des arbres plantés plus bas, la vue s'étendait sur la mer.

Mussard et tous ses convives, réunis par petits groupes distincts, fumaient en silence en attendant le souper, ce repas du soir qui n'existe plus aujourd'hui, et que l'on se prend à regretter comme l'heure délicieuse qui, terminant agréablement la journée, rassemblait la famille au même foyer et s'écoulait au milieu des gais entretiens dont les souvenirs du jour faisaient le sujet.

Françoise, Jean-Baptiste et Marie, entourée de ses beaux enfants, formaient dans un bout de la terrasse un groupe plein de grâce, de jeunesse et d'éclat.

Marie caressait l'enfant joufflu qu'elle tenait sur ses genoux, et répondait aux naïves questions que lui faisaient les trois autres.

Assis près d'elle, et par cette sorte d'affinité qui rend l'âme des amants, de même que celle des artistes, éprise des beautés de la nature, attentive aux harmonies du soir, et sensible à ces splendides spectacles du jour qui va paraître ou de la nuit qui s'avance, Jean-Baptiste et Françoise suivaient d'un œil rêveur les contours capricieux de ces nuages, frangés d'or ou bordés de pourpre, qui semblaient dormir au-dessus de cet horizon tranquille où le soleil venait de s'engloutir sous les flots. Leurs regards erraient de ce ciel en feu à cette mer bleue, profonde, une comme un miroir, et dont rien, pas une vague, pas un souffle, pas une ride ne détruisait la surface uniforme et paisible, si ce n'est par instants le vol d'un oiseau de mer revenant à la hâte vers le rivage, ou la voile blanche de quelque barque de pêcheurs se dirigeant vers la rive au fond de la baie tranquille.

La nuit ne tarda pas à envelopper le paysage. Les oiseaux de la forêt voisine avaient fait entendre leurs derniers gazouillements en rentrant sous la feuillée. L'heure du souper fit revenir les hôtes de Mussard à la maison. Le repas se servit enfin et se passa comme le dîner, joyeux et animé.

Le vieux Touchard s'y comporta avec la même valeur ; mais aussitôt qu'il eut satisfait sa faim, il se leva de table, prit son mousquet et se disposa à sortir.

– Où allez-vous donc ainsi, père Raz-de-Marée ? demanda Mussard.

– Non, non, non, mon ami, je vais partir ; les chemins ne sont pas sûrs, et il est malsain de traverser la forêt plus tard que cela.

– Ne crains rien, dit Robert, nous t'accompagnerons et Anchaing qui était un vieux noir qui savait vivre, ne viendra pas battre le briquet ni casser les broussailles sur ton chemin.

– Et puis vous savez bien que la Saint-François est une expédition qui ne finit jamais qu'à minuit.

– Restez, restez donc, ajouta Champagne, il n'y a pas de fête sans veillée, et vous nous raconterez dans celle de ce soir les malices des anciens gouverneurs et les tours du Père Hyacinthe.

– Je reste, dit Touchard en se rasseyant.

CHAPITRE VII

LA VEILLÉE

La nuit était noire : le ciel de janvier, resplendissant un instant, avait tout à coup couvert ses étoiles d'un voile de nuages gros et noirs qui, poussés par les vents, arrivant les uns après les autres, s'étaient pressés, amoncelés au-dessus de la montagne, comme une invasion de barbares dans une prairie trop étroite pour leur nombre.

Sous le badamier hospitalier, une vive clarté avait remplacé le demi-jour dont les rayons d'un splendide soleil éclairent l'ombre d'un feuillage épais. Quatre flambeaux, faits de menus bois d'olivier liés en faisceaux, projetaient leur flamme réjouissante et embaumaient l'air de leurs agréables senteurs. Au milieu du cercle, non loin de l'arbre, pétillait un foyer de charbons ardents ; ce n'était pas que la rigueur du froid eût rendu une telle précaution nécessaire, car malgré la brise fraîche qui venait des gorges du Bernica, la température était douce et bienfaisante ; mais ce réchaud était là pour fournir ses braises aux besoins incessants des fumeurs, et la marmite de café, compagne inséparable de tous les cercles du soir, y bouillonnait tout doucement à côté du bol que chacun des causeurs plongeait tour à tour dans le breuvage amer et parfumé.

Touchard avait chargé sa seconde pipe ; pour la rendre meilleure à fumer il s'était, avant de l'allumer, dirigé vers la marmite, et allongeait déjà la main vers le bol, lorsque, s'arrêtant tout à coup, il leva vivement le pied et se le prit dans la main gauche.

– Malédiction !... quel est le maladroit qui a laissé tomber ici la braise de sa pipe ? Je me suis brûlé cruellement.

– C'est bien fait, dit Robert ; cela t'apprendra à porter tes souliers ; je ne comprends pas que tu t'obstines à marcher toujours pieds nus comme un esclave ; tu es le seul colon qui ait conservé cette habitude.

– Moi, porter des souliers ! Mille tonnerres !... non, non, non. C'est bon pour les paresseux et les commis de la Compagnie, ce qui est tout un ; mais des hommes laborieux comme nous ne doivent pas emboîter leurs pieds dans ces sacs de cuir ; les pieds sont les lieutenants des mains ; c'est une doublure que Dieu nous a donnée pour nous en servir au besoin. Je voudrais bien voir comment ces freluquets des quartiers, ayant leurs mains embarrassées, ramasseraient une baguette de fusil qui tombe, ou ressaisiraient un crampon qui s'échappe, avec des orteils qui ressemblent aux pépins pressés du cacao sortant de leur enveloppe.

– Voilà d'excellentes raisons assurément, répliqua Robert en riant ; elles nous expliquent parfaitement le grand âge de cette première paire de souliers qui date de ton mariage et compte environ quarante ans.

– C'est la vérité ! je ne l'ai portée que trois fois dans ma vie, et j'espère bien qu'elle figurera dans ma succession. Non, non, non, d'honneur ! chaque fois que j'eus la malheureuse idée de m'embouffeter dans ces maudites boîtes, j'avais toutes les peines du monde à résister à l'envie de marcher sur mes mains ; à chaque pas, je craignais de glisser, de tomber ; et le bruit que je faisais, surtout dans l'église, me déconcertait tellement, qu'il m'est arrivé de m'arrêter tout à coup à ma place, n'osant ni avancer, ni reculer ; aussi, j'ai rompu net avec l'usage absurde de ces entraves, et rien au monde ne saurait m'y assujettir.

– Ah ! fit Robert, tu es bien heureux de n'avoir vu le jour qu'après la mort de M. de Florimont ; il aurait bien trouvé le moyen de dompter ton antipathie pour les souliers.

– Chut ! chut ! Robert, ne parlons pas de cet ancien gouverneur, répondit le vieux Touchard en baissant la voix ; tu sais comme moi que sa mort a été chose étrange et louche, et il est toujours compromettant de s'entretenir de certaines affaires.

– Oh ! par exemple, voilà une peur qui te vient de bien loin, Raz-de-Marée. Que nous importe que cet agent de la Compagnie soit mort de sa belle mort ou autrement ? Il y a soixante-dix-sept ans tout à l'heure que le fait s'est passé, et nous pouvons en parler, ce me semble.

– Non, non, non, Robert ; tu jases comme un merle après la pluie ; je me souviens que feu Athanase, mon père, me disait toujours : « Non seulement, mon enfant, il ne faut jamais être auteur ni complice d'une action criminelle, mais il faut encore se garder d'en parler ; on se trouve toujours mal de se mêler des choses qui ont fait dresser l'oreille à la justice ; la justice, vois-tu, est comme une vouve ; la curiosité, l'indiscrétion vous y fourrent souvent ; et quand on y est, il n'est pas facile d'en sortir... » Ah ! c'est que le compère Athanase était un homme qui pensait bien ! Ses paroles étaient bonnes à entendre, et ses conseils bons à suivre. Aussi, était-il entouré, écouté comme un sage prêtre, quand, assis sur cette large pierre qui se trouve encore au banc des Roches et sur laquelle nul ne s'est assis après lui, il jugeait les différends de chacun, raccommodait les voisins entre eux, et ramenait la paix et l'union dans les familles… Non, non, non, c'était un fameux homme que feu mon père ; on n'en a plus de sa trempe aujourd'hui.

– Rien n'est plus vrai, quant à cela, Touchard ; mais je suis bien sûr que si le bonhomme vivait encore aujourd'hui, il ne retiendrait pas notre langue au sujet de ce M. de Florimont, qui, s'il a vraiment été étranglé sur la grand-route, ne l'avait pas mal mérité par sa tyrannie.

– Non, non, non, c'est positif, continua Touchard d'une voix sourde et regardant autour de lui, comme s'il craignait d'être entendu ; c'était un despote, un mauvais homme ; c'était l'âme damnée de la Compagnie ; peu lui importait que les colons mourussent de misère et de faim ; il les considérait comme des esclaves dont le travail devait d'abord enrichir la Compagnie ; sa vie se passait à vexer, à tourmenter les habitants, et il n'était heureux que quand le démon de la méchanceté lui avait inspiré quelque atroce malice. Tantôt il ordonnait des plantations de chiendent dans les sables de Saint-Paul, qu'il fallait arroser jusqu'à ce qu'elles fussent bien venues ; tantôt il exigeait qu'on débarrassât le Grand-Étang des joncs qui obstruaient son cours, afin qu'il pût s'y promener en pirogue et prendre, tout à son aise, le plaisir de la pêche ; tantôt encore, il fallait qu'on allât en masse jeter à la mer les tortues que les négligents ouvraient et laissaient sur le rivage, quand elles étaient trop maigres.

Ces corvées étaient d'autant plus pénibles à exécuter, qu'à cette époque les esclaves étant en petit nombre, peu de personnes en possédant, la plupart des infortunés colons étaient obligés de les remplir eux-mêmes et d'abandonner la culture qui réclamait tous leurs soins. Ceux qui ne se rendaient pas immédiatement à ses insupportables réquisitions ou murmuraient contre elles, étaient arrêtés, conduits sans chapeau devant lui, et emprisonnés au gré de sa mauvaise humeur.

– Eh bien ! dit Mussard, si ce chenapan n'a pas été puni dans ce monde, comme on le croit, il doit l'être dans l'autre. Dans tous les cas, les anciens n'auraient pas eu tort de le mettre à la raison.

– Non, non, non, Mussard ; c'est une mauvaise pensée que tu as là ; à Dieu seul il appartient de juger, de punir les supérieurs ; les inférieurs doivent attendre patiemment le jour de sa justice.

– Ce n'est pas ma manière à moi, avec des gueux de chefs qui vous éreintent de corvées !…

– Ah ! ah !… dit toujours Touchard en ouvrant de grands yeux, à l'audition de cette maxime de Mussard qui renversait toutes ses idées de vieux marin, rompu à la discipline et aux caprices des nobles, ses supérieurs.

– Eh bien alors ! répliqua Mussard en souriant de son ébahissement, n'en parlons plus, vieux Raz-de-Marée.

– Enfin, reprit Touchard, ce monsieur de Florimont, ne sachant pas quelles tracasseries inventer pour faire enrager les colons, conçut l'infernale idée de les contraindre à porter des souliers, donnant pour raison que Saint-Paul étant la capitale de l'île et la résidence des autorités, ses habitants ne devraient pas se permettre de sortir de chez eux sans chaussures, et qu'il ne lui convenait pas à lui, gouverneur, de commander à des va-nu-pieds. En conséquence, l'ordre de ne paraître dans les rues et dans les lieux publics que convenablement chaussé fut proclamé au son du tambour et affiché à tous les coins.

– Parbleu ! dit Robert, c'est que probablement la bienheureuse Compagnie avait une cargaison de chaussures à vendre ! voilà le fin mot.

– Hum ! le moyen ne lui réussit pas, mille tonnerres ! car, irrités et poussés à bout, les habitants s'entendirent et se révoltèrent. Le dimanche suivant, ils se rendirent tous à la messe pieds nus ; ceux mêmes qui avaient l'habitude de porter des souliers les laissèrent ce jour-là à leur maison. M. de Florimont manqua d'étouffer de colère pendant l'office ; il se contint pourtant ; mais aussitôt qu'il fut rendu chez lui, il fit arrêter cinq ou six meneurs, et les condamna à rester deux jours de suite debout à sa porte avec une paire de souliers pendue au cou, et veilla lui-même, à la tête des soldats armés, à l'exécution de la peine qu'il avait infligée. Ce fut en vain qu'il employa plusieurs fois ce châtiment ; les anciens avaient affaire à un homme plus fin qu'eux et qui, au jeu des mauvais tours, aurait gagné Lucifer même à but. M. de Florimont feignit d'abandonner son projet et d'oublier la désobéissance dont ses subordonnés s'étaient rendus coupables ; ce n'était, hélas ! qu'une clémence trompeuse. Il avait demandé dans l'Inde des graines de pagotes et quelques mois après, il en fit semer partout une énorme quantité. Cette maudite plante de tarda pas à croître, à se multiplier et à envahir les sentiers, les rues, les places ; force fut alors aux colons, pour ne pas se mettre les pieds en sang, de se les garantir avec de bonnes semelles ; et une malédiction accompagnait chaque piquant qui blessait ceux dont l'entêtement avait tenu bon.

– Il faut avouer, dit Mussard, que le procédé était sûr et plaisant…

– Oui, répondit Touchard, mais on suppose qu'il coûta cher à ce pauvre diable ; que devant Dieu soit son âme ! Il arriva qu'un jour étant allé, selon son habitude, se promener à la campagne, son cheval revint seul à l'écurie, et que lui fut trouvé mort sur la grand-route, à cet endroit situé entre la ravine du Bernica et celle de Saint-Gilles, qui, depuis cet événement, a pris le nom de Florimont. On a parlé d'apoplexie, d'étranglement, de… mais silence, enfants !… assez causer comme ça.

Les pipes allaient toujours fumant et mêlant leurs petits nuages odorants à ceux des flambeaux d'olivier ; incessamment remplie et vidée, la coupe passait de main en main, et humectait de café les gosiers que desséchaient la force et la chaleur du tabac ; les esprits attentifs s'étaient reportés aux anciens jours ; chacun écoutait les récits du vieux Touchard avec cet intérêt que recommandent les choses du temps passé ; il était naturel, inévitable même, que les faits et gestes du Père Hyacinthe vinssent à leur tour se mettre sur le tapis, car ce capucin adroit et énergique avait marqué dans l'histoire du pays par une usurpation audacieuse, et la tradition avait jusqu'à cette époque conservé, palpitant encore, le souvenir d'un coup de main dont, pendant plusieurs années, il avait recueilli tranquillement les fruits. Il avait enlevé le pouvoir à gouverneur de Bourbon ; et, chose surprenante, il l'avait exercé longtemps sans aucun trouble. Aussi, bien souvent, son nom se prononçait-il dans les conversations qui avaient pour sujet les époques primitives de la colonie.

– Tout de même, observa Mussard, il paraît, Raz-de-Marée, que les anciens avaient pris goût de la chose, car ce fut peu de temps après cette première révolte, qu'ils chassèrent M. Auger du gouvernement et mirent à sa place le Père Hyacinthe.

– Non, non, non, Mussard, ce fut là une action qui n'offensa pas Dieu au moins, car on ne fit aucun mal à cet agent des directeurs ; seulement, comme il faisait un mauvais usage du pouvoir, on le lui retira des mains, et on l'envoya réfléchir à Sainte-Marie, où on le garda à vue, tout en ayant pour lui tous les soins que réclamaient son rang et sa position ; et certes, ce ne fut la faute de personne s'il se laissa bêtement mourir de chagrin.

– Il était donc aussi méchant que l'autre ? demanda Champagne.

– Lui, non, non, non ; il péchait par faiblesse de caractère ; il n'était que l'imbécile instrument du despotisme et de l'injustice de la Compagnie. On me l'a souvent dit : M. Auger obéissait servilement à tous les ordres qu'il recevait, et se faisait maudire, détester, pour le compte d'autrui ; les colons, déjà exaspérés par les vexations qu'ils n'avaient cessé d'éprouver depuis quelques années, avaient accumulé sur sa tête toute leur haine, toute leur colère. D'un autre côté, le Père Hyacinthe, qui avait eu maille à partir avec lui et qui convoitait son autorité, attisait le mécontentement général et préparait de longue main la réalisation de ses projets. Nul plus que le Père Hyacinthe n'avait le talent d'empaumer son monde : il se plaignait avec les plaignants, maugréait avec les plus irrités, et flattait adroitement les dispositions de tous ; en outre, il se faisait le père des pauvres, baptisait, mariait, enterrait, confessait, bénissait, et ne demandait jamais pour salaire que ce qu'on pouvait lui donner. Bref, il mena si bien sa barque, que tous les habitants l'avaient désigné comme le successeur de M. Auger, et n'attendaient qu'une bonne occasion pour renverser celui-ci. Elle ne tarda pas à se présenter.

« La Compagnie qui, dans sa cupidité, avait accaparé le commerce de Bourbon, et ne permettait l'exportation des denrées que jusqu'à la quantité nécessaire à ses chargements, avait ordonné de jeter à la mer le surplus des produits, afin que d'autres navires ne pussent pas trouver à charger après les siens.

« Fidèle à ses habitudes d'obéissance passive, M. Auger exécuta cet ordre dans toute sa rigueur. Ce fait unique porta l'irritation des habitants à son comble, et ils jurèrent de se débarrasser d'un chef qui foulait aux pieds leurs chers intérêts. Le jour même, ils allèrent trouver le Père Hyacinthe, mitonnèrent leur complot, et en fixèrent l'exécution au dimanche suivant. Le Père Hyacinthe choisit les plus hardis d'entre les conjurés, et assigna à chacun d'eux le rôle qu'il devait jouer.

« Le dimanche arriva, la messe commença comme de coutume ; feu mon père, qui était là, m'a vingt fois raconté cette histoire ; le pauvre gouverneur, qui ne se méfiait de rien, était tranquillement assis sur son fauteuil ; six conjurés robustes se tenaient à quelques pas de lui et attendaient le signal du Père Hyacinthe. Celui-ci, après s'être assuré de leur présence et avoir échangé quelques regards avec eux, se tourna et entonna le *Dominus vobiscum* d'une voix de stentor, en désignant de la main M. Auger.

Soit crainte, soit respect pour le lieu saint, les conjurés hésitèrent un instant ; mais le terrible *Dominus vobiscum* retentit pour la seconde fois avec plus de force encore. Un homme seul fit quelques pas en regardant derrière lui avec inquiétude ; le moment était critique ; on ne pouvait plus reculer. Le capucin le comprit, et s'avançant jusqu'à la balustrade, il traduisit, toujours sur le même ton, le *Dominus vobiscum* par ces paroles qu'il accompagna d'un geste impératif : « Qu'on m'empoigne ce coquin-là !... »

« Alors le gouverneur tira son épée ; mais il était trop tard : en un clin d'œil il fut saisi, garrotté ; et le Père Hyacinthe fit signe qu'on l'emmenât hors de l'Église, et reprit en chantant d'une voix lente et sonore : *Et cum spiritu tuo*.

« Douze gaillards bien armés, bien montés, attendaient non loin de là le malheureux captif. Ils le placèrent sur un cheval vigoureux, piquèrent des deux et disparurent avec lui sur la route de Saint-Denis.

« On apprit plus tard qu'il avait été conduit dans une habitation isolée de Sainte-Marie, qu'on connaissant sous le nom de Moka, et qui, depuis la détention qu'il y subit, fut appelée le *Boucan de la France*.

« Ce fut ainsi que le Père Hyacinthe grimpa au gouvernement et se fit le chef du pays ; il l'administra longtemps à la grande satisfaction des colons, n'abandonna son poste que parce que le repos lui était nécessaire, et mourut paisiblement dans son lit sans jamais avoir été inquiété pour la manière un peu sans façon avec laquelle il s'était emparé du pouvoir.

« Pourtant une fois, il eut une fameuse venette et se trouva dans une position assez embarrassante ; mais il s'en tira en fin Gascon.

« Un gros navire de la Compagnie venait de mouiller sur la rade ; les habitants étaient en grand émoi, et croyant que les directeurs, ayant eu vent de leurs fredaines, envoyaient un nouvel agent pour les punir et le soumettre, se préparaient à faire un mauvais parti au nouveau venu.

« Le capitaine débarqua et demanda à parler au gouverneur, M. Auger. On le conduisit sans mot dire au Père Hyacinthe, qui lui apprit que M. Auger était en ce moment à Moka (Sainte-Marie), et qu'il était chargé de l'administration pendant son absence. Le capitaine prit sa cargaison et remit à la voile, bien convaincu que le gouverneur de Bourbon était allé faire un tour en Arabie, dans l'intérêt de ses administrés.

– Oh ! fit Robert, les anciens étaient de bonnes gens ; mais quand ils étaient matés, ils avaient une mauvaise tête ; et puis, peu nombreux, ils pouvaient facilement la mettre dans le même bonnet ; tandis qu'aujourd'hui, il faudrait un bonnet aussi large que notre firmament, et encore toutes les têtes n'y tiendraient-elles pas peut-être, tant il y en a, et tant, surtout, elles sont différentes et faites de travers.

– C'est vrai, c'est vrai, mille tonnerres ! répondit Touchard ; à cette époque, tout le monde était d'accord, tout le monde s'entendait pour le bien commun. Aussi, le Père Hyacinthe gouvernait-il en famille et les colons lui obéissaient-ils comme des enfants obéissent à un père sur la sagesse et le dévouement duquel ils peuvent compter. Par exemple, il faut le dire, qu'il savait se faire aimer : vif, emporté, mais charitable et compatissant, il punissait avec sévérité comme il pardonnait avec bonté, il menait rondement les affaires, et le plus grand procès ne moisissait pas avec lui. Assisté de deux ou de quatre colons qu'il choisissait parmi les plus âgés et les plus notables, il jugeait sur l'heure les crimes et les délits ; faisait pendre, emprisonnait et acquittait ; rarement il avait recours au Code, et quand les peines écrites dans ce livre ne lui convenaient pas, il en faisait sur-le-champ pour les besoins de sa justice à lui. Il affectionnait particulièrement la loi du talion et il assurait qu'elle devait exister en enfer ou en purgatoire.

« C'est par elle qu'il punit un jour un sieur Gasparin, qui avait été accusé et convaincu d'avoir flanqué soixante coups de chabouque à un sieur Dronzin, son voisin.

« Voici le jugement qu'il rendit, et que feu mon père qui était son greffier ce jour-là, écrivit sous sa dictée : « Attendu que Dieu défend de battre son prochain sans mon autorisation, à moi, Père Hyacinthe, gouverneur de cette île, par sa grâce ;

« Attendu que Gasparin a administré devant témoins, qui l'ont déclaré sous serment, une volée de soixante coups de chabouque à Dronzin, innocent de toute agression ;

« Attendu que Dieu, la loi et le gouvernement doivent être respectés en ce monde comme en l'autre, et ne peuvent jamais rien perdre de leurs droits, nous condamnons Gasparin à recevoir, de la main de Dronzin, pour le compte de ce dernier, soixante coups de chabouque, et vingt autres en sus pour le compte de Dieu, de la loi et du gouverneur.

« Après quoi, tous deux s'embrasseront fraternellement et viendront dimanche dîner à la cure, sous peine de payer une amende de cent livres au profit des pauvres.

« Cette sentence fut exécutée sur la place et à l'heure même. Les parties s'embrassèrent, et le dîner acheva de les réconcilier pour toujours.

– Mais comment se fait-il, demanda Champagne, qu'aucun des complices de l'usurpation du Père Hyacinthe ne fut recherché et pincé, quand celui-ci cessa d'exercer son influence ?

– Non, non, non, mille tonnerres ! c'est que la résistance et l'entêtement des colons avaient dégoûté ces messieurs de la Compagnie de leurs propriétés coloniales, et qu'ils laissèrent le pays tranquille pendant quelques années ; ce ne fut que longtemps après la mort du Père Hyacinthe que ce pauvre Verron paya les pots cassés : seul, parmi ceux qui avaient trempé dans la conspiration, il vivait encore à cette époque ; un neveu de M. Auger arriva à Bourbon, s'enquit des faits et fit le procès à Verron. L'infortuné fut jugé et condamné à être écartelé. Robert l'a vu comme moi ; l'exécution eut lieu à Saint-Denis, et l'un des chevaux entraînant les membres sanglants du supplicié s'étant abattu à l'une des extrémités de la ville, l'endroit fut surnommé le quartier Verron, pour rappeler ce souvenir lamentable.

Touchard avait cessé de parler, les blagues étaient vides, et la cafetière tarie.

L'heure avancée de la nuit fit songer enfin aux causeurs qu'il était temps de regagner leurs demeures éloignées. Chacun se leva donc, saisit son fusil, en examina soigneusement l'amorce, et prit congé de Mussard.

– Au revoir, mes amis, leur dit ce dernier ; tous ici dans trois jours, c'est convenu. Il est urgent de prévenir de nouveaux désordres, et il ne faut pas qu'une plus longue impunité encourage Bâlle et ses bandes.

CHAPITRE VIII

L'ATTAQUE

Pas une étoile ne brillait au ciel ; les ténèbres avaient enveloppé les monts et les bois de leur épais manteau ; tout sommeillait dans le silence et l'obscurité.

Cependant les compagnons de Mussard, cheminant et devisant, traversaient la forêt, et ils n'étaient pas les seuls qui veillassent à cette heure.

Non loin de l'habitation de Touchard, la première que l'on rencontrait en quittant la rive droite du Bernica, à une portée de fusil du sentier qui y conduisait et qui, continuant en ligne droite, menait à toutes les habitations situées de distance en distance jusqu'au bord de la rivière des Galets, deux noirs se tenaient muets et immobiles chacun derrière un natte séculaire.

Plus loin, à une centaine de pas, cinquante autres, se cachant également dans la même attitude. On eût dit à les voir au milieu de cette nuit paisible et sombre, muets, immobiles, l'oreille attentive et le regard flamboyant, autant de noirs démons, épiant et attendant leur proie.

Il y avait quelques heures déjà que les deux premiers avaient pris la position que nous venons d'indiquer.

L'un était un Cafre d'une cinquantaine d'années, gros, court et ramassé. Il offrait dans son ensemble tous les signes de la plus grande force musculaire : sa tête monstrueuse, posée sur des épaules démesurément larges, semblait appartenir à une bête farouche plutôt qu'à un homme ; sa peau noire, ses yeux creux et louches, son front aplati et ses lèvres épaisses, toute sa physionomie enfin respirait une férocité brutale. Son aspect repoussait et sentait le sang. Sa chevelure rase et crépue était ornée de plumes de différentes couleurs entourant, comme une gerbe pressée, deux longues plumes blanches qui les surmontaient fièrement. À ses oreilles pendaient des anneaux de coquillages et de cascavelles[1]. Ses longs bras ainsi que ses jambes étaient nus ; une peau de cabri, que serrait une bande de cuir, lui couvrait le corps ; un fort couteau se montrait à sa ceinture, et sa main

[1] Petites graines d'un rouge brillant, connues sous le nom de pois d'Amérique.

droite était armée d'une pesante massue de bois de fer qu'il maniait comme un roseau.

L'autre avait à peine vingt ans ; son teint d'ébène, ses dents blanches et pointues, ses cheveux et ses ornements le faisaient reconnaître aussi pour un enfant de l'Afrique. Sa figure était belle et douce ; ses regards annonçaient plus de ruse que de cruauté ; souple et vif dans ses mouvements, il s'appuyait sur une courte sagaie, et l'on pouvait voir par-dessus son épaule, sortant d'un carquois de peau, une douzaine de javelots aux deux bouts acérés et durcis au feu.

Un instant après le coucher du soleil, on aurait pu les voir se glisser comme des ombres à travers le feuillage, sauter de roche en roche avec légèreté et précaution et, respirant à peine, s'arrêter à cet endroit le plus obscur de la forêt.

Après avoir écarté quelques branches et plongé un regard perçant au-delà de la lisière du bois, après avoir tendu l'oreille pendant quelques minutes avec la plus grande attention, le jeune homme sourit comme satisfait du résultat de ce double examen, ficha sa sagaie en terre, s'accroupit sur une pierre, et s'adressant à voix basse à son compagnon :

– Tout est tranquille, Diampare ; je n'ai rien vu, rien entendu ; mais êtes-vous bien sûr que le *Gros Fusil*[1] soit absent de chez lui, ainsi que ses trois noirs ?

– Il est de l'autre côté de la ravine, chez le grand chef Mussard ; il y a eu fête aujourd'hui, et il ne sera pas de retour de si tôt. Lorsque ces chiens de blancs mangent ensemble, ils restent autour du feu jusqu'à ce que le dernier os soit rongé. Quant aux trois noirs, c'est l'heure à laquelle ils vont chercher l'eau, et, ma foi, s'ils rentrent avant que nous ayons expédié les dogues, tant pis pour eux !

– Ah ! ne dites pas cela, Diampare ; ces malheureux sont de notre race, et ce n'est pas à nous à leur faire du mal.

– Pyram, ce sont des lâches ; les bois leur sont ouverts, pourquoi restent-ils esclaves ? D'ailleurs, ajouta-t-il d'une voix sourde et gutturale, Diampare n'a d'autre frère que toi, et quand il veut marcher à son but, la mort pour qui se trouve sur son passage !...

– C'est mal, c'est mal, répondit Pyram en secouant la tête ; et puis je vous l'avouerai, Diampare, j'ai dans l'idée que notre expédition de ce soir nous portera malheur. Le grand sorcier Mafat a consulté hier ses sikidis[2], et il a déclaré que nous avons tort de quitter la montagne en ce

[1] Surnom que les noirs marrons donnaient à Touchard.

[2] Sikidis : Certains objets dont les sorciers malgaches se servent pour interroger l'avenir.

moment ; que Mussard et ses frères se préparaient à nous attaquer avant trois jours, et qu'au lieu de laisser des traces fraîches dans la forêt, nous devrions nous réunir et nous entendre avec le grand roi de l'intérieur pour nous défendre contre ces ennemis de notre liberté.

– Enfant !… répliqua Diampare en entrouvrant sa large bouche d'un horrible sourire, que nous font à nous les sikidis de ce Mafat, ce sorcier menteur ! Et, par eux, n'avait-il pas prédit aussi que nous trouverions la mort dans cette expédition que nous fîmes contre le vieux blanc de la Possession. Pourtant mon couteau a trouvé le chemin de son cœur ; toute ma bande est revenue chargée de son bien. Et si j'ai un regret, c'est de ne pas lui avoir coupé la langue ainsi que les mains, car il paraît qu'il a prononcé mon nom… Ces blancs maudits, vois-tu, parlent après leur mort. Ils ont des yangs[1] à leur service, par lesquels ils se communiquent tout.

– Oui, oui, interrompit Pyram qui l'écoutait avec le plus vif intérêt, surtout ces petits *gris-gris* qu'ils mettent en noir sur des feuilles blanches qu'ils appellent papier, et ensuite ces *gris-gris*-là parlent et causent comme des bouches humaines. Comprends-tu cela Diampare ?

– Non, et malheureusement, répondit le bandit ; par ces choses-là ils nous dénoncent et nous traquent comme des chiens. C'est là ce qui fait leur force à tous ces blancs étiques et sans couleur sur la peau ; mais sans cela !… et en disant ces mots, il étendit le bras droit d'un geste menaçant ; sans cela, il n'en resterait plus un seul sur ce sol, et il frappa la terre du pied ; ou bien, continua-t-il, c'est nous qui serions les maîtres, eux les esclaves !…

– Cependant, reprit Pyram, Mafat par ses sikidis…

– Mais comment se fait-il, interrompit avec humeur son bouillant interlocuteur, comment se fait-il Pyram, que toi, Cafre, toi que Diampare a élevé comme son fils, tu puisses ajouter foi aux paroles de ce Mafat ? Laisse les Malgaches, ses frères, croire à tous ces mensonges, et toi, sache bien que le zannaar[2] de cet hypocrite sorcier n'est pas le nôtre, et qu'il ne peut rien, ni pour ni contre nous. Penses-tu, par exemple, que nous avions besoin de fétiches de Mafat, quand ton père et moi nous poursuivions le tigre et la panthère sur les hautes montagnes de notre pays ? Penses-tu qu'ils nous eussent empêchés d'être déchirés par ces animaux terribles, si, au lieu de notre force et de notre courage, nous n'eussions eu qu'eux pour nous défendre ? Non,

---

[1] Yangs : Diables.

[2] Zannaar : Nom que les Malgaches donnent à leur divinité.

non, ajouta-t-il avec un accent sauvage : Diampare ne connaît d'autre zannaar que son bras, d'autres fétiches que ceux-là !... et en disant ces mots, il montra à Pyram son énorme couteau et sa massue d'Hercule.

– Mais j'ai vu, Diampare, j'ai vu moi-même Mafat consulter son zannaar sur les mains du vieux blanc, qu'il a desséchées au soleil levant ; trois fois elles ont annoncé malheur aux noirs ; trois fois la poignée de maïs, également mêlée de grains noirs et de grains blancs, a été jetée sur les mains ouvertes, et trois fois les grains noirs seulement sont restés entre les doigts.

– Encore une fois, dit Diampare en fronçant le sourcil, cela peut regarder Bâlle, Sankouto, Matouté et les autres chefs qui sont Malgaches ; mais nous, nous n'avons rien de commun avec Mafat et ses sikidis : nous sommes Cafres.

– N'importe, répondit Pyram en secouant tristement la tête ; n'importe, Diampare, je pense comme le grand sorcier, et vous savez que ce n'est pas la crainte qui me fait parler. À l'heure qu'il est, nous serions mieux au Bonnet-de-Prêtre qu'ici. Quoique vieux, le *Gros Fusil* est encore fort et brave ; il ne se laissera pas dépouiller sans se bien défendre, et puis, pourquoi, n'avez-vous pas porté votre fusil ?

– À quoi aurait-il servi ?... Un coup tiré d'ici serait entendu par Mussard, qui ne manquerait pas d'accourir avec ses esclaves et de nous faire payer cher notre audace. Quant au vieillard que tu redoutes, rassure-toi ; lorsque ses amis l'auront quitté et que nous n'aurons plus de surprise à craindre, je saurai bien l'empêcher de crier et de se servir de son tonnerre ; l'exemple du vieux Schmit le rendra prudent ; tu verras comme je vais m'y prendre ; mais le moment est venu : agissons.

Il fit une pause, puis reprit presque aussitôt :

– Écoute bien : prends cette trace au bord de laquelle nous sommes et qui coupe le chemin des habitations ; elle te mènera droit à l'emplacement de Touchard. Arrivé près de la maison, siffle les chiens et reprends le sentier à la course, en te faisant poursuivre par eux. Le reste me regarde.

Pyram ne répondit pas, et après avoir encore regardé et écouté, il s'éloigna de Diampare ; celui-ci se leva, se mit sur ses gardes, et attendit.

Au bout de quelques minutes, de longs aboiements se firent entendre, et Pyram apparut dans le sentier, courant avec la vitesse d'un cerf. Deux énormes dogues le suivaient à peu de distance l'un de l'autre, et mordaient pour ainsi dire ses talons ; le premier allait dépasser le natte qui cachait Diampare quand un coup de masse, lui fracassant les reins, l'arrêta au milieu de son élan ; le second continuait sa course et allait atteindre Pyram ; mais celui-ci, se retournant brusquement à la voix de Diampare qui lui cira : « À toi l'autre !… » lui lança sa sagaie et le cloua contre le tronc d'un arbre.

– Voilà la besogne bien commencée, observa Diampare, en jetant les chiens dans le buisson, encore un instant, et nous aurons à mettre les esclaves dans l'impossibilité de répondre à leur maître ; ils ne tarderont pas à revenir.

– Ils doivent être rentrés maintenant, Diampare, car en quittant le chemin, je les ai entendus qui venaient et chantaient sur la hauteur.

– Tu crois que c'est eux ?…

– Oh ! bien eux !… Maconde chantait s'accompagnant du bobre. J'ai reconnu sa voix et sa chanson ; c'était celle du pays.

En effet, le bruit de quelques voix parvint plus distinctement aux oreilles des deux bandits… C'était le chant de Maconde, dont les deux autres reprenaient en chœur le refrain sauvage et monotone.

Lorsque ce bruit eut cessé, Diampare prit dans sa bretelle quelques brassées de corde, et appelant doucement Pyram : Partons, lui dit-il.

Comme toutes les habitations de colons peu fortunées de cette époque, celle du vieux Touchard ne se distinguait ni par l'étendue de l'emplacement, ni par le nombre et le luxe des bâtiments. Dans une enceinte étroite et irrégulière que ne défendait aucune palissade, s'élevaient trois petites cases basses et solides, qui semblaient n'avoir été faites que pour braver les efforts de l'ouragan. L'une d'elles, toute soufflée en bardeaux, offrait une fenêtre et une porte percées de meurtrières, selon la coutume prudente de ces temps-là ; les deux autres servaient de cases à noirs et de magasin.

Ajoutez à cela quelques parcs en pierres sèches ou en planches, renfermant différents animaux, et vous aurez la modeste demeure de Touchard Raz-de-Marée.

Diampare et Pyram y pénétrèrent à pas de loup, tantôt s'avançant précipitamment d'un pas furtif et léger, ainsi que des spectres, tantôt s'arrêtant derrière des touffes de bananiers et, semblables, à des statues de bronze, restant dans une immobilité complète ; se dirigeant ainsi avec le silence et agilité, ils arrivèrent à la porte de la seconde case ouverte et bordée en paille.

Les trois esclaves de Touchard s'y étaient déjà retirés, et, assis autour d'un feu qu'ils attisaient, ils s'entretenaient tranquillement en préparant leur souper.

Tout à coup la porte s'ouvrit violemment, et l'horrible figure de Diampare, éclairée par la lumière du foyer, apparut aux trois noirs stupéfaits.

L'un d'eux, plus robuste et plus courageux que ses compagnons, Maconde, ce Cafre, leur frère, dont ils avaient écouté la chanson dans la forêt, reconnaissant à qui il avait affaire, se leva soudainement et fit trois pas en arrière.

– Ne bougez pas, chiens de lâches que vous êtes, ou je vous assomme, dit Diampare d'une voix terrible ; Pyram, ajouta-t-il, garrotte-les.

Pyram déploya ses cordes et s'avança vers le noir qui s'était adossé à la cloison du boucan. Mais celui-ci, ne voyant que deux ennemis, et espérant que son exemple allait être suivi, se courba en avant, s'élança comme un bélier contre le jeune Cafre, et le frappant d'un coup de tête à la poitrine, l'envoya d'un bond furieux en dehors de la porte et le renversa sur le sol. Le malheureux esclave n'eut pas le temps de se relever ; la redoutable massue de Diampare, lui brisant le crâne, l'étendit raide mort sur le seuil de la porte. Saisis d'une frayeur qui se manifestait par le tremblement de leurs membres et le claquement de leurs mâchoires, les deux autres étaient restés comme pétrifiés à leur place.

Diampare déposa sa massue, leur lia les bras et les jambes, les bâillonna, et, tirant à lui, par la jambe, le cadavre du malheureux Maconde dont la tête était horriblement fracassée, il plaça ce corps sanglant et mutilé auprès de deux pauvres noirs, puis s'adressant à ceux-ci avec un ricanement féroce :

– Voilà comme Diampare punit les lâches qui restent esclaves et osent lutter contre le chef de la montagne ; maintenant, silence ! et répondez, si vous le pouvez, quand le *Gros-Fusil*, votre vieux maître, arrivera tout à l'heure.

Il sortit, et passant la main à travers les feuilles de lataniers, ferma la porte en dedans au moyen d'une clef de bois dentelé dont il connaissait parfaitement l'usage ; puis, courant avec inquiétude vers Pyram, toujours étendu sur ses bras aussi facilement qu'une mère emporterait son enfant, et rentra dans le bois avec ce fardeau si précieux et si cher à son cœur.

Lorsque l'ombre de la forêt les eut mis pour le moment à l'abri des regards les plus perçants, Diampare déposa au pied d'un arbre, sur un lit de feuilles le corps de son ami Pyram ; passant ensuite, à plusieurs reprises, sa large main sur son cœur et sa poitrine, il sentit avec bonheur ce cœur battre avec force, et pour exprimer sa joie de bête fauve, il se frappa bruyamment les deux mains l'une contre l'autre.

Pyram n'avait eu qu'une asphyxie momentanée, produite par le coup qu'il avait reçu dans la région de l'épigastre.

Il reprit ses sens presque aussitôt.

Ses yeux en s'ouvrant cherchèrent à deviner l'endroit où il se trouvait ; mais, reconnaissant aussitôt son frère, Pyram lui dit :

– Diampare, où sommes-nous ? J'ai failli mourir !… Qu'est devenu ce robuste Maconde ?…

– Mort !… répondit Diampare.

– Et les autres ?…

– Liés, garrottés, bâillonnés et enfermés avec le cadavre. Ici, nous sommes dans le bois, près du sentier. Nous faisons sentinelle. Tout va bien. Et toi ?…

– Plus rien, mon frère, répliqua Pyram en se levant et contemplant avec admiration ce Diampare, dont l'énergie, la force, l'adresse et le courage le dominaient étrangement. Plus que jamais, il se trouva fier de l'affection du chef sauvage, dont il se sentait heureux d'être le lieutenant et l'ami.

Quatre heures environ s'écoulèrent dans le même calme, dans la même paix ; c'est à peine si la brise des montagnes agitait les hautes branches des nattes, les longues palmes du fanjan et de la fougère. On eût cru, en vérité, que le souffle de la vie avait oublié en passant ce coin de la forêt, et que depuis la création, il était resté vierge de tout bruit, de tout mouvement, de toute animation.

Les deux bandits avaient repris leur poste et se tenaient silencieux et immobiles, l'un vis-à-vis l'autre, quand le son de quelques voix joyeuses vit réveiller leur attention presque endormie et leur faire lever brusquement la tête, comme si une commotion électrique les eût frappés en même temps.

– Bonne nuit, Raz-de-Marée !…

– Bonsoir, bonsoir, mes amis, à trois jours.

– À trois jours, au revoir !…

Telles furent les paroles qu'échangeaient en ce moment les convives de Mussard, et qui troublèrent le silence solennel de la nuit.

– Tu les entends !… dit Pyram en saisissant le bras de son ami « *Dans trois jours !...* » c'est le rendez-vous pour l'expédition dans les bois. Mafat n'a donc pas menti !

– Oui, oui, dans trois jours !… nous nous verrons ! En attendant, bonsoir, bonne nuit ! Au revoir !… murmura sourdement Diampare…Oui, oui ! nous nous reverrons, vieux chien, et cela avant que tu aies fini ta conversation du soir avec ton zannaar.

Touchard entra chez lui et alla frapper à la demeure de ses esclaves, en lui appelant chacun par leur nom. Personne ne répondit ; seulement un bruit sourd, pareil à une respiration gênée, se faisant entendre dans la case.

– Non, non, non,… rien ! Les paresseux dorment comme des bienheureux ; ils ronflent…

Ce mot, rappelant à Touchard sa mésaventure de la journée et le peu de droit qu'il avait de reprocher à d'autres un sommeil bruyant, l'empêcha d'achever sa pensée ; et grommelant entre ses dents des mots inintelligibles, il se dirigea vers la maison, en ouvrit la porte et la referma après lui.

– Pyram, le moment est venu, dit Diampare au bout d'un quart d'heure d'attente environ ; le *Gros Fusil* n'a trouvé ni chiens, ni esclaves pour l'avertir ; il doit être couché à l'heure qu'il est ; appelle nos camarades.

Pyram se levant alors, fit entendre trois fois le cri craintif du fouquet et s'élança avec Diampare dans le passage qui conduisait à l'habitation de Raz-de-Marée.

Toute la ligne des noirs s'ébranla à ce signal, et chacun d'eux, quittant l'arbre derrière lequel il s'était tenu, entra dans le sentier et suivit silencieusement les deux chefs.

Glissant plutôt que marchant sur la terre, les brigands envahirent bientôt la propriété de Touchard ; les uns armés de sagaies, de couteaux et de haches, cernèrent de près la maison ; les autres, comme autant de fantômes, élevaient autour d'elle des monceaux de paille de maïs, de broussailles sèches, et la torche à la main, attendaient l'ordre d'y mettre le feu.

Amenant les deux esclaves qu'il avait garrottés, Diampare les plaça contre la porte et la fenêtre en face des meurtrières, ordonna le pillage au reste de sa troupe, et s'adressant à l'un des captifs :

– Parle maintenant à ton maître ; et que ta langue soit fidèle à lui rapporter les paroles que je t'ai mises dans l'oreille ou malheur à toi, dit-il en brandissant sa massue ; tu me connais déjà !…

Plus mort que vif, le malheureux noir obéit.

– Maître, maître, holà, maître !… cria-t-il de toutes ses forces, les marrons sont ici, ils sont plus de cent…

La frayeur lui faisait doubler le nombre que lui avait indiqué Diampare : celui-ci partit d'un éclat de rire rauque et saccadé.

Touchard, qui dormait depuis quelques minutes, se réveilla en sursaut en entendant ces cris et saisit son mousqueton, dont le claquement sonore parvint au dehors.

– Qui va là ? mille tonnerres !… qui est là ? hurla-t-il ; répondez ou je fais feu.

– Ne sortez pas, ne tirez pas, maître, par pitié ! Diampare, le chef noir, est ici avec toute sa bande, et c'est mon camarade et moi qu'il a mis contre les trous de la meurtrière.

– Que veux-tu dire, imbécile ? Diampare, ici, chez Touchard ! Mais cela n'est pas possible, mille millions de tonnerres !…

– C'est vrai, c'est bien vrai, maître ; regardez vous-même à travers les fentes, et vous verrez que je n'ai pas menti. Ils ont entouré la case de paille et ont juré qu'ils y mettraient le feu, si vous donniez l'alarme. Ne sortez pas si vous tenez à la vie ; les haches, les sagaies vous attendent ; ne tirez pas surtout, mon vieux maître, si vous aimez vos bons noirs ; nos têtes sont collées contre les meurtrières.

– Non, non, non, mille millions de tonnerres !… invention de Satan ! s'écria Touchard en frappant de son poing puissant la porte de sa maison ; retire ta tête de la meurtrière, afin que je tue au moins un de ces coquins. Touchard n'est pas un rat qu'on puisse prendre et boucaner ainsi dans un trou.

Un sauvage éclat de rire de Diampare répondit à Touchard.

– Eh, là ! silence !… ajouta le bandit, tiens-toi bien tranquille, vieux blanc-fou ! Ton poing est fort, mais la porte est plus forte ; c'est bien heureux pour toi !… Cependant ta tête n'est pas sage ; rappelle-toi ce qui est arrivé à Schmit pour avoir crié un peu trop haut, et sache bien que si tu continues à pousser tes cris de volaille qui aperçoit une papangue, je te ferai griller dans la case comme une tortue dans sa carapace.

– Ah ! gueux ! brigand ! scélérat ! répliqua Touchard exaspéré et se méprenant sur les paroles de Diampare. Si tu as l'audace de toucher à ma grosse tortue, je te couperai le nez et les oreilles, après t'avoir étranglé de mes propres mains !… Attends, attends !…

Et il faisait de vains efforts pour passer le canon de son mousquet par la meurtrière, contre laquelle deux noirs robustes assujettissaient la tête des deux malheureux esclaves.

– Qui te parle de ta tortue ? Elle est trop maigre pour Diampare ; quand tu l'auras engraissée, il viendra la chercher. En attendant, prends garde que ton gros fusil ne lâche un mot imprudent, trente sagaies et autant de flèches te répondraient, et ton heure serait venue.

– Non, non, non, lâche coquin !… noir maudit ! Puanteur de Cafre !!! je te jure que je te retrouverai, et que tu me paieras cher toutes tes insolences !…

Touchard rugissait comme un lion enragé ; mais ni sa force ni son courage ne pouvant rien contre le nombre de ses ennemis, il renonça à une défense aussi inutile que dangereuse. Pendant ce temps, l'œuvre de la rapine et de la destruction s'accomplissait avec une ardeur farouche ; c'était une boucherie générale ; le sang ruisselait dans les parcs du pauvre colon ; les bestiaux étaient égorgés, coupés par quartiers, entassés dans des sacs, et la terre se jonchait de leurs dépouilles sanglantes.

À chaque cri étouffé de ses cabris, Touchard bondissait de rage, se mordait les poings, jurait comme un damné, mais ne tentait plus aucun effort pour s'opposer à ce pillage désolant. Rien n'était épargné : le magasin était défoncé, les noirs, se chargeant de toutes les provisions qui s'y trouvaient, fuyaient déjà, les uns après les autres, emportant leur butin.

Enfin, au bout d'une demi-heure, il ne restait au vieux Touchard ni une bête, ni un grain de maïs, ni même une marmite. Toute sa fortune s'en allait au pas de course par la forêt.

Quand tout fut déterminé, et qu'il ne resta plus que les bandits qui, la gâche à la main, entouraient la maison, Diampare attendit encore un instant pour laisser aux fuyards le temps de gagner du terrain, puis, mettant le feu lui-même aux monceaux de paille, il s'écria joyeusement :

– Bonsoir, bonne nuit, au revoir, Touchard ! je te laisse un peu d'occupation ; fais en sorte que ta maison ne brûle pas. Tout à l'heure, tu disais à ta bande : « Au revoir dans trois jours ! » pour venir nous traquer dans nos montagnes ! Hé bien, viens !… Tu y trouveras Diampare…

Faisant entendre un coup de sifflet aigu et prolongé, il partit comme un trait et disparut au milieu des arbres

– Maître, maître, ils sont partis ; il n'y a plus personne, plus rien aussi sur l'habitation !…

Touchard ouvrit la porte, sortit comme un forcené, tira son mousquet du côté du bois, comme s'il eût voulu le punir d'avoir caché les fuyards sous son ombre ; deux fois encore, il chargea son arme sans mesurer la poudre, et deux fois la grosse voix du tromblon fut répétée par les échos du ravin.

Au bout d'un quart d'heure, Mussard, armé jusqu'aux dents et accompagné par une vingtaine de ses esclaves les plus dévoués, arriva sur la propriété de l'infortuné Touchard.

– Hé bien ! hé bien ! vieux Raz-de-Marée, qu'est-ce que cela ? J'ai entendu votre appel et me voici… Qu'avez-vous eu, qu'avez-vous vu ?

– Non, non, non, mille tonnerres ! mon cher Mussard, je suis ruiné, ruiné complètement ! Viens voir ce qu'ils ont fait.

Et Touchard, entraînant son ami sur les différents lieux de cette scène de dévastation, lui raconta en détail ce qui vient de se passer.

Puis, passant devant le cadavre de son esclave :

– Regarde, continua-t-il, ils m'ont tué mon bon et fidèle Maconde ! Ils m'ont tout pris, tout ! Je n'ai plus rien aujourd'hui que mon mousquet. Mais, malédiction ! sang et mort ! ils auront de mes nouvelles…

– C'est un malheur, mon pauvre ami, répliqua Mussard, mais nous le réparerons autant que possible ; je vous promets, pour ma part et pour celle de mes camarades, de vous abandonner tout entière la capture de Diampare, et elle vous dédommagera complètement de la perte que vous avez faite…

– Après tout, ce n'est pas une mauvaise idée que ces brigands ont eue là ; chargés comme ils sont, ils n'iront pas jusqu'au cirque de la rivière de Galets sans faire quelques haltes, et le sang de vos animaux marquera leur passage dans le bois. Il faudrait que nous eussions bien du guignon pour ne pas sûrement les trouver dans les trois jours.

– Oh ! les chiens ! les pendards ! les misérables ! Heureusement qu'ils m'ont laissé la tortue que je garde pour le mariage de ma fille !

– Allons, adieu ! mon vieux Touchard. Je retourne à la maison tranquilliser les femmes, que votre signal d'alarme a vivement impressionnées.

Cette réflexion de Mussard ramena Touchard au sentiment des pertes cruelles qu'il venait d'approuver.

Aussi s'adressant à son ami qu'il accompagna encore quelques pas :

– Mon bon Mussard, lui dit-il en lui tendant la main, bonsoir, adieu… va retrouver ces dames. Embrasse ma fille ce soir plus affectueusement encore… et surtout ne dis à la pauvre enfant qu'une petite partie de la vérité. – Je la connais : elle pleurerait trop, cette bonne Françoise, en apprenant que son vieux père a été ruiné par ces gueusards !…

– Adieu ! ne craignez rien, reprit Mussard, je ne dirai que ce qu'il faudra !

Jetant ensuite sa carabine sur son épaule, il descendit d'un pas rapide le sentier de la forêt. Se retournant après cela en entendant les pas de Touchard s'éloigner dans la nuit, et songeant en lui-même à tout ce qu'il y avait de délicatesse paternelle et affectueuse dans cette dernière recommandation de son vieil ami au sujet de sa fille :

– Digne et brave vieillard ! se dit-il ; corps de fer et cœur d'or !…

CHAPITRE IX

DÉPART DE L'EXPÉDITION

Trois jours s'étaient écoulés depuis la journée de la Saint-François, journée si joyeusement fêtée par nos héros, et si malheureusement terminée par le coup de main dont le vieux Touchard avait été la victime.

Il était plus de quatre heures du matin, le jour allait paraître, et l'ancive du commandeur, de sa voix sonore et prolongée, avait appelé les noirs au travail. Tout était préoccupation et mouvement dans la maison de Mussard. Triste et pensive, Marie allait et venait, ordonnant les apprêts du départ.

Sur la terrasse, autour d'un grand feu, quarante hommes blancs, la bretelle sur le dos, la carabine entre les jambes, fumaient, causaient et se réchauffaient, tout en prenant leur café. Allant de l'un à l'autre, interpellant celui-ci, stimulant celui-là, Mussard apportait à tous l'animation de son ardeur et de son courage.

Touchard Raz-de-Marée, qui, à cause de son caractère pieux, était ordinairement chargé de ce soin, distribuait à chacun les balles qui avaient été bénites à la dernière assomption, et dont on ne devait se servir que dans les circonstances les plus extrêmes ; il attachait aussi à chaque fusil la boule de cire consacrée qui devait garantir le chasseur de toute chute, de toute surprise, de tout malheur.

À peine Jean-Baptiste avait-il pris sa part de ces talismans que la bénédiction du prêtre et la foi ardente des premiers colons rendaient si précieux et si puissants, qu'il quitta furtivement le groupe et entra dans la maison.

Françoise l'attendait. Pauvre enfant, elle pleurait : hélas ! Jean-Baptiste était tout son rêve, tout son bonheur de jeune fille, toute son espérance, tout son avenir d'orpheline. C'était pour la première fois, et dans le seul intérêt de leur affection commune, que, quittant la vie douce et facile dont il avait vécu jusqu'à ce jour, il s'était enrôlé dans le corps des *détachements* de Mussard, et allait prendre part à ces expéditions terribles, si pleines de fatigues, si pleines de dangers pour ceux-là mêmes qu'une longue habitude y avait rompus, mais dont l'expérience et l'habileté offraient au moins quelques garanties rassurantes.

À la clarté d'une petite lampe, seule, assise dans le salon, les coudes appuyés sur une table, et pour cacher ses larmes qui coulaient en silence, penchant son visage et le couvrant de ses deux mains, Françoise se laissait aller à toutes les cruelles appréhensions que lui suggérait la crainte de l'amour. Repliée ainsi en elle-même et s'isolant avec ses sentiments pénibles, elle ne s'était pas aperçue de l'approche de Jean-Baptiste.

Depuis quelques minutes pourtant, le jeune homme, dans tout son équipement de *détachement*, était là, silencieux et debout devant elle. Appuyé sur son fusil qu'il tenait de la main droite, il avait la main gauche posée sur la hanche, autour de laquelle une ceinture de cuir serrait son épaisse vareuse de laine ; deux pistolets étaient placés dans cette ceinture et, à gauche, un long couteau, ressemblant plutôt par sa longueur et sa forme à un *kriss* malais, pendant le long de sa cuisse. La pose aisée du jeune homme, sa taille fine et élancée, ses épaules larges, son cou blanc et mat que laissaient voir dans toute la pureté de ses lignes les deux revers de sa vareuse, reflétés comme celle des marins sur une cravate rouge et fine faite d'un foulard de Chine, tout dans ce jeune homme trahissait l'élégance des formes jointe à la force musculaire ; mais c'était la force en repos. Sa bouche fine et bien modelée, son front largement accusé, son visage pâle aux traits sévères et accentués, dénotaient le caractère énergique et fier de cette famille créole des Lebreton, en même temps que son œil grand et vif, ombragé de sourcils noirs et bien arqués, par l'expression de tristesse et de bonheur à la fois qui s'en était échappée à la vue de Françoise, révélait une âme ardente et un cœur aimant.

Il considérait, nous l'avons dit, sa jeune fiancée avec tristesse et bonheur à la fois. En effet, il souffrait de sa douleur, mais il était heureux de n'en savoir la cause. L'amour n'est-il pas un tendre égoïsme ?

Toute rouge et toute confuse de s'être laissé surprendre au milieu de ses secrètes pensées, Françoise releva tout à coup la tête, et regardant Jean-Baptiste avec un sourire mélancolique et des yeux qui, à travers les pleurs dont ils étaient mouillés encore, exprimaient un doux reproche :

– Ah ! Jean-Baptiste, c'est mal, c'est mal de venir ainsi et de m'épier lorsque je pleure ! Mon père est vieux, ajouta-t-elle en baissant la tête ; il va partir pour les montagnes, je pensais à lui.

– Et à moi, à moi ? demanda le jeune homme en lui prenant la main et d'un ton qui implorait un aveu : je n'ai donc rien eu ? pas une pensée pas une larme ?

Pour toute réponse, la jeune fille attacha sur son bien-aimé un de ces regards dont aucune expression ne saurait rendre la suave éloquence, mais qui, lorsqu'ils sont animés par un sentiment profond, disent tant et si bien ce que le cœur seul peut comprendre ; puis, ôtant de son cou une longue tresse de ses cheveux, au bout de laquelle pendait une petite croix d'argent :

– Tenez, dit-elle à Jean-Baptiste, voici ce que j'ai de plus précieux au monde ; cette croix indulgenciée m'a été léguée par ma mère, qui l'a reçue du Saint Père d'Antioche le jour de sa confirmation[1] ; j'ai conservé longtemps ce gage de la piété et de la tendresse maternelles, et ma confiance en lui n'a jamais été trompée. Comme moi, ayez-y foi, priez Dieu, et il ne vous arrivera pas malheur.

– Merci, oh ! merci, Françoise, répondit le jeune homme en lui présentant sa tête qu'il inclina avec grâce et par-dessus laquelle une main qui tremblait d'émotion passa ce double talisman de l'amour et de la piété. Oui, oui, dit-il ensuite en cachant dans sa poitrine la croix bénite de sa fiancée, oui, je croirai en ce gage comme je crois en toi, et sur lui, je prierai Dieu pour nous deux.

– Jean-Baptiste !… Jean-Baptiste ! cria à plusieurs fois du dehors la voix forte de Mussard.

– Adieu !… allons, adieu, mon ami, dit Françoise en sanglotant. Adieu. On vous appelle ; allez, soyez prudent, prenez soin de vos jours, veillez sur mon père, marchez toujours à ses côtés, pensez à votre vieille mère et un peu à moi…

– Je ferai ce que tu me dis, je veillerai sur ton père comme sur le mien, à toutes les heures qui vont s'écouler. Je penserai à ma mère et à toi, mais à toi toujours, ma chère Françoise !

Un mouvement sympathique, plein d'une tendre et douloureuse émotion, rapprocha alors les deux jeunes gens l'un de l'autre. Pour la seconde fois depuis qu'ils s'aimaient, ils échangeaient entre eux cette caresse si pure, si chaste du premier amour ; mais pour la première fois ils y mêlaient les larmes d'un adieu.

---

[1] Thomas Maillard de Tournon, patriarche d'Antioche, de la Chine et des Indes orientales, qui passa à Saint-Paul (Île Bourbon), en l'an 1703, et y donna le sacrement de confirmation. [Éd. de 1977.]

Quand Jean-Baptiste arriva sur la terrasse, tout était prêt pour le départ. La petite troupe, entièrement équipée et munie de tout ce qu'il fallait, se disposait à se mettre en marche. Dix esclaves de Mussard, les plus braves et les plus fidèles, chargés des provisions de première nécessité et de tous les bagages indispensables aux campements, devaient suivre l'expédition et attendaient aussi le signal du chef.

Souque lui-même, ce magnifique épagneul de Mussard, comme s'il comprenait que la supériorité de son maître devait lui en donner une sur tous les chiens qui accompagnaient le détachement, s'était arrogé le commandement des héros de son espère, et aboyant, grondant, courant avec impatience, semblait aussi donner les ordres, distribuer à chacun son rôle, et régler enfin les mouvements de son détachement à lui.

S'échappant aux embrassements de sa femme et de ses enfants, Mussard vint précipitamment rejoindre ses compagnons, et se mettant à leur tête :

– Allons, allons, leur dit-il d'une voix qu'il s'efforçait, mais en vain, de rendre calme et assurée, allons, nous nous arrêtons chez Raz-de-Marée ; là, nous tiendrons conseil sur la direction à prendre.

À cette voix du chef, toute la troupe s'ébranla à la fois et en silence ; elle disparut bientôt dans l'épaisseur du bois.

Françoise, que son vieux père Touchard était venu embrasser avec tendresse, sans prononcer un seul mot et en comprimant un gros soupir, arriva sur la terrasse avec Marie suivie de sa fille aînée, la petite Mariette, au moment où tous les hommes du détachement la quittaient, sur l'ordre de Mussard.

Les deux femmes, muettes, pâles, immobiles, le cœur gonflé de sanglots, voulurent attendre jusqu'au moment où le dernier homme aurait disparu à leur vue ; et quand le moment fut arrivé, que tout dans la nuit fut rentré dans le repos, que la distance et l'éloignement n'apportèrent plus l'écho d'aucune voix humaine, Marie et Françoise, d'un mouvement instinctif, se sentant seules, faibles, isolées, le cœur déchiré de pressentiments affreux, se jetèrent en pleurant dans les bras l'une de l'autre.

– Oh ! partis !… se dirent-elles à la fois, partis ! Que Dieu veille sur eux, qu'il ait pitié de nous !

Et les deux femmes, en se prenant la main, se dirigèrent vers la maison en levant les yeux au ciel, comme pour continuer chacune leur oraison mentale.

La jeune Mariette, loin de partager ces tristes appréhensions des deux femmes, et avec cet héroïsme de l'enfance qui ignore ou ne comprend pas le péril, jeta avant de rejoindre sa mère, un dernier regard sur la forêt, du côté où avait disparu son père à la tête de ses hommes, et dit d'une voix ferme et haute :

– Qu'ils sont heureux !... Que ne suis-je un homme, pour commander aux autres et courir ainsi la montagne ?

Comme nous l'avons dit, l'habitation de Touchard était tout au plus à une demi-heure de marche ; les chasseurs y arrivèrent bientôt et s'y reposèrent un instant.

– Eh bien, Raz-de-Marée, dit Robert, tu n'as plus de café à nous offrir, grâce à ce coquin de Diampare ; mais il a eu au moins la politesse de te laisser les quatre bouteilles de cognac que tu as si bien gagnées à la loterie de la Saint-François ; voyons, ne sois pas ladre, et donne-nous la rincelette du départ ; tu n'en seras guère plus pauvre, et nous te rendrons cela. Mussard nous a parlé à tous et je te promets pour mon compte, de t'abandonner tout ce que je pourrai couper de la peau de ton damné voleur.

– Non, non, non, mille tonnerres ! mes amis, je vous remercie de votre bonne amitié, et je compte sur elle comme sur votre bravoure pour m'aider à empoigner ce scélérat. Tenez, ajouta-t-il en montrant de la main ses parcs vides, son magasin ouvert et sa maison toute noircie encore par les flammes de l'incendie que Diampare avait allumé, regardez tout cela, et dites-moi si, bien que je sois un bon chrétien, je ne dois pas poursuivre ce brigand jusqu'au fond des enfers ? Voyez ma pauvre case !... Toute la paille dont ce diable incarné l'a entourée y est encore ! Non, non, non, je n'ai pas eu le courage de la balayer, mille tonnerres ! Ce monstre de Cafre m'a mis dans une jolie position, n'est-ce pas !... Et a-t-on vu une pareille impertinence ! il m'a gouaillé, Dieu me pardonne, et m'a donné audacieusement rendez-vous dans l'intérieur !... Et c'est à moi, Touchard, à moi, un blanc respectable, qu'il a osé faire tout cela, l'effronté scélérat !

– Dis donc, Touchard, observa Robert en riant, sais-tu que ce Diampare est un noir d'esprit, et qu'il n'avait pas tout à fait tort de te dire qu'il te ferait griller comme une tortue dans sa carapace. Le diable m'emporte !... Tout enveloppée de bardeaux qu'elle est, surtout quand le matin tu passes la tête par sa petite fenêtre, pour voir ce qu'il y a de nouveau, ta case ne doit pas mal figurer une grosse tortue qui chauffe ses écailles aux premiers rayons du soleil.

– Tiens, Robert, laisse-moi tranquille, cesse tes plaisanteries, elles me sont désagréables dans la circonstance.

– Bon, répondit Robert, voilà que tu te fâches encore. Parole d'honneur, Diampare nous aurait rendu service de te voler aussi ta susceptibilité !

Mussard coupa court à cet entretien, que la causticité de Robert et la mauvaise humeur de Touchard menaçaient de prolonger outre mesure.

– En route, en route, dit-il, il est plein jour, ce n'est plus l'heure de causer ni de rire.

Et donnant l'exemple, il se dirigea vers la forêt par laquelle les noirs marrons s'étaient enfuis quelques jours auparavant.

Après avoir exploré avec la plus grande attention une distance d'environ cent toises sur la lisière du bois qui était situé en face de la propriété de Touchard, Mussard arrêta son plan de poursuite et rassembla ses hommes.

Aux larges taches de sang que l'on voyait sur les feuilles sèches et sur les pierres, au rebroussement des fougères, que, dans leur fuite précipitée, les marrons n'avaient pas pris soin de ramener dans leur direction naturelle, il était facile, même à l'œil le moins exercés dans ces sortes de recherches, de reconnaître les routes différentes qu'avaient prises les pillards.

D'après l'examen de Mussard et de quelques-uns de ses *détachements* les plus habiles, deux traces bien distinctes, bien sûres, et une troisième qui l'était moins, offraient des chances de succès à la chasse. En conséquence, Mussard divisa sa troupe en trois escouades, confia à Touchard et à Jean-Baptiste la piste qu'on avait trouvée à gauche, ordonna à Robert et à Champagne de poursuivre avec soin celle qu'on avait remarquée à droite, et se réserva la tâche difficile de parcourir une ligne centrale à peine visible, où il fallait toute son habitude et sa sagacité pour reconnaître les indices qui devaient guider sa marche.

C'était sans doute le sentier que Pyram, Diampare et les quelques noirs qu'ils avaient gardés avec eux, s'étaient frayé en fuyant les derniers. Aucune trace de sang ne s'y remarquait, car on doit se le rappeler, Diampare et le reste de sa bande n'avaient quitté l'habitation de Touchard qu'après la fuite de ceux qui avaient égorgé le bétail et l'avaient emporté par des chemins différents ; de plus, à cet endroit de la forêt, la fougère était clairsemée ; les buissons étaient rares, et de grosses pierres, qui ne pouvaient conserver aucune empreinte, placées de distance en distance, faisaient à chaque pas perdre la piste des bandits.

– Allons, mes amis, partons, dit Mussard, la chasse sera facile ; ayez bon pied, bon œil. Je ne suppose pas que Diampare ait été assez stupide pour avoir fait placer des pièges sur les routes qu'il avait tant d'intérêt à nous cacher ; mais ne vous fiez pas, et marchez avec précaution, surtout dans les fourrés.

« Si j'ai bien jugé, les trois chemins qu'ont pris les noirs doivent amener à un rendez-vous donné, qui doit se trouver à la hauteur des calumets, en face de la Brèche, le seul passage qui s'offre pour descendre dans la Rivière des Galets. Ne perdons pas la piste, nous devons nous y réunir tous avant le coucher du soleil ; dans le cas contraire, faites halte sur le bord de la rivière, vis-à-vis le piton Bronchard, et que les premiers qui y arriveront attendent les autres. Cet endroit n'est pas éloigné de la Brèche, et nous pouvons facilement nous y retrouver.

« Touchard, Champagne, ajouta ce chef intelligent, vous connaissez comme moi les habitudes des marrons, et vous savez que jamais, après un coup de main, ils ne fuient sans poser derrière eux des sentinelles qui les avertissent à temps de la poursuite des *détachements* ; ainsi, examinez bien soigneusement si, dans les voies que vous indiqueront les signes que vous trouverez, quelques-uns de ces noirs perroquets n'auraient pas pris un chemin de traverse pour épier votre passage, soit du haut d'un arbre, soit du haut d'un rempart. Maintenant, au revoir, camarades, bonne chance, et que Notre-Dame des Anges vous accompagne.

À ces mots, il donna le signal aux dix hommes armés qu'il avait choisis et, suivi de ses dix esclaves, il s'enfonça dans la forêt.

Champagne et Robert, accompagnés de leur escouade, se dirigeant à droite, disparurent également.

Touchard et Jean-Baptiste, marchant en tête de leur petite colonne, prirent à gauche, et suivirent la direction qui leur avait été donnée par le chef.

Avant d'entrer dans le bois, Touchard mit un genou en terre, ôta avec respect son feutre gris, dont l'absence laissa voir en ce moment sa tête chauve et blanche ; fit trois signes de croix et jetant son mousquet sur son épaule :

– En avant, marche, dit-il, et il fit quelques pas ; mais, s'arrêtant tout à coup, et s'adressant à Jean-Baptiste :

– As-tu fait ta prière mon enfant ? C'est une sainte et bonne habitude qu'il faut toujours avoir dans notre profession.

– Je vais la faire, père Touchard, répondit gravement le jeune homme.

Sa prière dut monter au ciel, car elle était inspirée par trois sentiments ardents, également agréables à Dieu : la tendresse filiale, l'amour, et la foi.

Sans ajouter un mot de plus, Touchard et Jean-Baptiste, ainsi que leur petite troupe, s'avancèrent sous les grands arbres et pénétrèrent au milieu des hautes broussailles, des lianes et des plantes de toutes sortes, où se laissait voir facilement la trace qu'ils avaient à suivre. Elle était largement ouverte, et obliquant du côté de l'est, semblait devoir les mener, en coupant les profondes ravines qui étaient sur leur gauche, vers les pitons et les vallées du cirque de la rivière de Galets.

Ils allaient silencieusement et avec célérité, sans avoir besoin de s'arrêter pour étudier le terrain ; on eût dit qu'ils parcouraient un sentier depuis longtemps battu et que l'habitude leur avait rendu familier. Un grand chien noir, fort sur ses jarrets, et dont le museau pointu, les oreilles courtes et mobiles annonçaient la finesse, les précédait ; tantôt, flairant la mousse, les arbres, les pierres, il jappait joyeusement, comme satisfait de tenir toujours la piste ; tantôt partant comme un trait et, franchissant une longue distance, il revenait, gambadait autour de Jean-Baptiste, et s'élançait de nouveau, encouragé par une caresse de son maître.

Il y avait quatre heures environ que nos chasseurs marchaient ainsi, sans qu'aucune circonstance particulière eût attiré leur attention ni interrompu leur course ; seulement, de temps en temps, le vieux Touchard s'arrêtait devant quelques grains de maïs tombés çà et là des sacs des voleurs, ou devant quelque objet dont ils s'étaient déchargés en route. Il recommençait alors l'énumération des pertes qu'il avait éprouvées, et exhalait sa colère par un redoublement de jurons et de malédictions.

Après avoir continué leur route une heure encore en suivant toujours les mêmes indices, ils arrivèrent sur le bord de la première ravine, et la descendirent par une pente étroite et rapide où le passage des marrons était plus visiblement marqué.

Du fond de la ravine, où ils étaient enfin parvenus après mille peines, tant la pente était boueuse et glissante, le versant qu'ils venaient de quitter et qui les dominait alors de toute sa hauteur, leur offrait l'aspect le plus riant, le plus délicieux ; il s'avançait, à cet endroit, en saillie arrondie, et formait de bas en haut un pittoresque amphithéâtre où la nature avait rassemblé les plus vives, les plus riches couleurs, et qu'elle avait décoré à plaisir d'arbres, de festons et de fleurs. Des massifs de jeunes palmiers, s'élançant du flanc de ce demi-mamelon, balançaient leurs palmes gracieuses au-dessus des gerbes de fougère et de safran sauvage à la fleur écarlate, et de framboisiers touffus, rouges et brillants de leurs fruits. De distance en distance, des citronniers sans nombre suspendaient les grappes de leurs pommes dorées ; partout la songe était la verdure foncée de ses larges feuilles ; la mousse épaisse, baignée de mille gouttelettes d'eau, se mirait aux rayons du soleil ; des lianes de toute espèce, courant de branche en branche, de tige en tige, enchaînaient ce bosquet suspendu de leurs guirlandes élégantes, fleuries et nuancées à l'infini. De limpides filets d'eau s'échappant de toutes parts, sillonnaient le sol et serpentaient en tous sens jusqu'à la base, tombaient en petites cascades et se réunissaient dans un bassin circulaire, dont une magnifique cressonnière faisait la bordure.

Ainsi paré de sa brillante végétation et assis dans les eaux vives qui coulaient à ses pieds, ce coteau ravissant semblait un immense bouquet appuyé contre la montagne et se rafraîchissant dans un vase fait à sa taille.

Et comme pour faire ressortir sa fraîche et riante beauté, se dressait, à une portée de fusil, le versant opposé, sombre, nu, escarpé, qui, d'étage en étage, s'élevait jusqu'à une hauteur de plus de six cents pieds. C'est à peine si quelque ambaville maigre et rabougri se voyait çà et là dans les anfractuosités de cette noire muraille ; seulement quelques hauts palmistes, tourmentés par le vent, couronnaient son sommet, et l'on pouvait apercevoir, dans une crevasse assez large, assez profonde, que s'était sans doute creusée une cascade depuis longtemps disparue, un massif de lianes séculaires qui s'étaient puissamment attachées aux parois et grimpaient jusqu'aux palmiers dont elles enlaçaient les troncs.

Bien que nos héros fussent à peu près blasés sur les douces sensations que l'aspect d'une belle et vigoureuse nature fait éprouver ordinairement ; bien qu'à force d'en rencontrer à chaque pas, dans leurs excursions, ils eussent fini par ne considérer les sites les plus poétiques, les plus magnifiques de l'intérieur que comme des collines à gravir ou à descendre, ils ne pouvaient résister au charme qu'exerçait sur eux celui qu'ils avaient devant les yeux.

Tout les invitait à s'y arrêter : la fraîcheur, l'ombre, les eaux pures du ruisseau et, plus encore, la fatigue d'un long trajet.

Touchard fit le premier qui se laissant aller aux séductions de ce lieu charmant, exprima le désir de s'y reposer, en faisant joyeusement un commandement militaire.

– Halte ! Messieurs, dit-il ; rompez vos rangs et déjeunons. Non, non, non, non, mille tonnerres ; ce ne sont point mes jambes qui refusent le service, c'est mon estomac qui n'en peut plus ; j'ai des crampes à faire pleurer !

Plus s'asseyant sur une pierre large et unie qui se trouvait sous un grand tamarinier :

– Voici la table, ajouta-t-il, allez chercher des verres, des plats et des assiettes.

Deux hommes allèrent à quelques pas et rapportèrent de superbes feuilles de songes, dont ils couvrirent la pierre.

– C'est bon, c'est bien, mes enfants, maintenant servez les provisions.

On mit la nappe verte, étendue sur la table de pierre, un énorme ambrecal et la moitié d'un cabri rôti.

– Que chacun en prenne à son appétit, dit Touchard, en enfonçant son couteau dans ce pain de riz froid, qui se tenait debout comme une marmite renversée, et en s'en servant une tranche de deux livres au moins. Il ne faut pas faire la fine bouche ici, continua-t-il en avalant bouchée sur bouchée. Nous avons encore une bonne trotte à faire ; nous ne savons pas à quelle heure nous pourrons souper.

Tous suivirent son exemple, et au bruit de leurs mâchoires, on pouvait juger qu'ils n'avaient aucunement besoin des recommandations et des encouragements de leur chef.

– Mille tonnerres ! s'écria Touchard d'une voix étranglée ; il n'y a rien de plus traître que ce diable d'ambrecal ! J'étouffe !… Et je crèverai avant de venir à bout de faire comme vous une calebasse de ces stupides feuilles qui me cassent toujours entre les doigts ; quel est le bon garçon qui ira me chercher de l'eau ?

Jean-Baptiste se leva aussitôt, prit une feuille de songe et partit. Côtoyant le bassin, il chercha un endroit qui ne fût pas obstrué par le cresson et où il pût puiser sans entrer dans l'eau. Il trouva enfin, tout à fait à l'extrémité à droite, un petit espace libre qui lui offrait les facilités qu'il désirait. Il y étendit sa feuille, en releva les bords, et les réunissant dans sa main droite, y renferma l'onde argentée. Il se disposait à s'en retourner promptement, lorsqu'au moment d'enjamber une pierre, il s'y arrêta tout à coup : l'empreinte d'un pied y était distinctement dessinée, la trace était encore fraîche et la boue qui marquait était à peine sèche. Il y avait une demi-heure au plus que ce pied s'était posé à cette place.

– Hé ! Jean-Baptiste ! Jean-Baptiste ! cria Touchard ; que fais-tu donc là-bas, penché ainsi ? Je suffoque, malheureux ! Est-ce que tu veux faire tes noces après mon enterrement ?

Le jeune homme accourut et présenta son outre végétale à Touchard, qui la perça de ses dents et en huma d'un trait tout le contenu.

– Maintenant, dit-il respirant à pleine poitrine, me diras-tu ce que tu regardais de dessus cette roche ? Ce n'est pas assurément ton portrait dans l'eau ?

Jean-Baptiste sourit.

– Vous devez avoir encore soif, père Touchard ? Je cours au ruisseau, et ne tarderai pas.

Mais désormais, bien sûr que son futur beau-père ne courait plus les risques d'une asphyxie, le chasseur se mit à considérer la piste qu'il avait aperçue ; il la suivit de pierre en pierre jusqu'à une certaine distance, puis faisant signe à ses compagnons de venir le rejoindre, il siffla son chien.

– Ici, Love ! Love !… ici, mon chien, ici ! cherche ! cherche !… Le gueux n'est pas loin !

Love accourut aussitôt, flaira la trace que son maître indiquait du doigt, et, l'œil enflammé, les naseaux ouverts, s'élança avec ardeur.

CHAPITRE X

UNE CAPTURE

Tous les chasseurs se saisirent de leurs armes et arrivèrent bientôt à l'endroit où se trouvait Jean-Baptiste ; comme lui, ils interrogèrent les pierres sur lesquelles s'était imprimé le pied du fuyard. Le vieux Touchard s'en voulait de n'avoir pas aperçu tout d'abord cette trace, et maudissait les crampes d'estomac qui, l'ayant forcé de s'arrêter, lui avaient fait perdre un temps précieux.

– Ah ! garnement, sournois, dit-il à Jean-Baptiste, c'est comme cela que tu trouves une bonne piste et qu'au lieu de nous en avertir, tu la sens et tu la tâtes en cachette pour en avoir tout le mérite. C'est égal, mon garçon, tu as le nez et l'œil d'un vieux *détachement* et tu as bien jugé. Le mécréant qui a passé par ici ne doit pas être loin ; ce doit être un de ces espions laissés en arrière et que Mussard nous a recommandés si particulièrement ; mais, mille tonnerres ! par où s'est-il donc enfui ? Il n'a ni monté ni descendu le lit de la ravine, car il ne nous précédait que de dix minutes au plus et nous l'aurions vu à gauche ou à droite, en parcourant ce coteau ventru. Il n'a pas non plus grimpé contre ce rempart qui est en face de nous ; il faudrait être plus qu'un lézard pour cela. Je gage qu'il s'est fourré sous quelqu'une de ces grosses pierres. Pousse ton chien, Jean-Baptiste, et cherchons.

Love cherchait de tout son cœur et de tout son instinct ; mais son nez était en défaut, son ardeur à bout. Pour la troisième fois il avait repris la piste, avait traversé la ravine dans toute la largeur, avait côtoyé le rempart opposé et s'était arrêté en hurlant et en s'asseyant sur ses pattes de derrière, comme désespéré de son impuissance et se plaignant douloureusement de son incapacité.

L'intelligence de Touchard et de ses compagnons n'était guère plus heureuse ; la trace des pas n'était empreinte que sur quelques pierres et disparaissait totalement à une petite distance du point de départ. Embarrassés, indécis, ils se consultaient vainement et ne savaient à quel parti s'arrêter. Enfin, Jean-Baptiste appela de nouveau son chien, et l'excitant de la voix et du geste, le remit en quête encore une fois. Love le conduisit au pied du rempart, fit quelques allées et venues et se coucha de manière à faire comprendre qu'il n'en pouvait davantage.

– Allons, allons, donc, Love, qu'est-ce que cela, mon chien ? Il faut que tu trouves ce marron ; Souque va se moquer de toi.

Le pauvre chien regarda tristement son maître, remua doucement la queue, mais ne bougea pas de la place qu'il avait prise.

– Mille millions de tonnerre ! s'écria Touchard, ce coquin-là est donc monté au ciel ? Je ne vois ici que ces lianes, ajouta-t-il en désignant celles qui se trouvaient contre l'escarpement, et je ne pense pas qu'il se soit permis d'y grimper à notre barbe ; il connaît trop la portée de nos fusils pour avoir osé le faire.

Tous les regards s'étaient dirigés machinalement vers ces lianes antiques dont parlait Touchard. Complètement nues et décharnées par le temps jusqu'à une hauteur de cinquante pieds, ou seulement croisant, entrelaçant, leurs tiges latérales, elles formaient un large réseau que couvrait un feuillage épais ; elles semblaient, dans leurs courbes capricieuses et dans leurs mille anneaux, des serpents géants se reposant complaisamment et cachant leurs têtes sous la fraîcheur et l'ombrage de cet unique bouquet de verdure qu'offrait l'âpre rempart. Rien n'y remuait, rien n'y apparaissait ; ces reptiles végétaux se déroulaient à l'œil dans le silence le plus énorme, l'immobilité la plus parfaite.

Touchard, découragé, allait s'en retourner pour reprendre l'ancienne piste qu'il avait suivie jusqu'alors, quand un petit bruit, semblable à un éternuement étouffé, se fit entendre au sommet chevelu des lianes.

– Hein ! fit Touchard en se retournant vivement, qu'est-ce que cela ? J'ai entendu un drôle de bruit qui vient d'en haut.

– C'est vrai, c'est vrai, répondirent à la fois tous les autres ; il semble que quelqu'un a éternué en bouc.

– Non, non, non, mille tonnerres ! ce ne sont pas certainement les lézards et les chauves-souris. Le bon Dieu ne les a pas affligés de cette infirmité ; il y a quelque chose là-dessous, mes amis ; il faut y regarder de plus près ; il ne serait pas impossible, maintenant que j'y réfléchis plus sérieusement, qu'un espion de Diampare eût eu la ruse et l'audace d'aller se nicher dans ce matelas de feuilles ; mais, tudieu ! je le saurai bien tout de suite. Grosset, ajouta-t-il en s'adressant à l'un de ses *détachements*, envoie-moi une balle au milieu de la touffe ; si le brigand y est, il comprendra cet avertissement.

Grosset obéit, et à peine la fumée de son coup de fusil s'était-elle dissipée, qu'un grand mouvement se fit dans les lianes et qu'un noir, tout vêtu de peaux de cabris, écartant les feuilles qui le cachaient, montra sa face noire à toute la troupe.

– Ah ! ah ! s'écria Touchard, que le diable te bénisse, coquin ! ah ! tu t'avises de prendre du tabac à soixante pieds en l'air ! Brigand, scélérat, allons dégringole, et promptement !

Mais le noir ne bougea pas.

Sachant que les *détachements* avaient trop intérêt à le prendre vivant pour tirer sur lui, il comptait profiter de cette circonstance, autant que de sa position pour s'échapper au moment favorable ; aussi ne remuait-il point.

– Eh bien ! mille tonnerres ! veux-tu descendre, damné lézard ! lui cria Touchard.

– Viens me chercher ! répondit le noir.

Ah ! oui-da, brigand ! Il faut qu'on te donne le bras ? Eh bien ! attends, attends !

En achevant ces mots, Touchard déposa son mousquet, saisit de ses mains vigoureuses la liane la plus rapprochée du noir, et comme s'il ne se fût agi du jeu de la grimpe sèche, il s'éleva rapidement en quelques élans à une hauteur qui ne le séparait du noir que de quelques pieds. Celui-ci attendait cet instant. Se dégageant alors et se découvrant en entier, il se mit à grimper de toutes ses forces et parallèlement au chasseur, qui le tenait de près ; mais il avait affaire à un adversaire plus robuste, plus exercé que lui, et dont l'ascension supérieure en vigueur et en agilité gagnait sensiblement la sienne. Tous les deux luttaient d'ardeur et d'effort prodigieux. Sous leurs pieds et leurs mains, les pierres usées, mal assurées, de ce vieil édifice de la Création se détachaient et roulaient avec bruit jusqu'en bas ; les lianes, dont les ouragans avaient respecté la verte parure, se dépouillant de leur ornement ; c'était une avalanche de feuilles, de rameaux et de pierres.

Haletant, épuisé, le noir avait déjà atteint le bord du premier étage et, se ployant en avant, rassemblait toutes ses forces pour s'y placer tout à fait ; mais Touchard avait à tour de bras franchi la distance et sa tête dépassait déjà les pieds du jeune noir. S'apercevant du mouvement qui allait lui faire perdre le fruit de la plus belle grimpe qu'il eût faite, il se suspendit d'une main, et, de l'autre, saisissait la jambe du noir, il la serra comme dans un étau en la secouant rudement.

– Pas encore, pas encore, brigand ; ne bouge plus, ou je te fais descendre par la tête.

Le noir le regarda avec un œil de rage et de désespoir. Tirant aussitôt un long coteau de sa poche, il se mit à couper au-dessus la liane que tenait Touchard.

– Prenez garde, prenez garde, père Touchard ! s'écria Jean-Baptiste ; changez de corde, le bandit coupe la vôtre !

La distance et la position empêchèrent Touchard d'entendre l'avis salutaire de Jean-Baptiste.

– Prenez garde, répéta avec terreur ce dernier, le noir coupe la liane que vous tenez !

Touchard n'entendait décidément plus, il faisait des efforts inouïs pour attirer à lui le noir dont il tenait si vaillamment la jambe. Encore une minute et c'en était fait de lui !

Au même instant un coup de feu partit. Le noir jeta un cri de douleur, laissa tomber son couteau et ramena son bras vers lui. La balle de Lebreton lui avait brisé la main.

Le vieux Touchard n'avait rien entendu.

Achevant son ascension en deux bonds, il se dressa tout debout sur l'étage et prenant le malheureux noir par ses habits, il l'aida à monter.

– Non, non, non, maudit voleur ! dit-il, tu sens encore l'odeur de mes cabris ; ne bouge pas, ou tu es mort ;

Le noir blessé, sentant son impuissance, baissa la tête et se soumit. Ce n'est qu'à ce moment, en voyant la blessure sur le bord de l'abîme, que Touchard apprit de ses chasseurs le danger qu'il avait couru et le secours important que lui avait prêté l'adresse de Jean-Baptiste. Puis, tenant toujours son prisonnier par le cou, il cria à ses hommes de détacher de son tronc une jeune et forte liane qu'il désigna. Cela fait, il la tira à lui, en passa l'extrémité autour du corps du noir, lui ordonna de s'accrocher de sa bonne main, et, laissant filer la liane qui le retenait, le fit couler tout doucement le long du rempart et descendit après lui.

– Non, non, non, voilà un fouquet qui nous a coûté quelque peine à dénicher ; mais nous le tenons, c'est l'important. À propos, quel est réellement celui de vous qui lui a cassé si adroitement l'aile au moment où il allait s'envoler et m'envoyer, moi, *ad patres* ?

– C'est Jean-Baptiste, donc ! répétèrent tous les chasseurs.

– Ma foi, mon garçon, répondit Touchard en allant lui prendre la main qu'il étreignit, selon ses brusques habitudes, jusqu'à lui en faire craquer tous les os, je te fais mon compliment, c'est un fameux coup de fusil ; Mussard n'aurait pas mieux tiré, et je suis heureux de te présenter ta première capture.

– Du tout, du tout, père Raz-de-Marée, dit modestement le jeune homme ; cette capture vous appartient, c'est vous qui l'avez faite.

– Non, non, non, mille tonnerres ! Elle est à toi par œil et par la main. Je n'ai fait que ramasser le gibier, c'est toi qui l'as arrêté ; ainsi, c'est entendu, pas un mot de plus. Maintenant, voyons à panser aussi bien que possible le bobo que tu as fait à ce pauvre diable.

Et s'éloignant aussitôt, il alla cueillir non loin de là quelques plantes vulnéraires dont il rapporta une poignée, les écrasa entre deux pierres, les appliqua sur la main du blessé et la suspendit au moyen d'un mouchoir qu'il lui passa en écharpe autour du cou :

– Mais ce n'est pas tout, dit-il : il te faut encore probablement un autre genre de pansement ; tu es bien heureux, maraud, d'avoir affaire à de bons chrétiens comme nous. – Tiens, continua-t-il en mettant devant le noir une large tranche d'ambrecal et un morceau de cabri ; déjeune en attendant que le conseil supérieur t'invite à dîner. Quoique tu m'aies pillé, ce n'est pas une raison pour que tu meures d'inanition.

Le noir dont la faim était plus grande encore que la douleur, se jeta sur les aliments qu'on lui offrait et se mit à manger avec voracité. Quand il eut fini son repas, il regarda Touchard avec une expression triste, mais reconnaissante.

– Merci, vieux blanc, merci, dit-il, vous poursuivez les pauvres noirs pour les forcer à coups de fouet à travailler à votre terre ; mais vous n'êtes pas alors méchants comme nous le disent nos chefs : je vous ai vu soigner ma main et me donner à manger ; ah ! merci !...

– C'est bon, c'est bon, mauvais maraudeur, je n'ai pas plus besoin de tes observations que de tes compliments. Mais à présent que tu as mangé, fais-moi le plaisir de causer un peu, et veille à ce que la langue ne dise point de mensonges. Pourquoi es-tu resté derrière ta bande, et comment se fait-il que tu sois allé te percher là-bas comme une chauve-souris ?

– Le grand chef Diampare, répliqua le noir, m'avait ordonné de rester à moitié chemin, d'épier votre route et de venir l'en prévenir. Tombant de faim et de sommeil, je m'étais endormi sur le bord de la ravine, quand vous y êtes arrivés. Au bruit de vos pas et de vos voix, je me réveillai tout à coup et descendis précipitamment le coteau. N'osant aller ni à droite ni à gauche, dans la crainte d'être aperçu et poursuivi, je traversai la ravine et rampant le long des lianes et me cachai dans l'endroit où vous m'avez trouvé. J'espérais que de là il me serait plus facile de vous échapper et que, continuant d'étage en étage le même chemin, j'arriverais avant vous et plus promptement au camp du grand chef.

– Non, non, non, ce n'est pas trop mal raisonner pour un noir ; et tu aurais réussi, ma foi, si le grand air ne t'avait pas fait éternuer ; mais où se trouve à l'heure qu'il est ton grand chef ? À sa résidence royale, au Bonnet-de-Prêtre, sans doute ?

– Le grand chef a quitté le Bonnet-de-Prêtre, et c'est sur le piton Bronchard que je devais aller le retrouver.

– Ah ! ah ! c'est bon à savoir ! Qu'y fait-il ? Avec qui s'y trouve-t-il ?

– Vieux blanc, je t'ai dit tout ce que je savais, ma langue n'a pas menti ; mais tu me tuerais que je ne pourrais t'en dire davantage.

– C'est bien, c'est bien, nous verrons si c'est la vérité. En attendant, tu vas nous guider dans la route que tes compagnons ont prise et que tu dois connaître parfaitement ; mais prends bien garde à toi ; à la première tentative que tu feras pour nous égarer ou nous faire perdre du temps, je te fais sauter la cervelle aussi sans façon que je t'ai offert à déjeuner. Maintenant, passe devant et file. En route, en route, camarades, ajouta Touchard !…

Toute la troupe jeta le fusil sur l'épaule et se remit en marche. Le prisonnier, que Touchard ne perdait pas de vue, les conduisit une heure environ sans quitter le lit de la ravine. Au bout de ce temps, il s'arrêta au pied du versant et indiqua aux *détachements* un passage escarpé où un homme pouvait se tenir à peine. Ils le gravirent avec la plus grande difficulté, en s'aidant autant de leurs mains que de leurs pieds, atteignirent enfin le sommet et entrèrent dans une forêt épaisse, où ils reconnurent de nouveau la trace des noirs.

Quelques branches sèches, quelques palmes de fougère étaient placées de distance en distance dans le sentier qu'ils parcouraient ; des chasseurs, peu habitués aux signes par lesquels les marrons s'entendent, les eussent crues naturellement tombées de leur tronc ; mais Touchard avait vieilli dans sa profession, et le plus vieux comme le plus rusé des noirs qui habitaient les bois n'aurait pu lui en remonter.

– Ce guide ne nous trompe pas jusqu'à présent, dit-il ; jetées par le vent, mais regarde-les bien ; leur extrémité naturelle est tournée du côté d'en bas et leur tige brisée du côté d'en haut, ce qui veut dire, dans le langage des marrons, qu'ils ont pris la route en montant ; c'est une indication pour ceux d'entre eux qui, restant derrière, pourraient s'écarter de la ligne suivie.

Tout en parlant ainsi, Touchard allait, marchant d'un pas ferme et accéléré ; d'un œil, suivant son prisonnier, de l'autre, parcourant avec soin les alentours. Soudain, il s'arrêta.

– Halte, dit-il, voilà Love qui vient de prendre un chemin de traverse, voyons ce que c'est. Parbleu ! c'est une belle et bonne voie, frayée même sans beaucoup de précaution ; il n'y a qu'à voir ces lianes dérangées et ces fougères à contrepoils, pour se convaincre qu'un de ces coquins a passé par là. Et, s'adressant au noir : Est-ce que Diampare aurait détaché de la bande deux sentinelles ? Ne mens pas, sur ta vie !

– Non, vieux blanc, je vous le jure ; je suis le seul que le grand chef ait choisi et commandé pour cela.

– Mais, qu'est-ce que c'est que cette trace, alors ?

– Je ne sais.

– Hé bien ! je vais le savoir, moi. Restez ici, vous autres, et attendez ; je vais traverser par là, j'irai jusqu'à cet arbre que vous voyez là-bas.

Et il désigna de la main un affouche séculaire, dont le gigantesque tronc se montrait à quelque distance.

– Je saurai bien ce qui en est, ajouta-t-il ; et s'il y a quelque chose de nouveau, je vous appellerai.

Sifflant le chien, Touchard entra dans le sentier, examinant le feuillage, écartant les hautes herbes, et se baissant pour étudier sur la terre les vestiges qui auraient pu y être pour étudier sur la terre les vestiges qui auraient pu y être laissés. La trace le mena droit au gros arbre ; il s'en approchait doucement, en regardant à son sommet noir et touffu, et s'appuyait de la main au bord d'une crevasse que l'écorce avait faite en s'entrouvrant, quand, bondissant tout à coup et abandonnant son mousquet, il se mit à fuir comme un cerf, brisant les lianes et les broussailles qui arrêtaient sa course et roulant, avec des cris de douleur, dans les touffes de hautes fougères. Un essaim d'abeilles furieuses s'étaient jetées sur lui, le poursuivaient et s'attachaient à ses mains, à sa figure, à toutes les parties nues de son corps. Le malheureux, dont le mouchoir était resté suspendu à une branche et qui, par-là, offrait de plus son crâne chauve aux coups de ses ennemies, se frappait à outrance pour les écraser et jurait comme un damné. Pendant un instant, ce ne fut qu'un torrent d'exclamations, entrecoupées de vociférations furibondes.

– Non, non, non, non, mille millions de tonnerres ! c'est encore une diablerie de ces enfants de Satan ; ils ont été probablement enlever le miel d'une ruche, ils ont irrité les mouches, et c'est moi qui paie leur gourmandise. Ah ! scélérats, coquins, vous augmentez votre dette, allez !...

Jean-Baptiste et quelques autres, prenant le sentier, marchèrent avec précaution pour vérifier le fait ; ils n'eurent pas de peine à s'assurer que le vieux Raz-de-Marée avait raison.

On pouvait voir, à quelques pas de l'arbre, toutes vertes encore, mais flétries, les feuilles de fahame dont le marron s'était frotté pour piller impunément la ruche et se garantir de la piqûre des abeilles.

En s'en retournant vers Touchard, Grosset arracha une poignée d'herbes dont il connaissait la vertu, en exprima le jus en les tordant fortement, et en enduisit les mains, ainsi que le visage de Touchard. La douleur se calma spontanément, mais la peau se gonfla avec une telle rapidité, qu'au bout d'un quart d'heure le pauvre vieux Touchard n'était plus reconnaissable.

En vérité, bien que le cas ne fût pas plaisant, il n'était guère possible de regarder sa face verte et bouffie, sans se sentir la plus impérieuse envie de rire. Ce n'était plus une figure humaine, c'était comme un mamelon de verdure. Un des *détachements*, qui s'était mis à l'écart pour donner un libre cours à son hilarité, prétendait que le père Touchard, tout verdoyant et gonflé qu'il était, faisait l'effet du coteau au pied duquel ils avaient déjeuné le matin, et qu'on devrait appeler cet endroit le coteau Touchard. La comparaison parut heureuse, et le baptême fut accepté.

Touchard était assis à quelques pas ; seul, avec sa mauvaise humeur, il se tâtait, se regardait, et promettait à tous les noirs présents et futurs, de leur faire payer avec intérêts la cruelle mésaventure qu'il venait d'essuyer. Jean-Baptiste s'approcha doucement de lui.

– Comment vous trouvez-vous, père Touchard, souffrez-vous encore ?…

– Non, non, non, mille tonnerres ! je ne sens rien du tout ; mais c'est une honte, une humiliation pour moi d'avoir été attaqué, défiguré par ces vilaines petites bêtes, au début même de l'expédition. Je suis sûr que ce mauvais plaisant de Robert va se moquer de moi, et qu'il en aura pour trois jours de risée et de goguenarderie. Voilà ce que me fiche malheur ! Parole d'honneur ! J'aurais mieux aimé un coup de fusil ou un coup de sagaie !… Mais, dis donc, mon enfant, parle-moi franchement ; dis-moi, ça désenfle-t-il ?

– Pas encore, pas encore, père Touchard, mais prenez patience, le remède de Grosset est bon, et cela va disparaître bientôt.

– Je le souhaite, mille tonnerres ! car j'enrage quand je me touche la figure. Il me semble que mes mains mêmes ne la reconnaissent plus. Allons, partons, mes amis, et surtout n'allez pas dire que j'ai roulé dans les herbes ; d'abord parce que je n'ai pas roulé du tout, et qu'ensuite il y a des choses qu'on doit avoir la convenance de ne pas répéter dans le doute. Marche donc, infernal noir, ajouta-t-il, en poussant le noir avec colère ; marche donc, coquin maudit, tu devais savoir qu'il y avait des mouches à miel au bout de ce sentier, et tu ne m'en as pas averti. Aussi, que Dieu me pardonne, mais il me prend de terribles envies de couper quelques morceaux de peau pour me faire des emplâtres ; je suis sûr que cela me ferait plus de bien que toutes les herbes du monde.

L'escouade obéit et reprit la voie tracée : elle chemina sans aucun autre accident, traversant en silence les ravines et les bois.

Elle avait parcouru deux ou trois lieues environ, quand quelque bruit parvint à ses oreilles. Elle s'arrêta tout à coup ; mais reconnaissant des voix amies, elle poussa en avant, et se trouva à l'entrée d'une petite clairière, où quelques nattes isolés, groupant et joignant leurs cimes royales, formaient un dôme impénétrable aux rayons du soleil, et sous lequel on n'apercevait qu'un épais matelas de feuilles sèches.

Champagne et Robert s'y trouvaient déjà avec leurs compagnons et s'y reposaient, les unes fumant, les autres nonchalamment étendus à côté de leurs armes. Un Cafre robuste, tout couvert de peaux et d'ornements sauvages était adossé à un arbre, où un *détachement* achevait de l'attacher.

Touchard entra le premier dans l'enceinte : un long éclat de rire l'y accueillit.

– Est-ce bien toi, mon vieux camarade, s'écria Robert, en se tenant les côtes ; mais qui diable t'a arrangé ainsi ? Te voilà déguisé en calebasse, en citrouille ; est-ce une ruse de guerre, est-ce un masque que tu as pris pour effrayer les marrons ?

– Non, non, non, j'en étais bien sûr ; ris tant que tu voudras, imbécile ! j'attendrai patiemment que cela te passe !

– Mais sérieusement, demanda Champagne, que vous est-il donc arrivé, père Raz-de-Marée ?

– Hé bien, mille tonnerres ! j'ai été assailli par des mouches à miel que les brigands avaient ravagées, et j'en ai été piqué cruellement. Je ne vois pas qu'il y ait là rien de bien risible. Dans tous les cas, j'ai rempli ma tâche ; et voici une capture qui en vaut bien une autre… Il n'y a pas eu qu'à se baisser pour la faire, je vous en réponds.

Au même instant un retentissement de pas, un bruissement de broussailles se firent entendre, et Mussard apparut aussitôt avec tout son monde.

Aucun prisonnier ne le précédait.

– Bonjour, bonjour, mes amis, dit-il. Ah !… il paraît que vous avez fait bonne chasse. J'ai été moins heureux que vous, mais je ne perds pas espoir. Nous ne sommes pas encore à la Brèche.

CHAPITRE XI

UNE HALTE DANS LA FORÊT

À peine Mussard eut-il appuyé son fusil contre un des nattes à l'ombre desquels les autres chasseurs étaient couchés déjà, que Robert s'approchant de lui, lui désigna du bout du doigt le vieux Touchard assis tout à fait au bout du cercle formé par les blancs de la troupe, et il accompagna ce geste d'un gros rire dont il chercha, mais en vain, à contenir l'expansion bruyante.

Mussard suivit avec curiosité du regard la direction indiquée par le doigt de Robert, et aperçut cette face verte et bouffie de Touchard, dont les yeux clignotaient convulsivement. Le vieux Raz-de-Marée était assis à l'ombre, assez loin d'eux, les deux jambes ramenées contre son corps, les deux pieds posés à plat sur le sol ; l'un de ses coudes était appuyé sur son genou et sa tête penchée sur sa main droite. De l'autre main, il cherchait à reconnaître, comme il le disait lui-même, les différents traits de sa figure, dont la bouffissure avait démesurément augmenté le volume et en avait par conséquent détruit toute l'harmonie.

Ces expériences, qu'il renouvelait silencieusement de minute en minute, ne semblaient le satisfaire que médiocrement ; car, après chaque examen attentif de son faciès, chaque nouvel attouchement sur sa peau, sa colère semblait prête à éclater de nouveau. Il ridait son front avec humeur, secouait la tête en grommelant des mots inintelligibles, et restait le visage honteusement courbé vers la terre.

À cette vue, Mussard sentit peut-être un vif désir de donner cours à son hilarité ; mais, se reprochant cet involontaire mouvement de gaieté, il s'approcha avec intérêt de son vieil ami, et lui mettant la main sur l'épaule en s'asseyant à ses côtés :

– Hé bien ! Touchard, lui dit-il, vous semblez souffrir ? Robert vient de me dire ce qui vous est arrivé.

– Non, non, non, souffrir !… morbleu non ; je suis seulement bête et surtout honteux de l'humiliation que ces petits insectes m'ont fait subir. Regarde comme je suis !… Et c'est Robert, dis-tu, qui vient de t'apprendre ce qui m'est arrivé ? Ah ! cela ne m'étonne pas. Il a dû, lui, en rire comme un vieux nigaud qu'il est. C'est sans doute pour en gloser tout à son aise qu'il l'a fait.

– Mon cher Touchard, répondit Robert intervenant alors, tu me juges mal… bien mal. Je ne ris pas de tes douleurs !…

– Douleur de quoi ? imbécile !

– Je pense seulement, continua Robert, sans prendre garde à la brusque interruption de son ami, je pense tout bonnement que tu n'es pas joli garçon avec ton déguisement de guerre, voilà tout !… Du reste, consulte ici le goût de chacun de ces messieurs, et tu verras !…

Et il continua de rire tout haut, comme il l'avait fait depuis le commencement.

La patience échappa à Touchard.

– Tiens, Robert, tu m'ennuies diantrement, lui dit-il avec une colère concentrée, je finirai à la fin par me fâcher !… Crois-moi, mille tonnerres !… Va loin, va loin, que je ne t'entende pas rire bêtement comme cela devant moi. Tu me fais l'effet d'une vieille femme stupide, avec tes ricanements éternels.

Mussard fit signe à Robert de cesser la plaisanterie. Celui-ci tourna les talons et alla se coucher auprès des autres *détachements*.

Chacun profita de ces quelques moments de silence qui suivirent la mauvaise humeur de Touchard, pour s'étendre avec délices sur le lit de feuilles mortes dont la nature avait tapissé cet endroit de la montagne.

La marche de la journée rendait nécessaire ce temps d'arrêt : il était alors près de quatre heures de l'après-midi. Après quelques minutes d'un silence profond, Mussard, s'adressant à Robert, lui dit en lui désignant sa capture, auprès de laquelle on venait d'attacher celle de Touchard et de Jean-Baptiste :

– Et à quel endroit avez-vous déniché ces oiseaux-là ?

– Mon détachement, répondit Robert, a découvert le gaillard perché au haut d'un bois-de-fer. Nous étions en marche depuis trois heures environ : il pouvait être près de neuf heures du matin ; nous étions en plein bois. Dire l'heure exacte serait chose malaisée, car il était impossible de juger de la hauteur du soleil ; nous marchions sous une ombre des plus épaisses : par rares intervalles seulement un rayon de lumière trouait la toiture des arbres, et c'était tout. Seulement, nous pouvons dire que c'était avant d'arriver dans la région des calumets.

– Les traces étaient-elles visibles partout ?

– Oui, faciles à suivre : du sang sur les fougères de distance en distance, des grains de maïs par-ci, par-là ; mais le sentier par lui-même assez difficile à reconnaître : les broussailles semblaient bien avoir été froissées, mais on aurait dit aussi qu'une main attentive s'était occupée à les remettre dans leur position primitive. Les chiens nous ont beaucoup servi ; sans eux, nous nous serions égarés vingt fois.

– Est-ce votre détachement qui a fait aussi l'autre prise ?…

– Non, non, non, mille fois non ! répondit brusquement Touchard, c'est le nôtre.

Et oubliant alors les désagréments de son enflure, il se mit avec vivacité à raconter les différentes circonstances de l'arrestation de l'espion de Diampare ; la grimpe faite par lui, Touchard, sur le versant du rempart à l'aide des lianes sauvages, le coup de fusil providentiel de Jean-Baptiste ; enfin, tout ce que nous avons déjà vu précédemment, puis il ajouta :

– J'ai, mon cher Mussard, en complimentant ce jeune homme, ajouté une chose que tu ne démentiras pas, je pense : Jean-Baptiste – que j'ai dit – bravo, mon garçon ! Mussard lui-même n'aurait pas mieux tiré.

– Et vous avez eu raison, mon vieux Touchard, Jean-Baptiste s'en est tiré en vieux *détachement* en brisant la main de ce coquin qui allait vous tuer ; mais il se comporte en garçon modeste et bien élevé en vous laissant votre capture. Elle est à vous, c'est vous qui avez été la dénicher.

Touchard voulut protester.

– Pas d'objection, dit Mussard en souriant, ici je suis votre chef, et n'en parlons plus.

– Maintenant, Messieurs, continua-t-il après un temps d'arrêt, quelle est votre opinion sur la route qu'il nous faut à présent suivre ? Pour moi, voici ma manière de voir. – Nous ne serons guère à la Brèche que dans une heure et demie d'ici à peu près ; il nous faudra dîner là, et immédiatement après notre repas la nuit sera close. Impossible par conséquent de descendre par la Brèche et de plonger dans la rivière, comme le disent les marrons. Il nous faudra veiller et faire sentinelle toute la nuit à cet endroit, pour y attendre demain le lever du jour. Or, vous connaissez tous la place : il n'y a là aucun abri contre le vent de terre qui y est glacial. Les arbres n'existent plus à cette hauteur : nous n'aurons là que quelques ambavilles maigres et au cas d'une surprise ou d'une attaque des marrons qui pourraient très bien, dans cet endroit découvert, nous envelopper et nous faire du mal. M'est avis que nous devrions coucher ici, où nous sommes ; au moins, nous y sommes encore en pleine forêt. La surprise sera moins à craindre ; l'attaque est à peu près nulle à redouter en cet endroit, car Diampare, ne voyant point revenir ses espions, restera au piton Bronchard à nous attendre, bien convaincu qu'il sera que notre attaque a dû être retardée. Hé bien !… Messieurs, que dites-vous de mon plan ? quelle est votre manière de voir ?…

– Non, non, il n'y a rien à y répondre ; il est bon, il est juste. Adopté, dit Touchard, pour mon compte du moins !…

– Et vous, Robert ? Et vous, Champagne ? Vous tous enfin, Messieurs ? Pas d'objection ?

– Accepté !… répondirent d'un commun accord tous les *détachements* :

– Allons, tant mieux, dit Mussard… Déposons nos armes et disposons-nous à la halte de nuit.

Mussard alors fit mettre les provisions de son détachement, les paniers de vivre, les paniers de cognac, les sacs de balles et de poudre au milieu du cercle, et fit un signe à ses esclaves que ceux-ci comprirent et se mirent en mesure d'exécuter à l'instant.

Au bout de dix minutes, ils arrivèrent avec des fourches et des pieux qu'ils fixèrent en terre, des calumets qu'ils attachèrent horizontalement sur ces pieux, et construisirent à la hâte un boucan dont les branches des ambavilles formèrent la verte toiture et qui, une fois terminé, fut destiné à abriter le sommeil des détachements de Mussard.

Pendant que les noirs procédèrent à l'édification de cet *ajoupa*, Mussard, qui avait repris le cours de ses réflexions habituelles et la suite de ses combinaisons de chef de détachement, s'adressa à Jean-Baptiste :

– Il faudra, mon garçon, j'y pense, avant l'heure de notre souper, prendre avec toi huit ou dix hommes des plus jeunes et des plus ingambes pour battre avec eux ce qui reste de la forêt, d'ici jusqu'au-dessus du Pavé.

Va jusqu'à la caverne Giraud, par exemple, il est possible que tu trouves encore par là les derniers espions de Diampare. Il faut autant que possible prendre toutes les précautions. Comme cela, on dort plus tranquille, on n'a plus rien à craindre puisqu'on n'a rien à se reprocher. Nous autres qui sommes les vieux, nous resterons à souffler un peu. Allons, jeunes gens, en avant, et soyez de retour avant la nuit.

Jean-Baptiste saisit sa carabine qu'il avait appuyée contre un arbre, et la passant en bandoulière sur son épaule :

– Allons, dit-il, vous Lauret, Técher, Hoarau, Grosset, vous là-bas et vous autres aussi, suivez-moi !…

Il s'était choisi douze compagnons : tous ceux que Jean-Baptiste avait désignés du geste et de la voix arrivèrent l'un après l'autre, et la petite escouade s'enfonça avec les chiens sous le dôme tranquille et sombre de la forêt.

Les trois traces différentes que Mussard avait observées le matin en quittant l'habitation de Touchard avaient, après avoir serpenté à travers les mille plis et replis du terrain, fini par se confondre et aboutir toutes les trois à cette clairière où s'était opérée la halte des *détachements*, ce qui indiquait suffisamment que ce lieu avait dû servir de point de ralliement aux nègres de la troupe de Diampare qui, de là, avaient dû suivre une route dont la petite escouade de Jean-Baptiste s'évertuait pour le moment à reconnaître la trace.

Jusqu'ici la voie était unique, les chiens la suivaient sans être en défaut ; mais, tout à coup, la trace bifurqua en passant au pied d'un petit mamelon d'une quinzaine de pieds d'élévation, sur lequel on voyait un frais bouquet d'ambavilles et de fougères pressées les unes contre les autres et du milieu desquels s'élevait à perte de vue le dernier calumet solitaire qui semblait l'avant-garde d'une bande de géants, ou mieux encore, placé comme il était au haut de ce mamelon d'où on le voyait se balancer à la brise, il figurait auprès de ces arbres nains, au milieu desquels il avait poussé, la plume qui surmonteraient la chevelure rose et crépue d'un chef de sauvages[1].

Aussitôt la troupe s'arrêta, et voyant que les chiens flairaient avec un intérêt égal l'une et l'autre de ces deux traces, Jean-Baptiste s'adressant à l'un des hommes qui le suivaient :

– Tenez, Grosset, dit-il, prenez six hommes avec vous, suivez cette trace avec votre chien ; et en disant ces mots, il désignait le sentier qu'on voyait à leur gauche, contournant le mamelon. – Suivez-la prudemment et jusqu'au bout ; elle doit vous conduire sur le bord de la rivière des Galets, en face du piton Bronchard. Les deux espions que nous avons saisis devaient sans doute passer par là, car il est possible que, s'ils avaient pu s'échapper de nos mains, ils seraient venus sur le bord du rempart correspondre avec leur chef, qui doit attendre leurs signaux de ce piton Bronchard où il s'est retranché, vous le savez bien, et que de cet endroit on distingue parfaitement, malgré la distance. Ainsi, mes amis, en route, et marchons bon pas. – Une fois arrivés sur le bord de la rivière, côtoyez le rempart, en vous tenant toujours à une certaine distance du bord ; et pour que Diampare, qui voit bien et de loin, n'aperçoive pas vos fusils reluire aux rayons du soleil couchant, baissez-les et tenez-les tous collés contre votre flanc droit. Vous

[1] [Ce paragraphe est une reconstitution, l'original étant fautif dans certains détails.]

viendrez me rejoindre après cela à la caverne Giraud, où je me rends de ce pas ; car cette trace qui monte tout droit doit aller jusqu'à la Brèche, en passant par conséquent assez près de la caverne qui se trouve à droite du sentier.

Allons, camarades, marchons vite : la nuit sera venue dans trois heures à peu près.

Après avoir pris ces différentes dispositions, Jean-Baptiste fit passer Grosset et sa suite par le sentier à peine visible qui contournait à gauche. Quant à lui, à la tête de sa petite troupe, il enfila celui qui montait devant eux par une pente des plus rapides.

À mesure qu'ils avançaient, la route, toujours de plus en plus en pente, devenait cependant plus facile à traverser, car la forêt, de son côté, était moins touffue. Les grands arbres étaient plus rares, les lianes étaient plus clairsemées, les broussailles moins compactes ; encore un instant, et la végétation allait mourir. Il ne restait plus déjà de distance en distance que quelques nattes isolés, de rares tamariniers des hauts ; mais ces arbres souffreteux et mal venus semblaient dépaysés dans cette atmosphère glaciale. Enfin, on perdit de vue les bois de haute futaie et l'on se trouva complètement dans la zone des ambavilles.

La partie de la montagne où l'on n'aperçoit plus que cette végétation présente un caractère étrange qui frappe toujours le regard du voyageur, et surtout en ce moment elle offrait un aspect solennel à cause de la tristesse morne qui semblait planer sur ce paysage, qu'un brouillard humide enveloppe sans cesse à cette heure. Le calme des tombeaux régnait sur la solitude. La brise elle-même semblait retenir son haleine pour ne point troubler de ses soupirs cette patrie du silence. Là ne se faisaient plus entendre les mille voix de la forêt : caresse du vent dans le feuillage ou harmonies de la brise à travers les grands arbres. Tout se taisait. Le merle ne jetait plus au vent sa chanson, l'écho n'apportait plus à l'oreille les cris joyeux ou perçants des oiseaux du grand bois ; pas un bruit ne montait de la terre au ciel, si ce n'est le pas lourd et cadencé de nos chasseurs qui marchaient en silence et dont l'œil errait, avec inquiétude et curiosité à la fois sur la vaste étendue de ce versant rapide dont ils gravissaient péniblement l'étroit sentier.

Les ambavilles, dans cette région, sont des arbustes de cinq à six pieds de haut tout au plus ; leurs feuilles charnues et cassantes ressemblent, par leur découpure et la teinte foncée de leur verdure, à la feuille des cyprès d'Europe ; mais ici, la nature prévoyante a rendu les branches et les feuilles même les plus vertes de cet arbre tellement résineuses, que la moindre étincelle suffit pour enflammer soudainement l'arbre tout entier. Cette propriété de combustion est d'un grand secours pour le voyageur, alors que le froid le saisit sur ces hauteurs. Le bois de chauffage est loin et la nature, en bonne mère, a mis sous la main du noir errant dans ces parages de quoi réchauffer promptement ses membres que le froid rend inactifs.

Le soleil descendait à l'horizon, et ses rayons, traversant obliquement la couche des brouillards, éclairaient par intervalles le sommet des arbres de cette forêt naine. Les ambavilles, recouverts pour la plupart depuis le tronc jusqu'à la cime de mousses blanchâtres et de lichens d'un rouge fauve ou brun, produisaient à la vue un effet bizarre, alors que les fils longs et déliés qui leur pendaient le long des feuilles et des rameaux venaient à miroiter au soleil ou à fuir dans la demi-teinte, suivant les jeux et les caprices de la lumière.

Après une heure et demie de marche environ, la troupe de Jean-Baptiste, conformément aux prévisions de son chef, vit la végétation des ambavilles eux-mêmes décroître sensiblement. Déjà ce n'était plus de petits arbustes de deux pieds de haut environ ; encore un instant, et en suivant toujours cette progression décroissante, on allait arriver à l'aride plaine solitaire et désolée qui s'étend jusqu'au sommet du Grand-Bénard.

C'est le dernier effort de la végétation expirante. Au-delà on ne marche plus qu'au milieu d'un terrain rocailleux et nu.

Dans quelques instants les chasseurs allaient être à la Brèche, et ils traversaient en ce moment le Pavé.

– Allons, mes amis, nous voici presque arrivés à la caverne Giraud, dit Jean-Baptiste en s'arrêtant et en désignant du doigt une anfractuosité qui s'élevait à sa droite dans un pli du terrain. Halte ! Il me semble voir sortir de la caverne une petite fumée !

Puis, regardant avec plus d'attention et appelant à lui les autres hommes de la troupe :

– Tenez, dit-il, regardez là-bas…

– Ne serait-ce pas le brouillard qui enveloppe tous les objets et qui vous semblerait aussi sortir de la caverne ? répondit un des chasseurs.

– Point du tout, répliqua Jean-Baptiste, la fumée a une couleur plus bleuâtre qui tranche vivement sur le blanc mat du brouillard. Regardez bien.

L'escouade s'arrêta aussitôt.

Deux chasseurs se placèrent à côté de Jean-Baptiste et se mirent sur son invitation, à examiner plus attentivement l'objet en litige.

– On dirait même, ajouta l'un d'eux après une minute d'observation, que j'aperçois une flamme.

– En effet, répondit un autre, et ce doit être un noir qui fait cuire sa pitance. Il ne voit pas les autres vedettes revenir, il dîne, le gredin, et bien tranquillement. Allons, courbons nos armes, et à plat ventre.

– Que deux d'entre vous, dit encore Jean-Baptiste en s'adressant à ses hommes, montent encore le Pavé et passent en côtoyant le versant supérieur de ce petit ravin, jusqu'au-dessus de l'ouverture supérieure. Nous autres, nous prendrons de notre côté, en allant plus lentement, le fond de la crevasse, de manière à saisir entre deux feux notre homme ou nos hommes, car pour sûr la caverne est habitée. Regardez donc maintenant, ajouta-t-il.

Tous les yeux se portèrent vers la direction indiquée et, malgré l'épaisseur du brouillard qui à cette heure enveloppe toujours la forêt, ils virent distinctement, au-dessous de la fumée produite, une langue de feu dont, par intervalles, un corps opaque venait interrompre l'éclat.

Les *détachements* désignés par Jean-Baptiste obéirent à son ordre et, rampant plutôt que marchant, ils arrivèrent sur le rebord supérieur de la caverne au moment où se montrèrent, au bas de son ouverture inférieure, les autres, qui avaient marché avec les mêmes précautions et dans le même silence que les premiers.

Alors un homme, s'aidant de quelques branches et grimpant avec l'agilité d'un chat sauvage contre les saillies extérieures des rochers, sauta tout à coup dans la caverne et, armant sa carabine, coucha en joue le pauvre noir, en lui criant d'une voix impérative :

– Rends-toi, brigand, ou tu es mort !

Le noir était seul ; il faisait cuire, afin d'apaiser sa faim, quelques racines prises par lui dans la forêt. Le blanc qui se dressait brusquement devant lui était Jean-Baptiste, le beau jeune homme que nous connaissons déjà et le chef de la petite troupe de chasseurs.

D'un mouvement rapide comme l'éclair, le Noir, croyant le blanc seul, bondit tout à coup sur ses jarrets, tenant à la main, sa sagaie et recula d'un pas.

Son bras faisait déjà le geste menaçant de lancer à son ennemi l'arme meurtrière qu'il brandissait avec fureur, quand un autre *détachement*, arrivant par derrière, lui saisit vivement le poignet et donna à Jean-Baptiste le temps de déposer sa carabine pour garroter le malheureux noir.

Ce ne fut ni une lutte ni un combat. Surpris par cette irruption soudaine des blancs dans sa caverne, attaque à laquelle il était loin de s'attendre, n'ayant pas vu arriver ses deux autres frères pour l'avertir de l'approche des chasseurs, le Noir n'opposa plus qu'une faible résistance, il baissa la tête et se soumit.

Aussi, pendant qu'on le menottait et que les cordes attachées à ses bras lui meurtrissaient douloureusement les chairs, il dit avec l'accent du désespoir :

– Ah ! ils auraient dû me tuer ! Il valait mieux pour moi mourir ! Maintenant que me reste-t-il en partage ? Les tortures de l'esclavage ! Adieu, montagne ; adieu, cavernes ; adieu, ma liberté !

Et en disant ces mots dans la langue sonore et imagée de son pays, il jeta un triste et long regard sur la solitude que le soleil illuminait encore de ses derniers rayons. Ensuite il ajouta d'un ton de vengeance, avec un éclair féroce dans le regard, mais en formulant cette fois moins haut sa pensée :

– Allez, blancs maudits ! vous n'avez pas encore entre vos mains notre grand chef Diampare. Il sera longtemps le roi de ces montagnes et l'effroi de vos familles !

Enfin il courba vers la terre son front noir, où perlait une sueur d'agonie, et se laissa conduire avec l'impassibilité de la brute.

Quand les *détachements* sortirent de la caverne, ils virent arriver au-devant d'eux l'autre partie de l'escouade, qui avait côtoyé le rempart de la rivière des Galets depuis l'endroit où ils s'étaient trouvés en face du Bronchard.

Le soleil avait disparu en ce moment, et la troupe entière, précédée de son prisonnier, descendit en toute hâte vers l'endroit de la forêt où ils avaient laissé les autres chasseurs de l'expédition.

Pendant ce temps, voyons ce qui se passait sur ce piton Bronchard qui s'élève dans le lit de la rivière des Galets, et où le chef Diampare a établi, depuis quelques jours, son camp.

CHAPITRE XII

LA VISITE DES CHEFS : ENGAGEMENT AU SOMMET DU BÉNARD

Non loin d'une petite case faite de feuilles de lataniers et construite à la hâte, Diampare était assis sur le tronc d'un arbre abattu par l'ouragan et que la vieillesse ou l'orage avait depuis longtemps dépouillé de sa verte parure.

De temps en temps, les regards inquiets du chef sauvage se portaient avec une attention soutenue sur l'immense versant du rempart de la rivière, au haut duquel deux palmiers gigantesques, placés tout près du précipice, semblaient, rêveurs et mélancoliques, se pencher sur le bord du gouffre, comme pour en contempler en silence l'insondable profondeur. Parfois, leurs têtes gracieuses, balancées par la brise, se relevaient avec vivacité, comme si l'horreur du vide les eût saisies tout à coup ; alors, frissonnantes, échevelées, leurs cimes se courbaient en arrière : on eût dit qu'un sentiment involontaire d'effroi les faisait tressaillir en face de cet abîme béant.

Le chef noir regardait fréquemment ces deux palmiers, et ce qui causait sa surprise, c'était de ne point voir apparaître sur leur sommet un signal qu'il semblait attendre avec un vif intérêt.

Pyram, le lieutenant de Diampare, debout en face de son ami et appuyé sur sa sagaie, suivait les mouvements du chef dont il semblait, dans le moment, partager l'impatience et l'inquiétude.

Diampare ne s'expliquait pas, en effet, que le signal convenu ne se fût pas encore montré au haut de ces deux arbres.

– Les blancs, se disait-il, auraient-ils eu peur du rendez-vous donné par Diampare au Gros-Fusil lui-même !…

Alors une lueur d'orgueil illuminait son front ; mais ensuite, reprenant le cours de sa sombre rêverie :

– Non, non, ajoutait-il, les blancs n'ont pas peur, puisqu'ils ont des fusils qui donnent la mort de plus loin que nos flèches. Ensuite, ils ont intérêt à avoir notre peau ; un noir est pour eux autant qu'un cheval, et les bêtes de somme sont rares dans ce pays. Oh ! ils viendront, les blancs, avec leurs fusils et leurs chiens ; ils viendront !… Mais par où donc ?

Et il regardait encore les deux palmiers, et n'y voyant rien apparaître, il se prenait le front dans la main pour donner un libre cours à sa rêverie.

Autour du chef, à une distance respectueuse, s'étendait le camp de toute la bande.

Des noirs, accroupis sur des pierres et disséminés par groupes de huit ou dix, achevaient leur repas composé de maïs cuit à l'eau et que, cette fois, ils accompagnaient d'un morceau de porc ou de cabri provenant du pillage de l'habitation de Touchard.

Malgré la présence de cette cinquantaine d'hommes dispersés au milieu du plateau supérieur de ce piton, un silence profond régnait dans ces groupes épars. On se parlait à voix basse ; chacun des noirs tournait de temps en temps respectueusement la tête vers le chef ; et le voyant absorbé dans la série de ses réflexions muettes et sombres, sans chercher à en découvrir la cause, ils reprenaient leur insouciance native et s'en remettaient à ce chef du soin de pourvoir à leur existence commune, en combinant à son gré toutes les mesures de salut qu'il y avait à prendre dans la circonstance. Au moment seul du danger, il pouvait compter sur eux. Au premier cri d'alarme, ils seraient debout comme un seul homme ; c'était leur vie, c'était le serment qu'ils avaient prêté entre ses mains ; mais en attendant, ils mangeaient tranquillement, peu soucieux de l'heure présente, encore moins inquiets du lendemain.

Depuis longtemps Diampare était plongé dans sa rêverie profonde ; Pyram, toujours debout, contemplant avec respect ce chef, son frère et son ami, n'avait pas osé interrompre par un mot le sombre cours de ses pensées, quand un bruit sinistre, répété par l'écho de la montagne, arriva jusqu'à l'oreille. Diampare se redressa d'un bond qui fit résonner tout l'attirail d'ornements sauvages qui lui pendait le long des bras et des pieds. Il tendit l'oreille à ce bruit : c'était le cri du fouquet des rochers dont l'écho répétait encore la dernière note mourante.

– Pyram, dit-il, en s'adressant à son frère, entends-tu ?... C'est un signal d'alarme !...

Et sa main droite serra convulsivement sa massue, tandis que sa gauche, se portant à sa ceinture, se crispa instinctivement sur la gaine d'un énorme coutelas suspendu à son côté.

– Signal d'alarme ?... Pourquoi ?... répondit Pyram, écoutons encore. Un cri seul est un signal d'alarme ; mais deux signifient qu'il n'y a rien de nouveau, et trois annoncent la visite d'un frère !...

Pyram n'avait pas fini, que le même cri, mais plus rapproché cette fois, se fit entendre, et presque immédiatement après, un troisième cri frappa leurs oreilles.

Le front de Diampare se dérida aussitôt. Son œil qui, un instant, avait dardé des éclairs reprit le calme serein de la force sûre d'elle-même. Ces trois cris, qui semblaient poussés par l'oiseau nocturne des ravines, avaient fait dresser la tête à tous les noirs du camp. Tous s'étaient levés en voyant leur chef debout.

Vingt d'entre eux furent pris par Pyram, qui disparut à leur tête au milieu des arbres du versant, pour recevoir cette visite amie dont les sentinelles du camp venaient de révéler la présence.

Diampare reprit son attitude tranquille sur le tronc de son arbre, jeta, avant de s'asseoir, un autre regard plus perçant et plus scrutateur sur la cime des palmiers, et attendit avec une royale indifférence la visite de ses hôtes.

Au bout d'un quart d'heure, Pyram apparut sur le plateau du Bronchard, marchant à la tête d'un groupe assez compact de noirs marrons, qui tous s'avançaient en bon ordre et de ce pas rapide et cadencé qu'ils ont en gravissant les montagnes. Ceux-ci accompagnaient leur marche guerrière d'un chant monotone et à demi-voix, dont leurs ancives, leurs bobres et leurs grelots marquaient en sourdine le rythme sauvage, mais régulier.

Les vingt hommes de Diampare, armés de flèches et de sagaies, formaient la haie autour des visiteurs nombreux qui s'avançaient vers la case de leur chef. À côté de Pyram, marchait un chef sakalave, enveloppé de ce vaste morceau de toile blanche relevée d'une bordure d'un rouge vif, et que les Malgaches appellent *saimbou.* Il portait en bandoulière un fusil de chasse et, dans sa main droite, trois sagaies fines et souples de longueur différentes ; de la main gauche, il relevait avec noblesse les bords de son saimbou, qui drapait royalement sur son corps comme la toge d'un citoyen romain. La tête du chef sauvage était surmontée d'un turban de toile, du haut duquel un bouquet de plumes rouges et blanches s'élevaient triomphalement ; de grands cheveux noirs et ondés tombaient de cette coiffure et s'épanouissaient en larges boucles sur son cou d'ébène ; car, à l'inverse des autres peuplades de Madagascar, le Sakalave tient de la race arabe, dont il descend, les cheveux plats, la lèvre fine, le front élevé et la bouche petite ; il tient ensuite des peuplades de l'Afrique la couleur bronzée de sa peau, et, tel qu'il est, c'est le plus beau type de la race noire. Or, celui qui s'avançait en ce moment n'était autre que le Sakalave Samson, le chef qui commandait la bande des noirs retranchés sur l'îlette aux Lataniers, îlette dont on distingue parfaitement le plateau, alors qu'on se trouve sur le sommet du piton Bronchard. Pyram avait ensuite à sa gauche un vieillard long et sec de corps, vêtu d'une façon assez bizarre. Il avait sur la tête une sorte de coiffure dont la charpente, faite en bois des îles fin et léger, ressemblait assez pour la forme, à la mitre d'un évêque. Des ornements, consistant en plumes de différentes couleurs mariées à des banderoles de latanier découpées à jour, couvraient cet excentrique chapeau, au-dessous duquel apparaissait une figure ridée, noire, rusée et froide, dont l'expression béate, qu'elle semblait contrainte de prendre quelquefois, n'excluait point pour cela la vivacité d'un œil dont la prunelle ardente lançait parfois des éclairs, alors que ce regard s'allumait de l'animation d'une grande pensée, de l'excitation d'une lutte à soutenir contre des chefs trop indociles à subir les arrêts du vieux prêtre, ou de la pensée d'un lucre que le sorcier voulait retirer de la bêtise de ses coreligionnaires. À ses oreilles pendaient des anneaux formés d'os de plusieurs blancs tués par les marrons dans les montagnes. À son cou était attaché un collier composé de gros grains rouges et noirs, auxquels se trouvaient attachés une quinzaine de doigts décharnés qu'il prétendait avoir enlevés aussi à des squelettes de blancs. Son corps était recouvert d'un justaucorps de peau qui lui prenait du cou jusqu'aux reins, et, à partir des reins jusqu'aux genoux, ils avaient un vêtement formé d'une passementerie large comme la main qui lui serrait la taille ; au bas de cette passementerie descendait une frange de deux pieds environ, faite de feuilles de lataniers découpées très fin, et au bout de ces franges se trouvaient attachés, de distance en distance, des grelots faits de feuilles de vacoua et renfermant des grains de cascavelles ou de bois noir, qui, à chacun de ses mouvements, produisaient un frissonnement sauvage et qui agaçait l'oreille. Ce vieillard était Mafat, le grand sorcier des Malgaches, celui qui s'était retiré dans une caverne placée dans le lit de la rivière des Galets, près des eaux sulfureuses qui portent aujourd'hui son nom, et qu'à cause de ce voisinage les Malgaches ses frères, appelaient alors le *sorcier des eaux puantes.*

Mafat, en homme habile et qui a expérimenté la vie, craignait beaucoup pour l'issue de cette lutte ouverte que Bâlle, le grand roi de l'intérieur, avait engagée contre les blancs. Il redoutait, en effet, que tout cela ne finît un jour par le massacre général de tous les hommes de sa couleur. Mais néanmoins, il ne faudrait point se méprendre pour cela sur ses sentiments et ses idées ; il aimait par-dessus tout la liberté, il avait l'esclavage en horreur ; seulement, il voulait cette liberté sans forfanterie, sans attaque inutile contre les blancs. Il était, suivant lui, beaucoup plus prudent au contraire d'endormir la vigilance de ces derniers, en n'autorisant pas de leur part ces représailles terribles qu'ils ne manqueraient pas de prendre de la manière la plus éclatante. Aussi Mafat, se voyant avec ses frères sur des postes presque inexpugnables et pouvant au milieu de ces montagnes se créer des retraites inaccessibles, leur conseillait-il et ne cessait-il de recommander à Bâlle lui-même, ainsi qu'à tous les autres chefs répandus dans les divers districts de l'intérieur, de défricher de préférence les forêts vierges de certains plateaux, les plus aisés à défendre, d'y planter du maïs, du manioc, des pommes de terre, enfin de quoi subvenir à leur nourriture, comme ils faisaient sur la grande-terre de leur pays ; de faire sentinelle pour se mettre à l'abri des attaques des blancs ; mais de ne point aller sur les rivages et dans la plaine piller et dévaster les établissements des colons, mettre à mort les hommes et les vieillards, égorger de faibles femmes, chasser même les habitants de leurs demeures, comme il ne fallait pas conserver ce chimérique espoir de parvenir à chasser un jour tous les blancs de la colonie de Bourbon, pour ensuite devenir les seuls maîtres. « Car enfin, ajoutait-il, ces blancs sont chez eux, et ces blancs sont des Français ».

Or « Français », pour Mafat, était synonyme de bravoure et de puissance. Et en effet, le père de ce Mafat habitait la côte de Madagascar lorsque les Français, ayant M. de Pronis à leur tête, étaient venus prendre possession de la grande île africaine au nom de Sa Majesté le roi de France et y établir le fort Dauphin. Il avait assisté à ce grand déploiement de nos forces maritimes, commerciales et militaires ; il avait soupçonné ce qu'avaient d'initiative colonisatrice ces Français du règne de Louis XIV. Il était resté à ce sauvage un sentiment profond d'admiration pour notre nation, sentiment que n'avait pu affaiblir en lui la vue de nos malheurs et de nos échecs, dont il avait été le témoin pendant les années suivantes. Il avait compris, tout sauvage qu'il était, la démoralisation jetée dans nos troupes par les maladies et les fièvres de la côte, que par la chance des batailles.

Ces sentiments de crainte et de respect pour la France, il les avait inculqués à son fils, jeune encore au moment où s'accomplissaient les événements dont nous venons de parler, et celui-ci, ce Mafat que nous trouvons esclave révolté à Bourbon, cherchait depuis longtemps, mais en vain, à les faire partager à ses amis, les noirs libres de l'intérieur. Mafat, pris sur la côte de Madagascar par un noir, avait été transporté et vendu comme esclave à Bourbon. Dans son pays, il avait été ce que les Malgaches appellent un sorcier, c'est-à-dire le prêtre d'une religion de son pays ; et à Bourbon, il continuait à jouer, dans les montagnes, le rôle sentencieux qui lui avait donné et lui donnait encore tant d'influence sur l'esprit de ces peuplades grossières et ignorantes. Le sorcier, pour les Malgaches, est l'homme en communication directe avec la divinité, le zannaar du ciel ; c'est lui qui l'apaise par ses prières, c'est à lui qu'on s'adresse pour avoir de la pluie ou du beau temps, c'est lui qui tire les sikidis pour consulter l'avenir et c'est à lui que le zannaar révèle tous les secrets de l'autre monde et de celui-ci.

Diampare, comme nous l'avons vu dans le commencement de cette histoire, n'avait qu'une médiocre estime pour le sorcier des Malgaches. Il le trouvait hypocrite et peureux. Tous les atermoiements qu'opposait sans cesse Mafat aux idées conquérantes et sanguinaires de Bâlle révoltaient chez Diampare cette ardeur de vengeance et cette soif de sang qui était le fond de son caractère cruel et entier. – Diampare avait juré haine à mort et guerre sans pitié à tous les hommes blancs. Il entretenait Bâlle dans ses idées de révolte et d'attaques incessantes contre les colons, car il savait, le Noir féroce et rusé, qu'après Bâlle il serait le seul roi de l'intérieur. Personne, il le sentait, n'oserait lutter contre lui pour ce poste éminent : sa force colossale lui donnait sur les autres un avantage incontesté. La force, chez les hommes primitifs, n'est-elle pas, en effet, le signe providentiel du pouvoir souverain ? Diampare caressait donc le rêve d'arriver à être un jour le grand roi de l'intérieur. Il ne redoutait ni le farouche Samson, ni le brave Cimandef, ni le fin Matouté, ni même le hardi Fétic, le chef du Piton des Neiges, celui que ses frères appelaient le roi des Nuages, à cause du poste qu'il avait su se choisir au-dessus de cette gigantesque montagne, avec cet instinct de l'aigle qui monte au-dessus de cette gigantesque montagne, avec cet instinct de l'aigle qui monte au-dessus des nues, monte toujours à travers l'espace vers le soleil et la liberté ! Diampare ne craignait que Sankouto, le chef du piton de la Fournaise.

Celui-là seul avait une taille de géant et un bras d'athlète qui lui inspiraient un certain respect ; mais pour abattre ce redoutable rival, le lion se proposait bien de se faire renard, afin d'arriver seul au poste éminent qui allait former désormais le but unique de sa vie. « Alors, disait-il, l'île entière sera ma proie et les blancs seront mes victimes ! »

Les colons de Bourbon avaient introduit dans l'île, à l'époque où commence cette histoire, près de six mille esclaves.

Au fur et à mesure qu'on avait débarqué ces sauvages, les plus indomptables et les plus courageux d'entre eux s'étaient sauvés sur les montagnes de l'île. Personne n'allait y chercher : il fallait traverser, pour arriver jusqu'à eux, des forêts vierges, des précipices affreux, des rochers infranchissables et des routes inconnues. L'amour seul de la liberté, battant au fond de leur poitrine, avait pu faire franchir à ces pauvres esclaves les mystérieuses profondeurs de ces bois silencieux, leur faire affronter la hauteur vertigineuse de ces pics effrayants perdus au sein des nuages, où la voix des torrents et le grondement solennel de la foudre interrompaient seuls par instants le silence religieux d'une nature que jamais l'écho d'un pas humain n'avait troublé dans sa chaste et sauvage placidité.

Un certain nombre de ces esclaves évadés étaient ou des chefs ou des fils de chefs faits prisonniers dans les combats et vendus comme butin aux traitants de la côte. Dans les commencements et à mesure que les navires négriers débarquèrent dans l'île de nouvelles cargaisons, des émissaires sortis de la montagne venaient faire à ces nouveaux débarqués un tableau enchanteur de la vie libre que menaient les marrons de l'intérieur ; aussi les désertions étaient-elles nombreuses. – Le propriétaire qui la veille avait acheté quinze ou vingt-cinq ou trente esclaves, se trouvait le lendemain avec quinze ou vingt hommes de moins dans sa bande ; ceux-là étaient allés rejoindre les autres.

Grand était le désappointement des propriétaires, mais plus grand encore était le contentement des chefs de l'intérieur. – Le recrutement de leurs troupes se fit ainsi très promptement et sans beaucoup de frais. Si bien qu'au moment où nous sommes, en 1748, l'île était peuplée de près de mille sauvages qui, sous les ordres de différents chefs tous plus cruels les uns que les autres et obéissant à Bâlle, le grand roi de l'intérieur, ne voulaient rien moins que chasser tous les blancs, massacrer les troupes de la Compagnie des Indes et s'ériger en maîtres absolus de ce pays.

C'est à ce moment que M. de Saint-Martin, gouverneur de Bourbon pour la Compagnie, avait donné l'ordre à Mussard, le chef de tous les *détachements*, d'aller à la tête de cinquante hommes d'élite faire une razzia aussi complète que possible de tous ces mécréants.

Depuis dix ans que les troupes de *détachements* avaient été installées, conformément aux ordonnances du gouverneur de l'île, on n'avait pu encore soumettre les noirs rebelles. Il avait fallu étudier la nature du pays au milieu duquel on allait avoir à combattre ; il avait fallu dresser des hommes aux fatigues et aux luttes de ces engagements excessivement périlleux.

Pendant ce temps, les noirs libres, ne voyant pas de démonstrations efficaces de la part des créoles, n'ayant eu en effet avec ceux-ci que quelques échanges de balles et de flèches, s'étaient habitués à cette longanimité qu'ils attribuaient à la couardise ou tout au moins à l'impossibilité où étaient les blancs de venir les forcer jusque dans leurs repaires. Aussi les meurtres et les pillages allaient toujours croissants. Le coup de main de la nombreuse bande de Bâlle sur Saint-Leu et celui de la bande de Diampare sur la Possession, venaient de jeter l'alarme dans tout le pays. L'effroi, au sein de toutes les familles, avait été porté à son comble par ces deux dernières attaques des noirs marrons, et Mussard était parti à la tête de ses cinquante hommes pour faire une battue dans l'intérieur.

Maintenant que le lecteur connaît suffisamment les deux chefs qui viennent en ce moment visiter Diampare, laissons-leur la parole pour expliquer l'objet de leur conférence.

À peine Pyram, qui marchait à la tête du groupe épais qui s'avançait, accompagné du Sakalave Samson et de Mafat, *le sorcier des eaux puantes*, fut-il à une demi-portée de flèche de l'arbre où était assis Diampare, que celui-ci se leva avec une nonchalante dignité, s'appuya d'une main sur sa massue, posa l'autre sur la ceinture qui serrait à sa taille son vêtement de peau, et leva la tête pour faire à ses visiteurs le compliment de la bienvenue.

Les chanteurs qui précédaient le cortège formèrent un cercle autour des chefs. Les instruments sauvages éclatèrent à la fois ; les tambours que les noirs battaient avec fureur, les calebasses pleines de petits grains secs, les bobres, enfin tout l'attirail de ces symphonies barbares accompagna à la fois l'hymne guerrier composé pour la circonstance par un des bardes de la troupe. La voix du chanteur psalmodia seule sur un ton triste et lent chaque strophe de la chanson, et toutes les voix répétèrent en chœur le refrain, dont les instruments accompagnèrent avec frénésie les paroles patriotiques.

Telle était cette chanson, qu'il ne nous est possible que de traduire et dont nous désespérons de reproduire jamais l'effet sauvage et poétique comme la nature qui en répétait les échos :

– Quand le blanc s'avance dans la forêt comme un tigre qui cherche sa proie, les chefs des hommes noirs doivent se concerter pour arrêter dans leur course ces hommes au visage blême :

– Le blanc est pâle comme les hyangs de nos nuits
– Comme ces esprits du mal, il erre dans les grands bois ;
– C'est la mort qui le précède et l'esclavage qui le suit ;

– La guerre !... La guerre alors !...
– L'oiseau est libre à travers l'espace ;
– Le noir est libre au fond de sa montagne ;
– Pourquoi le blanc veut-il le faire esclave ?
– Pourquoi le marque-t-il à l'épaule avec des fers brûlants ?...
– Que le blanc soit bravé !
– Que la mort soit pour lui !...
– La liberté pour nous !...
– Malheur à tous les blancs !...
– Le chef de l'îlette aux Sakalaves vient visiter le grand roi Diampare.
– Samson, le guerrier intrépide, lance la flèche et la sagaie aussi loin que l'œil peut atteindre le but ;
– Et jamais sa flèche, jamais sa sagaie n'a désobéi à son bras droit ;
– Diampare a le bras puissant : il a dompté sur la grande terre les animaux féroces des savanes et des forêts...
– Il écrasera les blancs, ces autres tigres cruels, qui sont déjà sans courage et seront bientôt sans force, quand passera devant leurs yeux la plume rouge qui domine le front des chefs de la montagne.
– L'oiseau est libre à travers l'espace ;
– Le noir est libre au fond de sa montagne ;
– Pourquoi le blanc veut-il le faire esclave ?
– Pourquoi le marque-t-il à l'épaule avec des fers brûlants ?...
– Que le blanc soit bravé !
– Que la mort soit pour lui !...
– La liberté pour nous !...
– Malheur à tous les blancs !...

– Bientôt dans la forêt les chiens des blancs vont hurler sur nos traces...
– Leurs armes ont reluire au soleil, leur tonnerre va réveiller nos échos...
– Mais nos chefs qui sont forts, mais nos chefs qui sont braves, feront siffler la flèche...
– Et leur tonnerre va se taire, comme le tonnerre du ciel que le Zannaar envoie s'éteindre dans l'eau froide des ravins...
– L'oiseau est libre à travers l'espace ;
– Le noir est libre au fond de sa montagne ;
– Pourquoi le blanc veut-il le faire esclave ?
– Pourquoi le marque-t-il à l'épaule avec des fers brûlants ?...
– Que le blanc soit bravé !
– Que la mort soit pour lui !...
– La liberté pour nous !...
– Malheur à tous les blancs !...

– Quand la flèche de nos chefs aura fait taire dans la forêt le tonnerre des hommes blancs ;

– C'est que ces blancs seront sans vie ; c'est que leurs corps maudits seront couchés sur la bruyère des sentiers...

– Alors les chiens errants viendront à la curée !...

– Nous les verrons traîner les entrailles sanglantes de ces cadavres livides sur l'herbe sauvage qui pousse au bord des précipices !

– Et le noir sera content, car le Zannaar l'aura voulu !

– L'oiseau est libre à travers l'espace ;
– Le noir est libre au fond de sa montagne ;
– Pourquoi le blanc veut-il le faire esclave ?
– Pourquoi le marque-t-il à l'épaule avec des fers brûlants ?...
– Que le blanc soit bravé !
– Que la mort soit pour lui !...
– La liberté pour nous !...
– Malheur à tous les blancs !...

Pendant que les noirs avaient chanté ce chant de guerre, dont le refrain, à chaque fois, avait été entonné avec un accent plein de menace, les trois rois s'étaient salués avec les cérémonies d'usage, en se portant réciproquement les mains les uns des autres, et à tour de rôle, sur le cœur de chacun d'eux. Quand Diampare eut fait asseoir à ses côtés ses deux hôtes, il se tourna plus affectueusement du côté de Samson, dont le caractère farouche et sanguinaire plaisait davantage à ses instincts guerriers, et il affecta à l'endroit de Mafat une certaine froideur que celui-ci remarqua aussitôt.

Au moment où les chanteurs entonnaient bruyamment le dernier refrain, si plein de colère et de vengeance, de cette chanson que nous venons de citer, les trois chefs y prêtèrent une oreille attentive, et quand sa dernière parole fut terminée, Diampare, électrisé par le sentiment qu'elles faisaient vibrer en son âme, se dressa debout ; Samson suivit son exemple, et tous les deux répétèrent avec une expression de férocité terrible le refrain, que la bande acclama avec un enthousiasme indicible :

– L'oiseau est libre à travers l'espace ;
– Le noir est libre au fond de sa montagne ;
– Pourquoi le blanc veut-il le faire esclave ?
– Pourquoi le marque-t-il à l'épaule avec des fers brûlants ?...
– Que le blanc soit bravé !
– Que la mort soit pour lui !...
– La liberté pour nous !...
– Malheur à tous les blancs !...

Les noirs accueillirent par de bravos frénétiques le refrain que venaient d'entonner leurs deux chefs, et quand ceux-ci eurent fini, ce fut par des hourras, par des cris perçants, par des hurlements prolongés et des gestes de démons, qu'ils traduisirent leur enthousiasme.

Puis, à un signal de Samson, le silence se rétablit…

Les noirs porteurs de ses présents pour le chef Diampare vinrent déposer devant la case de celui-ci. C'était des amphores remplies de gros vers de palmistes, des paniers pleins de merles et un énorme quartier d'un cabri sauvage, produits de leur chasse du matin.

Ensuite Pyram fit signe aux hommes du groupe de s'éloigner, et tous se dispersèrent au milieu du camp.

– Frère, dit alors Samson en se tournant vers Diampare, nous attendrons les blancs aujourd'hui, d'après ce que tu m'as fait dire par un de tes guerriers. Tes armes sont-elles prêtes ?… Tes hommes sont-ils décidés à braver la mort ?…

– Les noirs que je commande sont décidés à tout braver pour rester libres, et ils suivront jusqu'au bout la fortune de Diampare. Quand j'ai choisi cette bande, je n'ai pris que des guerriers sans peur, qui m'ont juré fidélité jusqu'à la mort. Un traître ne vivrait pas une heure sous mes yeux.

– Les sentinelles que tu as placées dans la montagne ne sont-elles point encore venues te dire si les blancs étaient en chasse dans la forêt ?…

– Non, répondit Diampare en élevant le bras vers la cime des palmiers qui, jusqu'à l'arrivée de Samson, avaient été l'objet de sa muette contemplation… Vois, pas un signal sur le sommet !… L'inquiétude dévore mon âme, cette absence de mes sentinelles indiquera-t-elle que le plan des blancs a été modifié ?… Par où l'attaque commencera-t-elle alors ?… Pénible incertitude où s'égare mon esprit !…

Un silence de quelques minutes succéda à ces dernières paroles de Diampare, qui, le front dans la main et l'œil fixé sur le bout de sa sagaie dont il trouait avec impatience la terre en face de lui, sembla continuer tout bas, et comme se parlant à lui-même, la suite de ses suppositions.

– Les blancs sont rusés, dit alors Mafat en rompant ce silence !… Ils peuvent être en chasse déjà, et les sentinelles n'avoir point deviné leur présence ; ou bien encore, peut-être ont-elles été prises, et la balle les a fait taire. Voilà ce qui explique pourquoi rien n'apparaît au haut de ces palmiers !…

Diampare retourna vivement la tête, et fixant sur Mafat un œil qui la colère allumait, devant cette supposition inadmissible pour lui, il répondit :

– Les blancs sont rusés, dites-vous, sorcier des eaux chaudes ; mais sachez donc que la ruse est le secours du faible ; le fort est brave, il n'est pas rusé ; le lion ne se fait jamais serpent. Et c'est là ce que vous trouvez à dire pour prouver que ces blancs, ces *Français*, comme vous les appelez – (et en disant cela il appuya sur le dernier mot avec une accentuation de suprême dédain) – sont des hommes pleins de courage, de force et de puissance, ainsi que vous nous les représentez sans cesse !

– Diampare, vous avez tort,… répondit Mafat ; ces blancs sont forts, ces blancs sont rusés aussi ; c'est parce qu'ils ont la force et la ruse qu'ils peuvent nous faire tant de mal. Vous avez tort d'entraîner vos hommes au combat dans ce moment !… Le jour où vous avez attaqué le vieux blanc de la Possession, le jour où vous avez attaqué le vieux blanc du Bernica étaient deux jours néfastes. Bâlle a eu tort aussi d'aller encore pendant un jour néfaste faire son coup de main contre Saint-Leu. Le zannaar est irrité ; il y a des menaces dans l'air ; il nous arrivera malheur !…

– Jours néfastes !… interrompit brusquement Diampare, il n'y a de jours néfastes que ceux où des lâches élèvent la voix pour empêcher des hommes de défendre leur liberté !…

– La colère, répliqua Mafat, est toujours mauvaise conseillère. La colère monte du cœur à la tête… la tête emporte le bras, et la raison regrette ce que le bras a fait. La colère ne doit jamais monter du cœur d'un chef jusqu'à sa tête. La prudence est la gardienne du vrai courage quand on commande aux autres. L'esprit de vengeance et de témérité est toujours aveugle, et livre sans défense ceux qui s'y abandonnent aux coups des plus puissants, danger qu'il vaut toujours mieux éviter. Ensuite il est une chose contre laquelle il est toujours dangereux de lutter : c'est la puissance du ciel !…

Et Mafat répéta les derniers mots de sa dernière phrase :

– Vous attaquez vos ennemis pendant les jours néfastes, le zannaar est irrité ; il y a des menaces dans l'air ; il nous arrivera malheur !…

– Sorcier de malheur, viens-tu visiter Diampare pour l'effrayer ?… Dis, parle !… Me crois-tu accessible à la peur de ton zannaar ? Ne sais-tu donc pas que je me ris de tous tes sortilèges, comme je dédaigne tes sinistres prédictions, que jusqu'ici j'ai toujours trouvées mensongères et pusillanimes !…

Le vieux Mafat leva avec désespoir les bras vers le ciel, et ses yeux suivirent ce geste, comme pour supplier son dieu de pardonner à l'impie cet horrible blasphème.

Diampare le laissa faire tranquillement, tout en le couvrant d'un geste dans lequel il eût été difficile de démêler si c'était la haine ou le mépris qui dominait le plus.

Samson, qui connaissait le caractère implacable de Diampare, et surtout le peu d'égards avec lequel, en maintes circonstances, il avait toujours repoussé les timides conseils ou les prudents avis du sorcier malgache, comprit que le moment était venu pour lui d'intervenir, car la querelle menaçait de s'envenimer.

– Mafat ne vient point ici, dit-il, pour effrayer le chef, mon frère. Loin de son cœur une pareille pensée… Mafat sait comme moi, il connaît comme nous tous que la crainte ne trouve point d'accès dans le cœur du chef noir qui combat pour que les noirs ses frères, volés comme lui sur les rivages de la libre patrie, ne soient pas sur cette terre d'esclavage la proie de quelques blancs oisifs qui veulent, par la force et la violence nous faire labourer le sol de leur pays, afin qu'eux, les maudits !… s'engraissent de nos sueurs et de notre travail. Non, non… Mafat sait tout cela… Il sait que Diampare surtout aime à braver la mort ; mais ce qu'il dit est vrai : il a consulté, il y a quelques jours et à ma demande, ses sikidis sacrés ; trois fois ses sikidis ont prédit un malheur aux noirs !…

Diampare se tourna vers le vieux sorcier et lui dit :

– Mafat voudrait-il, devant moi, les consulter encore ?

Sa voix était redevenue calme, et il avait un but caché en désirant cette épreuve en sa présence.

Comme Mafat stupéfait ne saisissait point la raison de cette confiance soudaine du chef noir dans des sortilèges dont il avait été jusqu'alors le frondeur le plus déterminé, et qu'il le regardait avec étonnement, Diampare continua :

– Si le zannaar était irrité il y a quelques jours, il peut être apaisé aujourd'hui.

– Et qu'aurait fait Diampare pour cela ? répliqua le sorcier.

– Tout à l'heure, reprit Diampare sans répondre à cette interrogation de Mafat, mon courroux avait été soulevé par un mot imprudent de votre bouche ; un mot sage de Samson a fait évanouir cette colère, comme la pierre disparaît au sein de l'onde où le bras l'a lancée.

– Le zannaar serait apaisé, reprit le vieux sorcier, si les chefs noirs étaient plus confiants de la parole de celui qui parle en son nom, et si surtout l'esprit de sagesse et de prudence présidait à leurs résolutions.

– Le roi du ciel était irrité il y a quelques jours, répondit Diampare d'un ton solennel et convaincu, mais ne croyez-vous pas l'esprit des nuits, qui voit nos misères, qui entend les sanglots de nos frères, les noirs de la plaine, que le fouet torture sur les habitations de leurs maîtres, n'ait apaisé votre zannaar en faveur de ceux qui combattent bravement pour la délivrance commune ? Non, non, son cœur n'est pas de pierre, il doit aimer les noirs que les blancs du rivage n'ont pu encore asservir !...

Mafat semblait ne point partager complètement la douce illusion dont se berçait le chef noir.

Diampare continua en s'exaltant :

– Sorcier des Eaux-chaudes, dit-il, ne croyez-vous pas que le génie des précipices que nous entendons pleurer pendant nos nuits, que la fée des cascades qui gronde quand vient l'orage dans nos bois, que tous ces génies des cavernes, des forêts et des sommets, qui voient nos luttes terribles sur le bord des abîmes, nos combats sanglants après lesquels nos corps disparaissent à jamais dans le fond des ravins ; ah ! dites, Mafat, ne croyez-vous pas que tous ces esprits, au cœur pur, montant auprès du zannaar pour lui porter le cri de notre détresse, n'aient à la fin réussi à le rendre compatissant pour nos souffrances et nos angoisses !... Je le crois, moi, Mafat, ajouta Diampare d'un ton convaincu et presque religieux, auquel se laissa prendre le rusé sorcier lui-même ; je crois le zannaar attendri par le sort malheureux des noirs... Consulte tes sikidis devant nous, nous verrons ce qu'il répondra par eux.

Mafat se laissa prendre à cette dernière raison de Diampare. Il le crut de bonne foi, et comme, de son côté, il savait, l'adroit sorcier, que son sikidi, toujours obéissant et soumis à sa volonté, ne disait jamais que ce qu'il voulait lui faire dire, il se disposa à frapper un grand coup en faisant voir aux chefs noirs, qu'il croyait déjà ébranlés, combien Diampare avait tort de lutter sans cesse contre lui, en méprisant les arrêts du ciel qu'il transmettait fidèlement aux guerriers de sa nation.

Diampare, de son côté, désirait vivement cette épreuve ; il se disposait à suivre minutieusement du regard les gestes du vieux Mafat, et, s'il y avait fraude de sa part, ce dont il était parfaitement convaincu, il se promettait de dévoiler le fourbe et d'humilier le fripon.

Sur un signe que fit Samson à Pyram, celui-ci quitta le groupe pour aller à la case de Diampare, d'où il retira une petite natte de vacoua qu'il vint placer devant les chefs. Mafat se leva, ramena cette natte en face de lui, s'accroupit sur un des bouts en croisant les jambes à la façon des Orientaux, puis ôta de sa ceinture deux petits sacs qui y étaient attachés, dont l'un était fait de toile et l'autre de feuilles de latanier.

Du premier, il tira une certaine quantité de grains de maïs qu'il déposa respectueusement sur la natte en face de lui. Les chefs se levèrent en signe de respect, et, se tenant tous debout autour du sorcier, se penchèrent, appuyés sur leurs sagaies, pour suivre cette opération magique.

Pyram regardait avec intérêt, Diampare avec ironie, Samson avec une foi complète et aveugle. Tels étaient les trois sentiments qui agitaient les physionomies des trois témoins de cette scène. Mafat semblait inspiré, ses traits étaient solennels et sévères, son maintien majestueux. Il leva les yeux au ciel avec extase, et dit d'un ton grave et sentencieux les paroles suivantes, qu'il prononça à haute voix :

– Grand zannaar !... ton fidèle serviteur va consulter ta volonté suprême, pour savoir si les noirs seront heureux dans le combat que les blancs doivent leur livrer bientôt...

Puis, abaissant les yeux sur les chefs qui le regardaient en silence, il continua :

– Et vous chefs des guerriers noirs qui consulte la volonté du zannaar, cette volonté va se transmettre par moi sous vos yeux : soyez attentifs ! c'est la vérité qui va sortir de mon sikidi, et ce sikidi est la volonté du zannaar !...

Après avoir dit ces mots, il fit quelques passes magiques sur les grains de maïs déposés devant lui, en prit une poignée et la jeta vivement sur la natte de vacoua. Ramassant ensuite deux par deux les grains épars, il arriva qu'il ne se trouva plus qu'un seul grain sur la natte ; il le mit à part. Ensuite Mafat saisit une seconde poignée qu'il jeta de la même manière, ramassa les grains répandus, deux par deux, comme la première fois, et quand il eut terminé cette opération, il resta sur la natte, cette fois, deux grains qu'il plaça à côté du premier déjà mis à part.

Le résultat de chacune de ces épreuves donnait tantôt un nombre impair, tantôt un nombre pair pour résultat définitif. Ces résultats, alignés sur six colonnes horizontales, chacune des colonnes contenant un des restes partiels dont nous venons de parler, formaient un damier semblable à peu près, pour les subdivisions, à une table de multiplication.

Mafat procédait silencieusement à cette opération magique. Tous les chefs, debout autour de lui, retenaient leur souffle, suivant avec intérêt, du regard, les doigts du sorcier qui s'ouvraient et se fermaient avec une agilité sans pareille.

Pas un bruit ne s'élevait de la forêt : la brise elle-même murmurait à peine à travers les branches des grands arbres ; tout était recueillement et silence autour de ce plateau situé au sommet du piton Bronchard, qu'on eût dit pour le moment vierge de tout pas humain, tant était profond et solennel le silence de ce désert.

Et cependant, sur ce petit coin perdu de la forêt, au milieu de cette nature sauvage, sur le bord de ces abîmes muets, s'agitait tout un drame terrible, dont les péripéties mettaient en jeu les passions les plus nobles comme aussi les plus basses du cœur humain, passions que l'homme entraîne toujours fatalement à sa suite, pour venir troubler par elles la sérénité des plus belles solitudes.

Foi vive, incrédulité, amour de la patrie, amour de l'indépendance, hypocrisie et mensonge, projets de vengeance et de mort, tels étaient les sentiments qui, en ce moment, remplissaient le cœur de ces trois chefs sauvages, debout et attentifs autour du prêtre de leur nation, qui allait leur dicter dans un instant les arrêts du ciel.

Quand Mafat arriva à compléter le sixième rang de la sixième colonne (les cinq premiers résultats étaient déjà des nombres impairs, puisqu'ils n'étaient chacun composés que d'un seul grain), le moment fut des plus intéressants pour les chefs malgaches.

Enfin le résultat définitif arriva : un seul grain resta sur la natte !...

Mafat se leva impétueusement, simulant la frayeur, et s'écria :

– Voyez, Pyram !... voyez, Samson !... voyez, Diampare !... Toujours à cette dernière colonne des chiffres impairs ! Malheur, malheur aux noirs !... Le zannaar a parlé... !

Dans les croyances des Malgaches, en effet, lorsque la dernière colonne, provenant du tirage des sikidis, n'est composée que du chiffre 1, c'est un signe des plus malheureux, l'annonce d'un désastre prochain.

Pyram semblait ébranlé, Samson était frappé de stupeur, Mafat triomphait, Diampare seul resta impassible.

Ce dernier sentait bien que Mafat ne faisait dire à son sikidi que ce qu'il voulait. Il avait eu beau le dévorer des yeux, le suivre avec l'attention la plus soutenue, il avait été facile à l'adresse du prestidigitateur de mettre en défaut la surveillance de l'incrédule.

– Essayons l'épreuve de la main du cadavre, dit Diampare, décidé à pousser jusqu'au bout l'expérience…

– Essayons, répondit Mafat, bien convaincu qu'il était que, cette fois comme toujours, il dérouterait la surveillance la plus vigilante.

Le vieux sorcier remit dans son premier sac tous les grains épars, déposés sur le vacoua, et retira d'un autre sac qu'il avait à ses côtés une main de blanc desséchée au soleil.

Il saisit cette main, y jeta une égale quantité de grains de maïs blancs et noirs. Les grains blancs passèrent, les grains noirs seuls restèrent entre les doigts de l'horrible main.

Cette fois, Diampare découvrit la fourberie : le sorcier après avoir imprimé une certaine ouverture aux quatre doigts de cette main de squelette, afin de livrer un passage égal à tous les grains, commença par jeter une poignée de grains blancs, qui tous passèrent : puis il imprima soudain une légère mais vive inclinaison à droite à la main. Les doigts se resserrèrent aussitôt et, en ce moment seulement il versa les grains noirs, qui tous restèrent sur la main desséchée.

– Malheur ! dit le sorcier avec épouvante, malheur aux noirs !!…

– Le malheur n'est pas grand, dit Diampare avec cet accent terrible… Écoute-moi, sorcier, je veux ce soir même apaiser ton zannaar, et son courroux va disparaître. Viens, suis-moi, je te ferai connaître la chose que je lui réserve en offrande !…

Et, en disant ces mots, il souleva de terre le vieux sorcier malgache, en lui comprimant le bras comme dans un étau.

Mafat regarda avec effroi son rival, dont les yeux étaient injectés de sang. Il comprit, rien qu'à la façon dont il lui avait saisi le bras, qu'une sourde colère régnait en son âme, et il suivit docilement cette invitation qui déjà était un ordre.

Diampare l'entraîna à une certaine distance du groupe, et lui parlant à voix basse, mais d'un ton rauque et saccadé que la colère faisait trembler d'une façon terrible.

– Vil sorcier, lui dit-il, lève tes yeux de lâche et de serpent, regarde-moi en face, et surtout prête une oreille attentive à mes paroles. Je veux que ton zannaar soit apaisé à l'instant même ; reviens auprès de ces chefs, ces imbéciles Malgaches que tu viens d'épouvanter par tes sortilèges ; dis ce que tu voudras : invente que, pour apaiser ton dieu, j'ai fait l'offrande la plus royale qu'il te plaira d'imaginer ; cela m'est égal ; mais si, dans un instant, tu n'as pas annoncé tout le contraire, ah ! malheur à toi !… le soleil demain ne verra que ton cadavre.

– Me tuer, blasphémateur ! Et pourquoi ?…

– Parce que tu mens, misérable… parce que tes sinistres prédictions sont de nature à épouvanter d'avance les Malgaches, nos frères… Effrayés comme ils le sont, ils lâcheront pied aux premiers coups de fusil des blancs ; or, ceux-ci s'avancent : tu le sais, lâche que tu es, le combat n'est pas loin. Eh bien, ton sikidi est faux !… Je t'ai suivi des yeux, j'ai suivi tes mouvements, j'ai suivi ta main… Veux-tu que j'exécute ce que tu viens de faire ? Je prédirai comme toi ; mais alors songes-y, si tu m'y contrains, je prouve aux yeux de tous ta fourbe et ton audace, et je te brise le crâne sur la première pierre du sentier…

– Tuer le sorcier du zannaar !… Ah ! la foudre du ciel t'écraserait, malheureux, répondit Mafat, en essayant, par un dernier effort, d'ébranler la résolution de son ennemi.

– Imbécile !… répliqua Diampare en ricanant, tu ne sais donc pas que je ne suis point de ta religion ? Il n'y a pas de crime pour moi à tuer un lâche et un hypocrite comme toi. Écoute, et crois-moi, fais ce que je te dis, ou demain tu es mort. Tu connais ma bande, elle n'a point les croyances des Malgaches. Elle croit ce que je lui ordonne de croire. Demain, si je le voulais, tu serais mis en pièces par le dernier guerrier de ma troupe et ton corps en lambeaux sécherait au soleil sur le flanc des remparts. Ainsi, crois-moi, va dire à ces chefs ce que tu voudras, invente ce qui te semblera le plus plausible. Je veux, je veux, m'entends-tu bien, que ton zannaar soit propice aux noirs dans le combat qui se prépare. Allons, va !…

Diampare alors lâcha le poignet du vieux prêtre, qui lui jeta, en partant, un regard louche et perçant comme celui d'une vipère. Voyant que c'était folie de résister, craignant surtout que son ennemi n'allât révéler aux autres chefs (ce qu'il menaçait, du reste, de faire), le secret de ses mensonges, Mafat céda ; mais ces deux hommes, dès cet instant, se déclarèrent une haine implacable, éternelle. Le regard plein de rage qu'ils échangèrent en silence fut comme un serment terrible qu'ils firent chacun au même moment, de se poursuivre jusqu'à la mort, sans trêve ni merci.

Jusqu'ici, la haine avait couvé sourde et contenue entre ces deux hommes ; à partir de ce jour, le masque fut levé. Ils s'abhorraient ouvertement, ils venaient de se le dire face à face ; l'un des deux était de trop.

Mafat, en revenant auprès des autres chefs, raconta que Diampare venait de lui dire ce qu'il croyait être la cause du courroux du zannaar.

– En effet, ajouta-t-il, le chef noir se souvient d'avoir passé dans un des sentiers de la montagne, sans songer à honorer d'une branche de feuillage ou d'un salut religieux le *vazemba* sacré[1] ! Mais il prépare au zannaar une royale offrande, qui sera l'expression de son repentir et le gage de ses regrets.

Diampare approuva de la tête le nouveau mensonge du sorcier, et tous les chefs parurent convaincus ; Pyram seul, habitué à lire sur la face d'ébène de son frère, crut voir comme un sourire intérieur s'en échapper, par l'éclat inaccoutumé de son regard. Il se promit bien de se faire expliquer ce mystère par Diampare : il se tut cependant, car il comprit qu'en ce moment il se passait quelque chose de solennel pour la bande.

Mafat, se remit en mesure de consulter son zannaar. Il recommença les mêmes conjurations, les mêmes apprêts, les mêmes épreuves et, cette fois, le sikidi fut propice.

Samson reprit courage. Diampare était satisfait ; le sorcier semblait confus et Pyram cherchait à comprendre ; mais sa physionomie ne révélait aucune crainte, il aimait Diampare plus que la vie, et il sentait comme instinctivement que c'était lui, cette fois, qui faisait parler le sikidi ; mais il renfermait au fond de son âme les doutes de son esprit. Puisque ce chef, son frère et son ami, voulait la bataille et la voulait terrible, il faisait sans regret le sacrifice de sa vie ; mais il avait au fond du cœur comme un vague pressentiment d'une issue fatale pour la lutte qui allait s'engager dans quelques heures peut-être.

---

[1] Les Malgaches appellent honorer le vazemba, jeter une branche enlevée à l'arbre le plus voisin sur le tumulus où se trouve enterré le corps d'un des leurs. C'est une coutume dont ils sont esclaves. Aussi dans les forêts, l'endroit où un noir a été enseveli se reconnaît-il toujours au monceau de feuilles mortes qui couvrent sa tombe.

CHAPITRES NON ACHEVÉS

CHAPITRE XIII. – Halte au boucan de Pitre et séparation des *détachements.*

CHAPITRE XIV. – Françoise et Marie.

CHAPITRE XV. – Descente à la ville pour la messe. – Le Ratata.

CHAPITRE XVI. – Le dimanche dans la forêt.

CHAPITRE XVII. – Le piton d'Anchaing et le Cimandef. – Engagement. – Prise de Maryhane, femme de Cimandef, et de son fils.

CHAPITRE XVIII. – Retour par le bras de Sainte-Suzanne.

CHAPITRE XIX. – Attaque de l'arrière-garde au piton Bronchard.

CHAPITRE XX. – Assaut de l'îlette aux Lataniers. – Prise du chef Samson.

CHAPITRE XXI. – Réunion des *détachements* et retour.

CHAPITRE XXII. – Exposition des mains et torture des prises.

CHAPITRE XXIII. – Jean-Baptiste et Françoise chez le père Touchard.

CHAPITRE XXIV. – Causeries d'amoureux.

CHAPITRE XXV. – Conduite de Françoise. – Le cheval de bois.

CHAPITRE XXVI. – Les tamariniers jumeaux.

CHAPITRE XXVII. – Meurtres et incursions des noirs marrons.

CHAPITRE XXVIII. – Visite des *détachements* au gouverneur à l'arrivée de Mussard de Maurice.

CHAPITRE XXIX. – Enlèvement de la fille de Mussard.

CHAPITRE XXX. – Vœu de Marie Mussard.

CHAPITRE XXXI. – Cérémonies du mariage dans la caverne.

CHAPITRE XXXII. – Serments des *détachements* et départ.

CHAPITRE XXXIII. – Marie retrouvée.

CHAPITRE XXXIV. – Retour auprès de sa mère.

CHAPITRE XXXV. – *Détachements* de la rivière du Mat (Técher et Hoarau).

CHAPITRE XXXVI. – *Détachements* de la rivière de Saint-Etienne.

CHAPITRE XXXVII. – *Détachements* de la rivière des Galets (Mussard).

CHAPITRE XXXVIII. – Jonction au pied du piton des Neiges.

CHAPITRE XXXIX. – Halte de nuit dans la caverne Mussard.

CHAPITRE XL. – Mort de Fatie, le roi des Nuages.

CHAPITRE XLI. – Massacre de la plaine des Cafres.

GLOSSAIRE

ambrecal : un plat local composé de riz, de maïs, de lard, de pois, et d'épices

ancive : coquillage creux

andette : larve blanche de la forêt

babane : mot créole signifiant imbécile ou idiot

détachement : patrouille composée de volontaires, chargés par le gouvernement de rechercher et de capturer les noirs marrons

fouquet : oiseau pêcheur des colonies, qui se rend de nuit à la mer, en accompagnant son vol d'un cri sinistre (note de Dayot dans *Bourbon pittoresque*)

hyang : être surnaturel dans la mythologie de l'Asie du Sud-Est

kabar : mot créole signifiant un concert, une réunion, ou une assemblée

kaborda : mot créole signifiant un homme fruste

kriss : couteau ou arme blanche du monde malais

natte (n.m.) : nom vernaculaire d'une espèce d'arbre de la famille des sapotacées ; à ne pas confondre avec *natte* (n.f.), qui est une pièce de tissu faite de brins de végétaux entrelacés

pagote : mot créole signifiant pagode, une plante rampante

papangue : oiseau de proie réunionnais

quatre-piquets : peine de fouet infligée aux esclaves fugitifs durant laquelle l'esclave capturé est étendu au sol, bras et jambes liés à quatre piquets

ravenala : grande plante de Madagascar qui ressemble à un palmier

saisie : mot créole signifiant natte en rafia ou en paille de riz

songe (n.f.) : taro, ou racine madère ; à ne pas confondre avec *songe* (n.m.) qui signifie un rêve

takamaka : arbre tropical à feuillage persistant

vacoua (var. vakoua/vacoa) : grande plante en forme de parasol

vouve : mot créole signifiant un réseau d'osier formé de deux entonnoirs imbriqués l'un dans l'autre

TABLE DES MATIÈRES

COLLECTION
AUTREMENT MÊMES

Titres parus :

1. Lucie COUSTURIER, *Des inconnus chez moi*, présentation de Roger Little, avec une préface de René Maran, 2001 : ISBN 2-7475-0246-5
2. Armand CORRE, *Nos Créoles : étude politico-sociologique, 1890*, texte établi, présenté et annoté par Claude Thiébaut, 2001 : ISBN 2-7475-0301-1
3. MÉLESVILLE et Roger de BEAUVOIR, *Le Chevalier de Saint-Georges : comédie mêlée de chants en trois actes*, présentation de Sylvie Chalaye, 2001 : ISBN 2-7475-0247-3
4. PIGAULT-LEBRUN, *Le Blanc et le Noir : drame en quatre actes et en prose*, présentation de Roger Little, 2001 : ISBN 2-7475-1547-8
5. Pierre MILLE, *Barnavaux aux colonies*, suivi d'*Écrits sur la littérature coloniale*, présentation de Jennifer Yee, 2002 : ISBN 2-7475-2144-3
6. Sophie DOIN, *La Famille noire*, suivi de trois *Nouvelles blanches et noires*, présentation de Doris Y. Kadish, 2002 : ISBN 2-7475-2569-4
7. Élodie DUJON-JOURDAIN et Renée LÉGER-DORMOY, *Mémoires de Békées : textes inédits*, texte établi, présenté et annoté par Henriette Levillain, 2002 : ISBN 2-7475-2798-0
8. CONDORCET, *Réflexions sur l'esclavage des nègres et autres textes abolitionnistes*, présentation de David Williams, 2002 : ISBN 2-7475-3702-1
9. Lucie COUSTURIER, *Mes inconnus chez eux*, t. 1 : *Mon amie Fatou, citadine* ; t. 2 : *Mon ami Soumaré, laptot*, suivi d'un *Rapport sur le milieu familial en Afrique occidentale*, présentation de Roger Little, avec des textes de René Maran et de Léon Werth, 2003 : ISBN 2-7475-4952-6 & 2-7475-4953-4
10. Lafcadio HEARN, *Esquisses martiniquaises*, 2 tomes, texte établi, présenté et annoté par Mary Gallagher, 2003 : ISBN 2-7475-5791-X & 2-7475-5792-8
11. AUTEURS VARIÉS, *Les* Ourika *du boulevard*, présentation et étude de Sylvie Chalaye, 2003 : ISBN 2-7475-5683-2
12. ANONYME, *Histoire de Moulay Abelmeula*, présentation de Roger Little, 2003 : ISBN 2-7475-5300-0
13. Lafcadio HEARN, *Un voyage d'été aux tropiques*, texte établi, présenté et annoté par Mary Gallagher, 2004 : ISBN 2-7475-7195-5
14. Anaïs SÉGALAS, *Récits des Antilles : Le Bois de la Soufrière,* suivis d'un *Choix de poèmes*, présentation d'Adrianna M. Paliyenko, 2004 : ISBN 2-7475-7461-X
15. Charlotte DARD, *La Chaumière africaine, ou Histoire d'une famille française jetée sur la côte occidentale de l'Afrique à la suite du naufrage de la frégate « La Méduse »,* présentation de Doris Y. Kadish, 2005 : ISBN 2-7475-8096-2
16. Roland LEBEL, *Le Livre du pays noir : anthologie de littérature africaine*, présentation de Jean-Claude Blachère, avec la collaboration de Roger Little, 2005 : ISBN 2-7475-8099-7
17. Edmond DESCHAUMES, *Le Pays des nègres blancs*, présentation de Jean-Marie Seillan, 2005 : ISBN 2-7475-8319-8
18. Robert RANDAU, *Le Chef des porte-plume*, présentation de János Riesz, 2005 : ISBN 2-7475-8947-1
19. AUTEURS VARIÉS, *Congo-Océan : un chemin de fer colonial controversé*, 2 tomes, textes choisis et présentés par Ieme van der Poel, 2006 : ISBN 2-296-01332-5 & 2-296-01333-3
20. Georges HARDY, *Une conquête morale : l'enseignement en A.O.F.*, présentation de J. P. Little, 2005 : ISBN 2-7475-9297-9
21. Maurice DELAFOSSE, *Les Nègres*, présentation de Bernard Mouralis, 2005 : ISBN 2-7475-9375-4
22. María de las Mercedes de Santa Cruz y Montalvo, comtesse MERLIN, *Les Esclaves dans les colonies espagnoles* accompagné d'autres textes sur l'esclavage à Cuba, présentation d'Adriana Méndez Rodenas, 2006 : ISBN 2-296-01078-4

23. Jean d'ESME, *Épaves australes*, présentation de Dominique Ranaivoson, 2005 : ISBN 2-7475-9536-6
24. Ernest PSICHARI, *Carnets de route*, présentation de Jean-François Durand, avec la collaboration de Roger Little, 2008 : ISBN 978-2-296-05239-0
25. Baron ROGER, *Kelédor*, présentation de Kusum Aggarwal, 2007 : ISBN 978-2-296-02900-2
26. Gaspard Théodore MOLLIEN, *Haïti ou Saint-Domingue*, texte largement inédit, 2 tomes, présentation de Francis Arzalier, avec la collaboration de David Alliot et de Roger Little, 2006 : ISBN 2-296-01076-8 & 2-296-01077-6
27. Gaspard Théodore MOLLIEN, *Mœurs d'Haïti*, texte inédit, précédé du *Naufrage de la Méduse*, présentation de Francis Arzalier, avec la collaboration de David Alliot et de Roger Little, 2006 : ISBN 2-296-01584-0
28. Louise FAURE-FAVIER, *Blanche et Noir*, présentation de Roger Little, avec la collaboration de Laurent de Freitas, 2006 : ISBN 2-296-01092-X
29. Jean-Baptiste PICQUENARD, *Adonis* suivi de *Zoflora* et de documents inédits, présentation de Chris Bongie, 2006 : ISBN 2-296-00929-8
30. Armand DUBARRY, *Les Colons du Tanganîka*, présentation de Jean-Marie Seillan, 2006 : ISBN 2-296-01138-1
31. Jules BARBIER, *Cora, ou l'esclavage*, présentation de Barbara T. Cooper, 2006 : ISBN 2-296-01575-1
32. Olympe de GOUGES, *L'Esclavage des Nègres : version inédite du 28 décembre 1789*, étude et présentation de Sylvie Chalaye et Jacqueline Razgonnikoff, 2006 : ISBN 2-296-01137-3
33. Élodie *** & Irmisse de LALUNG, *Mémoires de Békées II : textes inédits*, textes établis, présentés et annotés par Henriette Levillain et Claude Thiébaut, 2006 : ISBN 2-296-01437-2
34. Marceline DESBORDES-VALMORE, *Les Veillées des Antilles*, présentation d'Aimée Boutin, 2006 : ISBN 2-296-01576-X
35. Anonyme, *La Mulâtre comme il y a beaucoup de Blanches*, présentation de John Garrigus, 2007 : ISBN 978-2-296-02778-7
36. Robert RANDAU, *Les Colons : roman de la patrie algérienne*, présentation de Raïd Zaraket, 2007 : ISBN 978-2-296-03924-7
37. René MARAN, *Félix Éboué, grand commis et loyal serviteur (1885–1944)*, présentation de Bernard Mouralis, 2007 : ISBN 978-2-296-03919-3
38. Denise SAVINEAU, *La Famille en A.O.F. : condition de la femme. Rapport inédit*, présentation et étude de Claire H. Griffiths, 2007 : ISBN 978-2-296-04322-0
39. Raymonde BONNETAIN, *Une Française au Soudan : sur la route de Tombouctou, du Sénégal au Niger*, présentation de Jean-Marie Seillan, 2007 : ISBN 978-2-296-04189-9
40. Léon-François HOFFMANN, avec la collaboration de Carl Hermann Middelanis, *Faustin Soulouque d'Haïti dans l'histoire et la littérature*, 2007 : ISBN 978-2-296-04185-1
41. Gaspard Théodore MOLLIEN, *Voyage dans l'intérieur de l'Afrique, aux sources du Sénégal et de la Gambie, fait en 1818*, présentation de Roger Little, 2007 : ISBN 978-2-296-04570-5
42. Gabriel MAILHOL, *Le Philosophe nègre et les secrets des Grecs, ouvrage trop nécessaire*, présentation de Romuald Fonkoua, 2008 : ISBN 978-2-296-05242-0
43. Christiane FOURNIER, *Homme jaune et femme blanche*, présentation de Marie-Paule Ha, 2008 : ISBN 978-2-296-05456-1
44. Charles DESNOYER et Jules-Édouard ALBOIZE DU PUJOL, *La Traite des Noirs*, présentation de Barbara T. Cooper, 2008 : ISBN 978-2-296-05804-0
45. Albert TRUPHÉMUS, *Les Khouan du Lion noir : scènes de la vie à Biskra*, présentation de Gérard Chalaye, avec la collaboration de Roger Little et de Louis Lemoine, 2008 : ISBN 978-2-296-05907-8

46. Gabrielle de PABAN, *Le Nègre et la Créole, ou Mémoires d'Eulalie D****, prés. de Marshall C. Olds, 2008 : ISBN 978-2-296-0737-0
47. Baron ROGER, *Fables sénégalaises*, présentation de Kusum Aggarwal, 2008 : ISBN 978-2-296-07036-3
48. Gabriel AUDISIO, *Trois hommes et un minaret*, présentation de Maria Chiara Gnocchi, 2009 : ISBN 978-2-296-10713-7
49. L'abbé GRÉGOIRE, *Écrits sur les Noirs*, présentation de Rita Hermon-Belot, avec la collaboration de Roger Little, 2009 : t. I : *1789-1808* : ISBN 978-2-296-08178-9 ; t. II : *1815-1827* : ISBN : 978-2-296-08179-6
50. AUTEURS VARIÉS, *Nouvelles du héros noir : anthologie 1769–1847*, présentation de Roger Little, 2009 : ISBN 978-2-296-08166-6
51. Aurore CLOTEAUX (pseudonyme d'Honoré de BALZAC et A. LEPOITEVIN DE L'ÉGREVILLE), *Le Mulâtre*, présentation d'Antoinette Sol et Sarah Davies Cordova, 2009 : ISBN 978-2-296-09256-3
52. Alain Leroy LOCKE, *Le Rôle du Nègre dans la culture des Amériques*, présentation d'Anthony Mangeon, 2009 : ISBN 978-2-296-08433-9
53. Gustave de BEAUMONT, *Marie, ou l'Esclavage aux États-Unis*, présentation de Marie-Claude Schapira, 2009 : t. I : *Le Roman* : ISBN 978-2-296-09506-9 ; t. II : *Notes, Appendice, Annexes* : ISBN 978-2-296-09507-6
54. Albert TRUPHÉMUS, *L'Hôtel du Sersou : roman du Sud algérois*, suivi de documents inédits, présentation de Gérard Chalaye, avec la collaboration de Roger Little, 2009 : ISBN 978-2-296-09519-9
55. Clotilde CHIVAS-BARON, *La Femme française aux colonies*, suivi d'un choix de *Contes et légendes de l'Annam*, présentation de Marie-Paule Ha, 2009 : ISBN 978-2-296-09954-8
56. ANICET-BOURGEOIS et DUMANOIR, *Le Docteur noir : drame en sept actes*, présentation de Sylvie Chalaye, 2009 : ISBN 978-2-296-10734-2
57. Mme A. CASHIN, *Amour et Liberté : abolition de l'esclavage*, présentation d'Adrianna M. Paliyenko, 2009 : ISBN 978-2-296-10589-8
58. Louis de MAYNARD DE QUEILHE, *Outre-mer*, 2 tomes, présentation de Maeve McCusker, 2010 : ISBN 978-2-296-11061-8 & 978-2-296-11062-5
59. Hubertine AUCLERT, *Les Femmes arabes en Algérie*, présentation de Denise Brahimi, avec la collaboration de Roger Little, 2009 : ISBN 978-2-296-10756-4
60. Albert SARRAUT, *Grandeur et servitude coloniales*, présentation de Nicola Cooper, 2012 : ISBN 978-2-296-99409-6
61. Eugène PUJARNISCLE, *Philoxène, ou De la littérature coloniale*, présentation de Jean-Claude Blachère, avec la collaboration de Roger Little, 2010 : ISBN 978-2-296-11497-5
62. Léon-François HOFFMANN, *Haïti : regards*, présentation de Léon-François Hoffmann, avec la collaboration de Roger Little, 2010 : ISBN 978-2-296-11523-1
63. Paul BONNETAIN, *Au Tonkin, suivi d'extraits de sa correspondance et d'un choix de ses nouvelles*, présentation de Frédéric Da Silva, 2010 : ISBN 978-2-296-11660-3
64. Jean SERMAYE, *Barga, maître de la brousse : roman de mœurs nigériennes*, présentation de Jean-Claude Blachère, avec la collaboration de Roger Little, 2010 : ISBN 978-2-296-12067-9
65. Jean SERMAYE, *Barga l'invincible : roman de mœurs nigériennes*, présentation de Jean-Claude Blachère, avec la collaboration de Roger Little, 2010 : ISBN 978-2-296-12068-6
66. Gertrudis GÓMEZ DE AVELLANEDA, *Sab : roman original*, inédit en français, traduction d'Élisabeth Pluton, présentation de Frank Estelmann, 2010 : ISBN 978-2-296-12066-2
67. Louis ROUBAUD, *Viet Nam : la tragédie indochinoise*, présentation d'Emmanuelle Radar, 2010 : ISBN 978-2-296-12069-3
68. LECOINTE-MARSILLAC, *Le More-Lack, ou Essai sur les moyens les plus doux et les plus équitables d'abolir la traite et l'esclavage des Nègres d'Afrique en conservant aux colonies tous les avantages d'une population agricole*, présentation de Carminella Biondi, avec la collaboration de Roger Little, 2010 : ISBN 978-2-296-12967-2

69. Lieutenant-colonel Charles MANGIN, *La Force noire*, présentation du Col. Antoine Champeaux, 2011, ISBN 978-2-296-54759-9
70. *Le Combat pour la liberté des Noirs dans le* Journal de la Société de la Morale chrétienne *(1822-1834)*, présentation de Marie-Laure Aurenche, 2010, t. I : *1822-1825* : ISBN 978-2-296-12747-0 ; t. II : *1826-1834* : ISBN 978-2-296-12748-7
71. Georges SYLVAIN, *Cric ? Crac ! Fables de La Fontaine racontées par un montagnard haïtien*, accompagnées d'un CD de Fables créoles lues par Mylène Wagram, présentation de Kathleen Gyssels, avec la collaboration de Roger Little, 2011, ISBN 978-2-296-54485-7
72. Paul BONNETAIN, *En Guyane : le nommé Perreux* suivi de *Contes et nouvelles antillo-guyanais*, présentation de Frédéric Da Silva, 2012, ISBN 978-2-296-99388-4
73. Émile NOLLY, *Hiên le Maboul*, présentation de Jean-Claude Blachère, avec la collaboration de Roger Little, 2011 : ISBN 978-2-296-54363-8
74. Jean-François DUCIS, *Abufar ou La Famille arabe*, suivi de *Abuzar ou la Famille extravagante* par Radet, Barré et Desfontaines, édition présentée et introduite par Martial Poirson, textes établis, annotés et commentés par Florence Filippi, Martial Poirson et Jacqueline Razgonnikoff, 2014 : ISBN 978-2-343-02481-3
75. Honoré de BALZAC, sous le pseudonyme d'Horace St Aubin, *Le Nègre, mélodrame en 3 actes*, présentation de Sarah Davies Cordova et Antoinette Sol, 2011 : ISBN 978-2-296-56096-3
76. Marius-Ary LEBLOND, *Écrits sur la littérature coloniale*, présentation de Vladimir Kapor, 2012 : ISBN 978-2-296-55706-2
77. Louis LACOUR, *Pyracmond, ou Les Créoles*, présentation de Michelle S. Cheyne, 2012 : ISBN 978-2-296-96610-9
78. Xavier EYMA, *Les Peaux noires : scènes de la vie des esclaves*, présentation de Marie-Christine Rochmann, 2012 : ISBN 978-2-296-97007-6
79. Charles LAFONT et Charles DESNOYER, *Le Tremblement de terre de la Martinique : drame en cinq actes, suivi de documents inédits*, présentation de Barbara T. Cooper, 2012 : ISBN 978-2-296-96600-0
80. Maurice DELAFOSSE, *Broussard ou Les États d'âme d'un colonial, suivis de ses propos et opinions*, présentation de Jean-Claude Blachère, avec la collaboration de Roger Little, 2012 : ISBN 978-2-296-96643-7
81. Robert DELAVIGNETTE (sous le pseudonyme de Louis Faivre), *Toum*, présentation d'Henri Copin, avec la collaboration de Roger Little, 2012 : ISBN 978-2-296-99410-2
82. Julie GOURAUD, *Les Deux Enfants de Saint-Domingue*, suivi de Michel MÖRING, *L'Esclave de Saint-Domingue*, présentation de Roger Little, 2012 : ISBN 978-2-336-00205-7
83. Lamine SENGHOR, *La Violation d'un pays et autres écrits*, présentation de David Murphy, 2012 : ISBN 978-2-336-00228-6
84. Pierre MILLE, *L'Illustre Partonneau*, présentation de Roger Little, 2013 : ISBN 978-2-336-00255-2
85. Adrien Henri CANU, *La Pétaudière coloniale*, présentation de Boris Lesueur, avec la collaboration de Roger Little, 2013 : ISBN 978-2-343-00210-1
86. René GUILLOT, *Le Blanc qui s'était fait nègre*, présentation de Maria Chiara Gnocchi, avec la collaboration de Roger Little, 2013 : ISBN 978-2-343-00799-1
87. ABOU DIGU'EN, *Mon voyage au Soudan tchadien*, présentation de Nimrod, avec la collaboration de Roger Little, 2013 : ISBN 978-2-343-01465-4
88. Alfred SÉGUIN, *Le Robinson noir*, présentation de Roger Little, 2013 : ISBN 978-2-343-00156-2
89. Raymond ESCHOLIER, *Avec les tirailleurs sénégalais 1917-1919 : lettres inédites du front d'Orient*, texte établi et annoté par André Minet, présentation de Bernadette Truno et André Minet, 2013, t. I : *juin 1917–avril 1918* : ISBN 978-2-343-01431-9 ; t. II : *avril 1918–avril 1919* : ISBN 978-2-336-30296-6. Prix José-Laurent Olive, 2014

90. Raymond ESCHOLIER, *Mahmadou Fofana*, bois originaux de Claude Escholier, fac-similés d'autographes, présentation de Roger Little, 2013 : ISBN 978-2-343-01432-6
91. Fanny REYBAUD, *Quatre nouvelles antillaises : Marie d'Énambuc, Les Épaves, Sydonie, Madame de Rieux*, présentation de Lesley S. Curtis, 2014 : ISBN 978-2-343-02624-4
92. Louis CHARBONNEAU, *Mambu et son amour*, avec de nombreux documents inédits dont plusieurs reproduits en fac-similé, présentation de Roger Little, avec un avant-propos de Raymond Escholier, 2014 : ISBN 978-2-343-02463-9
93. Louis CHARBONNEAU, *Contes d'Afrique équatoriale française 1888-1910*, ouvrage inédit accompagné de documents inédits, présentation de Roger Little, 2014 : ISBN 978-2-343-02464-6
94. Louis CHARBONNEAU, *Fièvres d'Afrique* suivi de trois récits inédits : *La Duchesse ; La Recluse* et *Minne Water : Lac d'amour* (extraits), présentation de Roger Little, avec la collaboration de Claude Achard, 2014 : ISBN 978-2-343-02555-1
95. Roland LEBEL, *L'Afrique occidentale dans la littérature française (depuis 1870)*, présentation de Pierre-Philippe Fraiture, avec la collaboration de Roger Little, 2014 : ISBN 978-2-343-03177-4
96. Victor SÉJOUR, *Le Mulâtre* suivi de *La Tireuse de cartes*, présentation de Lydie Moudileno, 2014 : ISBN 978-2-343-03636-6
97. Louis CHARBONNEAU, *Azizé : amours tropicales I*, présentation de Roger Little, 2014 : ISBN 978-2-343-02771-5
98. Louis CHARBONNEAU, *L'Orchidée noire : amours tropicales II*, présentation de Roger Little, 2014 : ISBN 978-2-343-02772-2
99. Louis CHARBONNEAU, *Jean Rouquier : la voix du sang*, présentation de Roger Little, 2014 : ISBN 978-2-343-02850-7
100. Louis CHARBONNEAU, *Marikiri au paradis des bêtes*, ouvrage inédit accompagné de documents inédits, présentation de Roger Little, 2014 : ISBN 978-2-343-02851-4
101. Jenny MANET, *Maïotte : roman martiniquais inédit*, présentation de Jacqueline Couti, 2014 : ISBN 978-2-343-03194-1
102. Joseph LAVALLÉE, *Le Nègre comme il y a peu de Blancs*, présentation de Carminella Biondi, avec la collaboration de Roger Little, 2014 : ISBN 978-2-343-03184-2
103. Adolphe DENNERY, *Le Tremblement de terre de la Martinique*, présentation de Barbara T. Cooper, 2014 : ISBN 978-2-343-03708-0
104. Louis MALLERET, *L'Exotisme indochinois dans la littérature française depuis 1860*, présentation d'Henri Copin et François Doré, avec la collaboration de Roger Little, 2014 : ISBN 978-2-343-04404-0 & 978-2-336-30317-8
105. Charles RENEL, *Le « Décivilisé »*, présentation de Claire Riffard, avec la collaboration de Roger Little, 2014 : ISBN 978-2-343-04403-3
106. Pierre H. BOULLE et Sue PEABODY, *Le Droit des Noirs en France au temps de l'esclavage : textes choisis et commentés*, 2014 : ISBN 978-2-343-04823-9
107. Colonel Albert BARATIER, *À travers l'Afrique*, présentation d'Antoine Champeaux, avec la collaboration de Roger Little, 2015 : ISBN 978-2-343-05652-4
108. Colonel Albert BARATIER, *Épopées africaines*, présentation de Roger Little, avec la collaboration d'Antoine Champeaux, 2015 : ISBN 978-2-343-05651-7
109. Lucie PAUL-MARGUERITTE, *En Algérie : enquêtes et souvenirs*, présentation de Denise Brahimi, avec la collaboration de Roger Little, 2015 : ISBN 978-2-343-06556-4
110. Hippolyte CARNOT, *Gunima : nouvelle africaine du dix-huitième siècle*, présentation de Sarah Davies Cordova et Antoinette Sol, 2015 : ISBN 978-2-343-07089-6
111. Lucie PAUL-MARGUERITTE, *Tunisiennes*, présentation de Denise Brahimi, avec la collaboration de Besma Kamoun-Nouaïri et Roger Little, 2015 : ISBN 978-2-343-07843-4
112. Émile NOLLY, *Le Conquérant : journal d'un indésirable au Maroc*, suivi de documents inédits, présentation de Guy Riegert, avec la collaboration de Roger Little, 2015 : ISBN 978-2-343-07466-5

113. Henri de SAINT-GEORGES et Hippolyte MONPOU, *Le Planteur*, opéra-comique en deux actes, précédé d'un extrait du *Voyage aux États-Unis, ou Tableau de la société américaine* de Harriet MARTINEAU et de *L'Inventaire du planteur* d'Émile SOUVESTRE et suivi de nombreux documents inédits, présentation de Barbara T. Cooper, 2015 : ISBN 978-2-343-07210-4
114. Abbé Casimir DUGOUJON, *Lettres sur l'esclavage et l'abolition dans les colonies françaises, 1840-1850*, présentation de Nelly Schmidt, avec la collaboration technique de Roger Little, 2015 : ISBN 978-2-343-07468-9
115. François BARTHE, *Oxiane, ou La Révolution de Saint-Domingue*, présentation de Marshall C. Olds, avec la collaboration de Sarah N. Mécheneau, 2016 : ISBN 978-2-343-09588-2
116. AUTEURS VARIÉS, *1789 : les colonies ont la parole. Anthologie*, présentation de Carminella Biondi, avec la collaboration de Roger Little, 2016 : t. I : *Colonies ; Gens de couleur*, ISBN 978-2-343-09854-8 ; t. II : *Traite ; Esclavage*, ISBN 978-2-343-09855-5
117. Louis CARIO et Charles RÉGISMANSET, *L'Exotisme : la littérature coloniale*, présentation de Patrick Crowley, avec la collaboration de Roger Little, 2016 : ISBN 978-2-343-08510-4
118. Louis BERTRAND, *Le Sang des races*, présentation de Peter Dunwoodie, 2016 : ISBN 978-2-343-08776-4
119. Jean d'ESME, *L'Homme des sables*, présentation de Justin Izzo, avec la collaboration de Roger Little, 2016 : ISBN 978-2-343-08917-1
120. Benjamin ANTIER et Alexis de COMBEROUSSE, *Le Marché de Saint-Pierre*, drame, suivi de documents inédits, présentation de Barbara T. Cooper, 2016 : ISBN 978-2-343-09918-7
121. AUTEURS VARIÉS, *Les Tirailleurs sénégalais vus par les Blancs : anthologie d'écrits de la 1re moitié du XXe siècle*, choix et présentation de Roger Little, 2016 : ISBN 978-2-343-09575-2
122. Frédéric MARCELIN, *Marilisse : roman haïtien*, présentation de Michèle U. Kenfack, 2016 : ISBN 978-2-343-09901-9
123. Robert DELAVIGNETTE, *Mémoires d'une Afrique française*, texte inédit, présentation d'Anthony Mangeon, avec la collaboration de Roger Little, 2 tomes, 2017 : ISBN 978-2-343-11662-4 & 978-2-343-11663-1
124. *Gens de couleur dans trois vaudevilles du XIXe siècle :* Joseph AUDE et J. H. d'EGVILLE, *Les Deux Colons : trait anecdotique* ; CLAIRVILLE et Paul SIRAUDIN, *Malheureux comme un nègre* ; DUVERT et LAUZANNE, *La Fin d'une République, ou Haïti en 1849*, suivis de nombreux documents inédits, présentation de Lise Schreier, 2017 : ISBN 978-2-343-11238-1
125. AUTEURS VARIES, *Nouvelles antillaises du XIXe siècle : une anthologie*, présentation de Barbara T. Cooper, avec la collaboration de Roger Little, 2017 : ISBN 978-2-343-11773-7
126. Auguste PREVOST DE SANSAC DE TRAVERSAY, *Les Amours de Zémédare et Carina, et la description de l'île de la Martinique*, texte intégral, présentation de Jacqueline Couti, avec la collaboration de Roger Little, 2017 : ISBN 978-2-343-12279-3
127. Vladimir KAPOR, *Le Grand Prix de littérature coloniale (1921-1938) : lauréats, jugements, controverses*, 2018 : t. I : *1921-1929* : ISBN 978-2-343-13879-4 ; t. II : *1930-1938* : ISBN 978-2-343-13880-0
128. Jean-Richard BLOCH, *Cacaouettes et bananes*, présentation de Roland Roudil, avec la collaboration de Roger Little, 2018 : ISBN 978-2-343-14061-2
129. Ben Diogaye BEYE et Boubacar Boris DIOP, *Thiaroye 44 : scénario inédit*, présentation de Martin Mourre, avec la collaboration de Roger Little, 2018 : ISBN 978-2-343-14708-6

130. Oswald DURAND, *Terre noire*, suivi de *Les Industries locales du Fouta* et de textes inédits, présentation de Roger Little, 2018 : ISBN 978-2-343-14262-3
131. Oswald DURAND, *Vertiges...*, suivi de Hippolyte et Prosper Pharaud (Oswald Durand et Joseph Gaillard-Groléas), *Pellobellé, gentilhomme soudanais*, suivi de documents inédits, présentation de Roger Little, 2018 : ISBN 978-2-343-14263-0
132. Émile NOLLY, *Gens de guerre au Maroc*, présentation de Gérard Chalaye, avec la collaboration de Guy Riegert et Roger Little, 2018 : ISBN 978-2-343-14999-8
133. René MARAN, *Nouvelles africaines et françaises inédites ou inconnues*, présentation de Roger Little, 2018 : ISBN 978-2-343-14966-0
134. Émile VANDERBURCH, *Séliko, ou Le Petit Nègre*, suivi de Charles SEWRIN, *Les Habitants des Landes*, accompagnés de documents inédits, présentation de Barbara T. Cooper, 2018 : ISBN 978-2-343-15007-9
135. THEAULON, DARTOIS ET BRASIER, *La Vénus hottentote, ou Haine aux Françaises*, suivi de textes inédits, présentation de T. Denean Sharpley-Whiting, avec la collaboration de Roger Little, 2018 : ISBN 978-2-343-15439-8
136. Eugène SCRIBE, *Le Code noir*, suivi de textes inédits, présentation d'Olivier Bara, avec la collaboration de Roger Little, 2018 : ISBN 978-2-343-15444-2
137. Henri DRUM, *Luéji ya Kondé (La Fille de Kondé), présentation de Thérèse De Raedt, avec la collaboration de Roger Little*, 2018 : ISBN 978-2-343-16134-1
138. Pierre-Victor MALOUET, *Mémoire sur l'esclavage des Nègres*, présentation de Carminella Biondi, avec la collaboration de Roger Little, 2018 : ISBN 978-2-343-16123-5
139. Louis-François Archambaud, *dit* DORVIGNY, *Le Nègre blanc*, présentation de Sylvie Chalaye, texte établi par Vanessa Boulaire, 2019 : ISBN 978-2-343-16669-8
140. Pierre MILLE et André DEMAISON, *La Femme et l'homme nu*, présentation de Roger Little, 2019 : ISBN 978-2-343-16597-4
141. Daniel BERSOT, *Sous la chicote : nouvelles congolaises*, présentation de Patrice Yengo, avec la collaboration de Roger Little, 2019 : ISBN 978-2-343-17232-3
142. PROSPER et ANICET-BOURGEOIS, *Les Massacres de Saint-Domingue, ou L'Expédition du général Leclerc*, pièce inédite, présentation de Barbara T. Cooper, 2019 : ISBN 978-2-343-17562-1
143. Marcel BARRIERE, *Le Monde noir : roman sur l'avenir des sociétés humaines*, présentation d'Anthony Mangeon, avec la collaboration de Roger Little, 2019 : ISBN 978-2-343-18356-5
144. Suzanne LACASCADE, *Claire-Solange, âme africaine*, présentation d'Emmanuelle Gall, avec la collaboration de Roger Little, 2019 : ISBN 978-2-343-18588-0
145. AUTEURS VARIÉS, *Esclaves marrons à Bourbon : une anthologie littéraire (1831-1848)*, présentation de Pratima Prasad, avec la collaboration de Roger Little, 2020 : ISBN 978-2-343-19392-2
146. Drasta HOUËL, *Cruautés et tendresses : vieilles mœurs coloniales françaises*, précédé de *Les Vies légères : évocations antillaises*, présentation de Roger Little, avec la collaboration d'Isabelle Gratiant, 2020 : ISBN 978-2-343-

Les titres dont l'ISBN est incomplet sont sous presse.

Titres en perspective :

Améla, *Œuvres critiques : antiquité latine ; poésie française du XIXe siècle ; littérature africaine*, présentation et choix de textes par Didier Améla et Bernard Mouralis

Honoré de Balzac, *Le Vicaire des Ardennes*, présentation d'Andrew Watts et Michelle S. Cheyne

Amédée de Bast, *La Tête noire*, présentation de Marshall C. Olds

Pierre-Corneille Blessebois, *Le Zombi du Grand-Pérou ou La Comtesse de Cocagne*, présentation d'Antoinette Sol, avec la collaboration de Roger Little

Émile Bonnetain, *Souvenirs du Tonkin, 27 août 1886–15 février 1909*, texte inédit, présentation d'Henri Copin, avec la collaboration de Dominique Jung et de Roger Little

Paul Bonnetain, *De Paris au désert : voyages africains en Algérie et au Soudan*, présentation de Frédéric Da Silva
René Bonneville, *Le Fruit défendu : roman martiniquais inédit*, présentation de Jacqueline Couti
André Chevrillon, *Les Puritains du désert*, présentation de Jean-François Durand, avec la collaboration de Roger Little
Delafosse de Rouville, *Essai sur la situation de Saint-Domingue à cette époque*, précédé d'un *Éloge historique du chevalier Mauduit-Duplessis*, présentation de Boris Lesueur
Bakary Diallo, *Force-Bonté*, présentation de Mélanie Bourlet, avec la collaboration de János Riesz et de Roger Little
Camille Drevet, *Les Annamites chez eux*, présentation d'Emmanuelle Radar
Hérard Dumesle, *Voyage dans le nord d'Hayti, ou Révélations des lieux et des monuments historiques*, présentation de Paul B. Miller
Nicolas Du Perche, *L'Ambassadeur d'Afrique*, présentation de Sylvie Chalaye
Auteurs variés, *Échos de Saint-Domingue : sept nouvelles du XIXe siècle*, présentation de Grégory Pierrot
Auteurs variés, *Esclaves marrons à Bourbon : une anthologie littéraire*, présentation de Pratima Prasad, avec la collaboration de Roger Little
Frédéric et Laqueyrie (pseudonyme de Jean-Baptiste Pelissier et Frédéric Dupetit-Méré), *Le Mulâtre et l'Africaine : mélodrame en 3 actes, à spectacle*, présentation de Marshall C. Olds
Élisabeth Guénard, *Blanche de Ransi ou Histoire de deux Français dans les déserts et chez les sauvages*, présentation d'Antoinette Sol et Sarah Davies Cordova
Marie-Paule Ha, *Les Femmes et l'empire sous la Troisième République : textes choisis et commentés*
Georges Hardy, *Ergaste ou la vocation coloniale*, présentation de J. P. Little, avec la collaboration de Roger Little
Drasta Houël, *Cruautés et tendresses* précédé de *Les Vies légères : évocations antillaises*, présentation de Roger Little, avec la collaboration d'Isabelle Gratiant
Jules Levilloux, *Les Créoles, ou La Vie aux Antilles*, présentation de Christina Kullberg, avec la collaboration de Roger Little
René Pottier et Saad ben Ali, *La Tente noire*, présentation de Berny Sèbe, avec la collaboration de Roger Little
Ernest Psichari, *Terres de soleil et de sommeil*, présentation de Jean-François Durand, avec la collaboration de Roger Little
Radet et Barré, *La Négresse ou Le Pouvoir de la reconnaissance*, présentation de Sylvie Chalaye
Rabindranath Tagore, *Nationalisme*, présentation de Guillaume Bridet
Thomas Tryon, *Recommandations bienveillantes aux planteurs des Indes orientales et occidentales*, inédites en français, traduction de Marie Blom, présentation de Daniel Carey
Paul Vigné d'Octon, *Journal d'un marin*, présentation de Roger Little
Anonyme, *Voyage de France à Saint-Domingue, à la Havane et aux États-Unis d'Amérique*, suivi d'un *Rapport des premiers événements arrivés à Saint-Domingue : textes inédits*, présentation de David Geggus, avec la collaboration de Roger Little

www.editions-harmattan.fr → Les Éditions → Collections → Autrement Mêmes

http://www.editions-harmattan.fr/index.asp?navig=catalogue&obj=collection&no=239

Structures éditoriales du groupe L'Harmattan

L'Harmattan Italie
Via degli Artisti, 15
10124 Torino
harmattan.italia@gmail.com

L'Harmattan Hongrie
Kossuth l. u. 14-16.
1053 Budapest
harmattan@harmattan.hu

L'Harmattan Sénégal
10 VDN en face Mermoz
BP 45034 Dakar-Fann
senharmattan@gmail.com

L'Harmattan Cameroun
TSINGA/FECAFOOT
BP 11486 Yaoundé
inkoukam@gmail.com

L'Harmattan Burkina Faso
Achille Somé – tengnule@hotmail.fr

L'Harmattan Guinée
Almamya, rue KA 028 OKB Agency
BP 3470 Conakry
harmattanguinee@yahoo.fr

L'Harmattan RDC
185, avenue Nyangwe
Commune de Lingwala – Kinshasa
matangilamusadila@yahoo.fr

L'Harmattan Congo
67, boulevard Denis-Sassou-N'Guesso
BP 2874 Brazzaville
harmattan.congo@yahoo.fr

L'Harmattan Mali
Sirakoro-Meguetana V31
Bamako
syllaka@yahoo.fr

L'Harmattan Togo
Djidjole – Lomé
Maison Amela
face EPP BATOME
ddamela@aol.com

L'Harmattan Côte d'Ivoire
Résidence Karl – Cité des Arts
Abidjan-Cocody
03 BP 1588 Abidjan
espace_harmattan.ci@hotmail.fr

L'Harmattan Algérie
22, rue Moulay-Mohamed
31000 Oran
info2@harmattan-algerie.com

L'Harmattan Maroc
5, rue Ferrane-Kouicha, Talaâ-Elkbira
Chrableyine, Fès-Médine
30000 Fès
harmattan.maroc@gmail.com

Nos librairies en France

Librairie internationale
16, rue des Écoles – 75005 Paris
librairie.internationale@harmattan.fr
01 40 46 79 11
www.librairieharmattan.com

Librairie l'Espace Harmattan
21 bis, rue des Écoles – 75005 Paris
librairie.espace@harmattan.fr
01 43 29 49 42

Lib. sciences humaines & histoire
21, rue des Écoles – 75005 Paris
librairie.sh@harmattan.fr
01 46 34 13 71
www.librairieharmattansh.com

Lib. Méditerranée & Moyen-Orient
7, rue des Carmes – 75005 Paris
librairie.mediterranee@harmattan.fr
01 43 29 71 15

Librairie Le Lucernaire
53, rue Notre-Dame-des-Champs – 75006 Paris
librairie@lucernaire.fr
01 42 22 67 13

Achevé d'imprimer par Corlet - 14110 Condé-en-Normandie
N° d'Imprimeur : 1106304 - Août 2021 - Imprimé en France